LENTEUR mode D'EMPLOI

CARL HONORÉ est un journaliste et écrivain canadien. Après avoir travaillé avec les enfants des rues au Brésil, il a parcouru l'Europe et l'Amérique du Sud en tant que reporter pour *The Economist*, *The Observer*, *Time* ou encore le *National Post* (Canada).

Son premier ouvrage, *Éloge de la lenteur*, a été fait sensation et a popularisé dans le monde entier les réflexions du *Slow movement*. Il a été traduit en plus de trente langues.

Ambassadeur du *Slow movement*, Carl Honoré continue à promouvoir les vertus de la lenteur de par le monde, tant par ses conférences que par son activité de bloggeur, ses interventions sur TED (www.ted.com) et dans les grands médias internationaux.

Carl Honoré vit à Londres avec sa femme et ses deux enfants.

Publié pour la première fois en Grande-Bretagne en 2013 par Collins, sous le titre *The Slow Fix*.

Traduction: Armelle Santamans.

Carl Honoré

LENTEUR MODE D'EMPLOI

MARABOUT

Sommaire

À Miranda, Benjamin et Susannah.

Aucun problème ne peut être résolu sans changer
la manière de penser qui l'a engendré.
Il faut apprendre à voir le monde différemment.
Albert Einstein

Introduction

Le système *andon*[1] : tirer le signal d'alarme

Pauvres gens ceux qui n'ont pas de patience !
Quelle blessure s'est jamais guérie autrement que par degrés ?
William Shakespeare

Un rituel familier est sur le point de débuter dans une petite salle aveugle d'une clinique londonienne bourdonnante. Intitulons-le : « Consultation d'un spécialiste par un patient souffrant du dos. »

La scène éveille peut-être un souvenir ? Des murs blancs nus, avec juste une planche anatomique et quelques traces de doigts sales ; la lumière froide d'un néon fixé au plafond ; une vague odeur de désinfectant. Sur un guéridon à roulettes, à proximité de la table d'examen, quelques aiguilles d'acupuncture éparses évoquent des instruments de torture médiévaux.

Aujourd'hui, le patient qui cherche à soulager un mal de dos persistant, c'est moi. À plat ventre sur le divan du médecin, le visage coincé dans une lunette recouverte de papier, j'aperçois l'ourlet d'une blouse blanche qui s'agite au-dessus du sol. C'est la blouse du Dr Woo, acupuncteur de son état. Proche de la retraite, il continue pourtant d'évoluer avec la grâce d'une gazelle. Pour tous les éclopés qui se pressent dans sa salle d'attente, il est l'incarnation des bienfaits de la médecine traditionnelle chinoise.

1. L'*andon* est un système installé sur les chaînes de fabrication, qui permet de signaler à la direction, la maintenance ou la production, un problème de fonctionnement ou de qualité sur la chaîne. L'alerte peut être donnée par un ouvrier en tirant sur un fil qui déclenche une alarme lumineuse (à l'origine un lampion) ou sonore. *(Toutes les notes de bas de page sont de la traductrice.)*

Le Dr Woo a entrepris de planter une forêt d'aiguilles le long de ma colonne vertébrale. À chaque fois qu'il transperce ma peau, il ponctue son geste d'un grognement de triomphe. Et, à chaque fois, la sensation est la même : un picotement chaud qui précède une contraction musculaire étrangement agréable. Je suis immobile, comme un papillon précieux sous les mains d'un collectionneur de l'ère victorienne.

Une fois son ultime banderille plantée, le Dr Woo réduit la lumière et me laisse seul dans la pénombre. De l'autre côté de la fine cloison, je l'entends s'entretenir avec un autre patient, une jeune femme qui souffre également du dos. Il revient un peu plus tard pour retirer les aiguilles. Alors que nous regagnons la réception, je me sens déjà mieux. La douleur s'est estompée et mes mouvements sont plus fluides, mais le Dr Woo reste prudent.

« Ne vous réjouissez pas trop vite, me dit-il. Le dos est un sujet compliqué et il lui faut du temps pour guérir. Soyez patient. » J'acquiesce et je détourne les yeux en lui tendant ma carte de crédit, sachant ce qui va suivre : « Il faudrait que vous reveniez faire au moins cinq autres séances », m'annonce-t-il.

Comme toujours, je procède comme j'ai fait lors de ma dernière visite : je prends un autre rendez-vous en comptant bien, secrètement, m'y soustraire. Deux jours plus tard, la douleur a suffisamment diminué pour que j'annule la prochaine visite, en me félicitant de ce gain de temps et d'argent. Après tout, pourquoi multiplier les séances d'acupuncture alors qu'une seule suffit à me remettre sur pied ?

Mais suis-je vraiment guéri ? Trois mois ont passé et me voici de retour sur la table du Dr Woo. Cette fois, la douleur irradie jusque dans les jambes. Même la position allongée me fait mal. Le Dr Woo jubile. Tout en insérant ses aiguilles, il m'explique que l'impatience est l'ennemie d'une bonne médecine, avant de se montrer plus précis : « Quelqu'un comme vous n'ira jamais mieux, m'assène-t-il d'un ton plus triste que fâché. Parce que vous êtes quelqu'un qui veut soigner son dos rapidement. »

Oups...

Le diagnostic fait mouche là où ça fait mal. Non seulement je suis bien obligé de plaider coupable, mais j'aurais dû le comprendre, depuis le temps – car cela fait vingt ans que je tente de soigner mes problèmes de dos à la va-vite. Le comble, c'est que je parcours le monde en donnant des conférences pour défendre les vertus de la lenteur, l'importance de prendre son temps et de faire aussi bien que possible plutôt qu'aussi vite que possible. Il m'est même arrivé de chanter les louanges d'un tel ralentissement devant des médecins. Mais si la lenteur a transformé ma vie, le virus de la précipitation reste manifestement tapi dans mes cellules. Avec une précision chirurgicale, le Dr Woo vient de mettre le doigt sur une vérité dérangeante que je tente d'ignorer depuis des années : pour ce qui est de soigner mon dos, je reste un adepte des solutions immédiates.

Toujours trop vite

Mon parcours médical ressemble à une croisière-éclair – en la matière, j'ai tout vu et tout essayé… Au cours des deux dernières décennies, mon dos a été tordu, malaxé, étiré par une kyrielle de physiothérapeutes, masseurs, ostéopathes et autres chiropracteurs. La partie inférieure de mes lombaires a été enduite d'huiles essentielles de bouleau, de camomille bleue et de poivre noir par d'innombrables aromathérapeutes. Une foule de réflexologues ont comprimé les points de ma voûte plantaire correspondant à la zone dorsale. J'ai porté un corset, avalé antalgiques et décontractants et dépensé une fortune en fauteuils ergonomiques, semelles orthopédiques et matelas médicaux. Les pierres chaudes, ventouses, électrodes, chaufferettes, compresses réfrigérantes, cristaux et ultrasons n'ont plus de secret pour moi, de même que le reiki, le yoga, la technique Alexander et le Pilates. J'ai même rendu visite à un chaman brésilien…

À ce jour, tout a échoué. Certes, j'ai connu des moments de répit, mais, après presque un quart de siècle de traitements en tous genres, j'ai toujours mal au dos – et ça ne va pas en s'arrangeant.

Peut-être que je n'aie pas encore déniché la méthode qui me conviendrait. D'autres que moi ont bien réussi à soigner leur dos grâce aux thérapies que j'ai expérimentées, et mon sorcier brésilien disposait d'impressionnantes références. Ou alors – ce qui semble plus vraisemblable – le Dr Woo a raison. En d'autres termes, j'aborde chacune de ces cures comme une solution instantanée, en m'attaquant aux symptômes sans traiter les causes, tout content quand le traitement m'apporte un soulagement passager, contrarié quand les progrès tardent ou exigent de plus gros efforts, avant de passer au remède suivant, comme un boulimique qui enchaîne les régimes. Il y a quelque temps, j'ai repéré un site

Internet qui vantait les mérites de la « magnétothérapie » sur les lombalgies. Eh bien, au lieu de m'interroger sur le sérieux du procédé, mon premier réflexe a été de me demander si je pourrais le tester à Londres.

Rassurez-vous, ce livre n'est pas un mémoire sur le mal de dos. Car rien n'est plus pénible que d'écouter la litanie des bobos d'un autre. Le récit de cette vaine bataille contre mes maux a toutefois le mérite de mettre en lumière un problème plus général, affectant chacun d'entre nous. Soyons francs : je ne suis pas le seul à courir après les remèdes miracles. Dans tous les domaines – médecine, couple, travail, politique –, nous sommes tous adeptes des solutions rapides.

Cette propension à chercher les raccourcis n'est pas nouvelle. Il y a 2 000 ans, Plutarque dénonçait déjà les hordes de charlatans qui vendaient des cures miracles aux candides citoyens de la Rome antique. À la fin du XVIIIe siècle, à Londres, les couples infertiles se pressaient dans l'espoir de s'ébattre dans le légendaire « lit céleste » – une machine qui leur promettait de la musique douce, des miroirs au plafond et un matelas de « délicates gerbes de blé ou d'avoine, mélangées à des baumes, des pétales de rose et des fleurs de lavande », ainsi que le crin des plus beaux étalons anglais, tandis qu'un courant électrique générait un prétendu champ magnétique, « conçu pour fournir aux nerfs le niveau de puissance et d'énergie requis ». Pour quel résultat allégué ? La conception instantanée d'un enfant. Son coût ? L'équivalent de 3 500 euros.

Aujourd'hui, cette soif de solutions express est devenue la norme dans une culture rythmée par la fonction « avance rapide », le service « à la demande » et les produits « instantanés ». Qui a encore le temps ou la patience de s'engager dans des débats aristotéliciens ou s'embarrasser du long terme ? Nos politiques veulent des résultats immédiats en vue des prochaines élections ou de la prochaine conférence de presse. Nos marchés paniquent si une industrie fragilisée ou un gouvernement affaibli peine à brandir un plan de redressement immédiat. Les sites Internet sont truffés de messages publicitaires promettant des solutions rapides pour chaque problème qu'appréhende Google : des tisanes pour stimuler votre vie sexuelle, des vidéos pour améliorer votre *swing* au golf ; des « applis » pour dénicher le prince charmant. Autrefois, le mécontentement social s'exprimait au moyen de tracts, de manifestations ou de participation à des débats publics. Désormais, la plupart d'entre nous se contentent de cliquer sur « J'aime » ou de balancer un *tweet*. Dans le monde entier, les médecins sont sous pression pour guérir vite, ce qui implique souvent le recours à une pilule quelconque, remède instantané par excellence.

Déprimé ? Essayez le Prozac. Des problèmes de concentration ? Prenez donc de la Ritaline. Dans sa quête perpétuelle pour un mieux-être immédiat, le Britannique moyen avalerait environ 40 000 pilules au cours de sa vie[2]. Je suis donc sans doute loin d'être le seul patient impatient du Dr Woo… « Aujourd'hui, meilleur moyen de gagner de l'argent n'est pas de guérir les gens, prétend-il, mais de leur vendre la promesse d'une guérison immédiate. »

De fait, dépenser de l'argent est devenu une solution miracle en soi, une virée shopping étant présentée comme le moyen le plus efficace pour remonter un moral chancelant. Nous nous moquons de cette *shopping-therapy* tout en exhibant notre nouvelle paire de Louboutin ou la toute dernière tablette iPad. Le marché florissant de la diététique ne s'y est pas trompé en élevant ce culte de l'immédiateté au rang d'art : « La taille mannequin en une semaine ! » vantent les pubs ; « Perdez 10 kg en… 3 jours SEULEMENT ! »

Vous pouvez même acheter un dépannage express pour faire face à certaines obligations sociales. Que vous recherchiez un partenaire de tennis, un témoin de mariage, quelqu'un pour aller au cinéma ou un gentil tonton pour encourager vos enfants lors de leurs activités sportives du mercredi, vous pouvez désormais louer un « ami » auprès d'une agence spécialisée. Une sortie avec votre nouveau « meilleur copain » vous coûtera autour de 8 euros de l'heure.

Une équation qui ne fonctionne pas

Chacune de ces solutions toutes prêtes promet un rendement maximal pour un investissement minimal. Le problème, c'est que l'équation ne fonctionne pas. Car toutes ces génuflexions devant l'autel du « maintenant tout de suite » nous rendent-elles plus heureux ou plus productifs ? Améliorent-elles notre état de santé ? Nous aident-elles à affronter les défis épiques auxquels doit faire face l'humanité à l'aube du XXIe siècle ? Existe-t-il vraiment des applis pour toutes les situations ? Bien sûr que non. Vouloir résoudre les problèmes à toute vitesse, c'est comme poser un plâtre

2. Avec 48 boîtes de médicaments par habitant, en 2010, la France a longtemps été le premier pays consommateur d'Europe, mais la tendance est peut-être en train de s'inverser : pour la première fois depuis plus de dix ans, en 2012 les Français ont réduit leur consommation de médicaments achetés en pharmacie.

sur un os cassé quand une opération s'impose : cela permet d'obtenir un sursis, mais il faudra payer le prix fort un peu plus tard. La vérité, aussi déplaisante soit-elle, c'est que les solutions express ne résolvent rien et même, dans certains cas, compliquent dramatiquement la situation.

Nous en avons la preuve tous les jours. Malgré les milliards dépensés en produits qui nous promettent, juste à temps pour l'été, des cuisses de stars et des abdominaux en béton, force est de constater que les bedaines fleurissent un peu partout. Comment est-ce possible ? Tout simplement parce que le remède miracle pour un ventre plat n'existe pas. Toutes les études montrent que la plupart des personnes qui perdent du poids grâce à un régime rapide reprennent tous les kilos perdus – et souvent plus – dans les cinq ans. Même la liposuccion, cette arme atomique du combat pour la minceur, peut vous exploser entre les doigts. En règle générale, la graisse retirée des cuisses ou de l'abdomen refait surface à un autre endroit dans l'année qui suit.

Dans certains cas, le résultat peut être encore plus dramatique. Regardez les effets désastreux de la *shopping-therapy*. Posséder le tout dernier sac Vuitton vous a peut-être remonté le moral, mais l'amélioration est habituellement passagère. Très vite, vous arpenterez les boutiques ou surferez sur la Toile en quête d'un nouveau frisson, tandis que les factures s'accumuleront sur votre bureau.

Considérons maintenant les ravages que produit notre penchant pour les médicaments. Selon certaines statistiques, 2,5 millions d'Américains abusent des produits sur ordonnance et plus de 1 million doivent être hospitalisés chaque année pour cette raison. La surconsommation de substances légales est même devenue la première cause de mort accidentelle aux États-Unis, où le marché noir des médicaments réglementés a suscité une forte augmentation des vols à main armé dans les pharmacies. Même les unités néonatales signalent une forte croissance du nombre de bébés nés de mères accros aux antalgiques. Le résultat fait peur : ces nouveau-nés souffrant de symptômes de manque pleurent, vomissent, ont des convulsions ou se frottent le nez jusqu'à ce qu'il saigne, ont du mal à se nourrir et à respirer.

Il est illusoire de chercher à résoudre des problèmes complexes en se contentant d'y consacrer de l'argent. En 2008, pour remettre à flot ses écoles publiques, la ville de New York a décidé de fixer le salaire des professeurs en fonction des performances de leurs élèves. Après avoir déboursé plus de 55 millions de dollars sur trois ans, les instigateurs de ce programme y ont renoncé, parce qu'il n'avait entraîné aucune progression des résultats ni des méthodes pédagogiques. Il est alors apparu que renflouer une école en déroute exigeait, comme nous le verrons plus loin, des mesures beaucoup plus sophistiquées que de simples incitations financières.

Les limites du court terme

Même dans le monde des affaires, où la rapidité est généralement un avantage, notre attirance pour les solutions à court terme finit par être contre-productive. Quand les entreprises traversent des périodes délicates ou doivent doper leur chiffre d'affaires ou leur cours en Bourse, leur premier réflexe est souvent de réduire les effectifs. Mais les licenciements hâtifs donnent rarement de bons résultats. Ils peuvent priver une société de ses forces vives, démoraliser les employés qui restent et effrayer clients et fournisseurs. Cette méthode passe fréquemment à côté de problèmes plus profonds. Après trente ans passés à analyser cette question sous tous les angles, Franco Gandolfi, professeur de management, en est arrivé à cette conclusion : « Globalement, les conséquences financières d'une réduction d'effectifs sont négatives. »

L'irrésistible ascension de Toyota puis sa chute vertigineuse en constituent un exemple édifiant. Le constructeur automobile a conquis le monde en s'attaquant aux problèmes à la source, d'une manière quasi obsessionnelle. Lorsqu'une anomalie affectait une chaîne d'assemblage, n'importe quel ouvrier, même le moins qualifié, pouvait tirer sur un fil qui actionnait une alarme sonore et lumineuse, connue sous le nom d'*andon*. Comme les tout jeunes enfants, les employés répétaient alors en boucle : « Pourquoi, pourquoi, pourquoi ? » Un problème sérieux pouvait même entraîner l'interruption de toute la chaîne. À chaque fois, l'incident débouchait sur une solution durable.

Tout a changé quand Toyota s'est mis en tête de devenir le numéro un mondial des constructeurs automobiles. Le management a eu les yeux plus gros que le ventre, perdu le contrôle de la chaîne logistique et ignoré les avertissements que leur adressaient les équipes sur le terrain. Il a ensuite entrepris d'éteindre les incendies sans se préoccuper de comprendre ce qui les avait déclenchés.

Au final, il a fallu rappeler plus de 10 millions de véhicules défectueux, ce qui a torpillé la réputation du groupe, pulvérisé des milliards de dollars de chiffre d'affaires et généré une kyrielle de procès. En 2010, Akio Toyoda, le très controversé président de l'entreprise, a dû s'expliquer devant le Congrès américain sur les raisons qui ont fait chuter Toyota : « Nous avons voulu poursuivre notre croissance à un rythme qui dépassait les capacités de développement de nos effectifs et de notre entreprise. » En clair : nous avons cessé d'actionner le signal *andon* pour favoriser des solutions à court terme.

La même folie a cours dans le monde du sport professionnel. Lorsqu'une équipe connaît une baisse de régime et qu'une indignation fiévreuse commence à enflammer tribunes et médias, ses dirigeants ont toujours recours au même vieux remède : ils révoquent l'entraîneur et en recrutent un nouveau. L'impatience qui s'est emparée du monde a rendu la course aux résultats encore plus frénétique. Depuis 1992, la longévité moyenne des managers anglais des clubs de football professionnel est passée de 3,5 à 1,5 année – pour les équipes en queue de peloton, la norme s'établit entre 6 mois et 1 an. Cette politique des chaises musicales a pourtant des conséquences tragiques en termes de gestion d'équipe. Des études ont montré que, dans la plupart des cas, les nouveaux messies n'offrent à leur club qu'une courte lune de miel. Après une douzaine de matchs, les performances retombent à leur niveau précédent, voire à un niveau inférieur. Cela ne vous rappelle pas la reprise quasi systématique des kilos perdus après un régime éclair ?

Une analyse des conflits dans le monde met en lumière le même type d'errement. La coalition menée par les États-Unis en 2003 n'a pas réussi à transformer la spectaculaire invasion de l'Irak en reconstruction à long terme du pays. Tandis que les troupes occidentales se pressaient à la frontière, Donald Rumsfeld, alors secrétaire d'État à la Défense, a remis au goût du jour une vieille antienne : « Nos soldats seront de retour à Noël. » À l'époque, il déclara : « Il se peut que la guerre dure six jours, peut-être six semaines, mais je doute qu'elle dure six mois. » Pourtant, ce qui a suivi, ce sont des années de chaos, de carnage et d'insurrection, couronnées par une retraite déshonorante avant que le boulot soit achevé. Selon l'argot des militaires américains, les brutes galonnées s'étaient assises sur la règle dite des sept P : « Prior Planning and Preparation Prevents Piss-Poor Performance. » (« Planification et préparation évitent les interventions foireuses. »)

Même l'industrie technologique, ce temple de la vitesse, est en train d'expérimenter que la multiplication des données et l'amélioration des algorithmes ne résolvent pas tout. Un groupe de spécialistes en informatique a récemment été missionné auprès de l'Organisation mondiale de la santé (OMS) pour éradiquer les maladies tropicales comme la malaria et le ver de Guinée. L'expérience a donné lieu à un choc des cultures. Le département des maladies tropicales se trouve à des années lumière des bureaux ultra-design de la Silicon Valley : des placards gris et des piles impressionnantes de dossiers tapissent des couloirs mal éclairés ; un écriteau jaune, rédigé à la main et scotché sur le distributeur de boissons, signale qu'il ne fonctionne plus ; des chercheurs en sandales travaillent dans la quiétude de salles pourvues de ventilateurs au plafond. On dirait l'unité de sociologie d'une université en mal de financement ou l'avant-poste administratif d'un pays en développement. Comme nombre d'experts de cette institution, Pierre Boucher s'est amusé des merveilles que prétendaient pouvoir accomplir les fringants intervenants : « Ces pontes se sont pointés avec leurs ordinateurs en nous disant : "Filez-nous les données et les cartes, on va vous arranger tout ça." Et moi je me suis dit : "Sans blague ?" Les maladies tropicales constituent un problème incroyablement complexe qu'on ne pourra jamais résoudre avec juste un clavier. » « Et est-ce que ces génies ont fait avancer les choses ? » ai-je demandé, malgré tout plein d'espoir. « Absolument pas, m'a répondu Boucher. Ils sont repartis comme ils étaient venus, et on n'a plus jamais entendu parler d'eux. »

Bill Gates, grand prêtre des solutions rapides, a lui aussi appris la leçon à ses dépens. En 2005, il a mis les scientifiques du monde entier au défi de trouver en un temps record des solutions aux plus graves problèmes de santé ayant jamais existé. La fondation Bill & Melinda Gates a ainsi octroyé 458 millions de dollars de subventions à 45 des quelque 1 500 propositions qui ont afflué en retour. À cette occasion ont été avancées des propositions aussi étourdissantes que l'invention de vaccins ne nécessitant aucune réfrigération. Cinq ans plus tard, à l'heure du bilan, l'humeur était moins joyeuse. Même les projets les plus prometteurs étaient encore loin de déboucher sur des solutions concrètes. « Nous nous sommes montrés naïfs au début », a concédé Bill Gates.

La morale de toutes ces histoires est claire : la solution express n'est pas le cheval sur lequel il faut parier. *À lui seul*, aucun algorithme n'a jamais résolu un problème sanitaire mondial ; aucun achat impulsif n'a jamais révolutionné une vie ; aucun médicament n'a jamais guéri une maladie chronique ; aucune boîte de chocolats n'a jamais réparé un cœur brisé ; aucun DVD éducatif n'a jamais transformé un enfant en mini-Einstein ; aucun programme TED[3] n'a jamais changé le monde ; aucun tir de drone n'a jamais éliminé un groupe terroriste. La réalité est toujours complexe.

L'art de la solution lente

Dans tous les domaines – santé, politique, éducation, société, affaires, diplomatie, finance, environnement –, les défis auxquels nous sommes confrontés sont de plus en plus complexes et les solutions de plus en plus urgentes. Mais les réparations de fortune ne sont plus de mise. L'heure est venue de résister au chant des sirènes qui vantent des solutions inabouties et des palliatifs à court terme. Il est temps d'apporter de vraies réponses aux problèmes et de découvrir une meilleure façon d'aborder chaque type de question. Il nous faut apprendre l'art de la solution lente.

D'abord, il convient de définir cette expression. Tous les problèmes ne naissent pas égaux : certains acceptent une solution simple et rapide ; il arrive ainsi que l'ajout d'une seule ligne de code puisse empêcher un virus sur une page Web de semer la panique et la désolation au sein d'un groupe ; lorsque quelqu'un s'étouffe, la méthode de Heimlich permet de dégager ses voies respiratoires et de lui sauver la vie. Ce livre s'intéresse à des problèmes d'un tout autre genre, aux paramètres incertains et mouvants, qui dépendent de comportements humains et pour lesquels il n'existe peut-être pas de *bonne* solution. Je pense au réchauffement climatique, à l'obésité ou à la croissance dangereuse d'une entreprise.

Face à de telles problématiques, le remède instantané s'attaque aux symptômes plutôt qu'à la cause. Il donne la priorité au soulagement à court terme plutôt qu'à la guérison à long terme. Il ignore les effets secondaires indésirables. Chaque culture a sa terminologie pour ces réponses superficielles : les Français les appellent « solutions de fortune » ; les Argentins parlent de « réparer avec du fil de fer » ; les

3. Pour *Technology, Entertainment and Design*. Programme international de conférences organisées par la fondation Sapling. Le programme TED se veut un propagateur d'idées dans tous les domaines. Les conférences sont accessibles gratuitement sur le site www.tedxparis.com.

Anglais évoquent les « thérapies pansement » ou les « solutions ruban adhésif » ; les Finlandais se moquent des « crevaisons réparées avec du chewing-gum » ; les Indiens utilisent le mot *jugaad* pour les solutions – qu'il s'agisse de construire une voiture ou de réparer une plomberie défaillante – bricolées avec les moyens du bord. Mais la métaphore que je préfère pour décrire cette folie du remède miracle reste cette expression coréenne : « uriner sur une jambe glacée ». Car, s'il paraît envisageable qu'un jet de liquide tiède apporte un soulagement ponctuel, la souffrance devient atroce quand il se met à geler sur la peau.

Alors, qu'est-ce que cette fameuse solution lente ? C'est à cette question que ce livre va tenter de répondre. Mais il semble déjà évident qu'elle repose sur une vertu assez peu répandue de nos jours : la patience.

Sam Micklus le sait mieux que quiconque en sa qualité de fondateur d'Odyssey of the Mind, (« L'Odyssée de l'esprit »), une sorte de JO de la créativité intellectuelle et de la résolution de problèmes. Chaque année, des élèves de 5 000 écoles du monde entier se réunissent pour tenter de résoudre l'un des six défis imaginés par Micklus. Il peut s'agir de construire une structure en balsa capable de supporter un certain poids, de défendre les mérites d'un aliment lors d'une parodie de procès, ou d'imaginer avec la plus grande précision possible la découverte de trésors archéologiques – passés ou futurs. Les équipes s'affrontent lors de concours régionaux, puis nationaux, avant de pouvoir accéder à une finale annuelle au niveau international. La Nasa est l'un des principaux sponsors de ce programme et elle y dépêche ses agents pour repérer de jeunes talents.

J'ai rencontré Sam Micklus lors du championnat de 2010, qui se déroulait à East Lansing, dans le Michigan. Cet ancien professeur de dessin industriel vit en Floride et ressemble trait pour trait au retraité américain moyen, avec ses chaussures confortables, ses cheveux gris et son teint hâlé. À l'occasion de cette compétition, entouré de hordes d'enfants déguisés mettant la dernière main à leur présentation, il papillonne comme un gamin au matin de Noël. Tout le monde l'appelle affectueusement Sam.

Au cours des trente années d'Odyssey of the Mind, Sam Micklus a pu observer comment le culte de la solution immédiate finissait par tout circonvenir : « Aujourd'hui, le vrai souci tient au fait que plus personne n'est prêt à attendre, affirme-t-il. Quand je demande aux gens de s'arrêter sur un problème une ou deux minutes, pas plus, ils regardent leur montre au bout de dix secondes. » Il boit une gorgée d'eau et considère l'immense gymnase dans lequel nous sommes installés.

On dirait les coulisses d'une scène du West End londonien, avec des gamins courant en tous sens et qui hurlent des instructions en assemblant des accessoires ou testent des engins ultra-sophistiqués. Le regard de Sam Micklus se pose sur un groupe de fillettes d'une douzaine d'années à peine, absorbées par la réparation d'une courroie de leur camping-car de fortune.

« Même durant cette finale, qui regroupe pourtant la crème des futurs spécialistes de la résolution de problèmes, nombre de gamins continuent de se ruer sur la première idée qui leur vient à l'esprit et fonctionne immédiatement, explique-t-il. Mais la première idée est rarement la meilleure et il faut souvent des semaines voire des mois pour trouver la solution adaptée à un problème. Sans compter qu'ensuite, il faut la laisser mûrir. »

Personne, pas même Sam Micklus, n'affirme qu'il faut résoudre tous les problèmes en prenant son temps. Dans certains cas – par exemple, quand il faut prendre en charge un soldat blessé sur un champ de bataille ou refroidir un réacteur nucléaire endommagé –, il n'est pas possible de rester à cogiter dans son fauteuil pour prendre du recul et considérer le long terme. Dans ces situations, il faut faire appel à MacGyver, attraper le rouleau de scotch et bricoler une solution immédiatement opérationnelle. En 1970, lorsque les astronautes d'Apollo 13 ont annoncé à la base de Houston qu'ils avaient un « problème », les grosses têtes du centre de contrôle de la Nasa n'ont pas commencé par ouvrir une enquête pour comprendre ce qui avait causé l'explosion du réservoir d'oxygène du vaisseau spatial. Ils ont tout de suite retroussé leurs manches et ont bossé jour et nuit pour bidouiller une solution de fortune, qui permettrait d'adapter les filtres d'oxyde de carbone afin que les astronautes puissent utiliser le module lunaire comme canot de survie. En moins de quarante heures, les cracks de Houston ont imaginé un système ingénieux à partir des objets disponibles à bord du vaisseau : du carton, des bouts de tuyau, des sacs plastiques et du ruban adhésif. Une solution temporaire, certes, mais qui a permis de ramener l'équipage d'Apollo 13 sain et sauf sur le plancher des vaches. C'est seulement dans un second temps que la Nasa a consacré des milliers d'heures à identifier la cause de l'accident et à mettre au point un moyen de garantir que les réservoirs d'oxygène n'exploseraient plus jamais.

Mais combien d'entre nous suivent l'exemple de la Nasa ? Dès qu'une intervention immédiate permet d'éliminer les symptômes d'un problème – comme ces séances d'acupuncture qui soulagent ponctuellement mon mal de dos –, nous devenons beaucoup moins enclins à actionner le signal *andon*. Pour faire face au raz-de-marée de créances douteuses qui a failli couler l'économie en 2008, les gouvernements du monde entier ont aussitôt mis en place des mesures de renflouement pour un coût total de plus de 5 000 milliards de dollars. Voilà pour l'indispensable traitement à court terme. Mais, une fois la menace dissipée, la volonté de trouver un remède plus durable au problème s'est, elle aussi, évaporée. Dans tous les pays, les politiciens se sont bien gardés de promouvoir les réformes en profondeur qui nous prémuniraient d'un nouveau film catastrophe – *Armageddon financier II : le retour*.

Trop souvent, quand une solution dans l'urgence échoue, nous nous lamentons et promettons de tourner la page, avant de reproduire les mêmes erreurs, encore et encore. « Même lorsqu'un changement radical s'impose, les gens continuent de s'en remettre aux réponses à court terme, se désole Ranjay Gulati, professeur de gestion à la Harvard Business School. Ils donnent l'impression de vouloir aller dans le bon sens, mais ils ne poursuivent pas sur leur lancée, et ce qui devait être une solution en profondeur reste, une fois de plus, un traitement à court terme. Le problème est récurrent. »

Ce qui est arrivé à la firme BP en est un exemple frappant. En 2005, l'explosion de sa raffinerie du Texas a fait 15 morts et 180 blessés parmi les employés. Moins d'un an plus tard, des fuites étaient repérées, à deux reprises, sur un pipeline rouillé qui s'étend sur près de 25 km au large des côtes de l'Alaska. Sur un intervalle aussi court, ces deux dysfonctionnements auraient dû alerter les esprits et faire comprendre à BP que des années de coupes sombres dans les dépenses commençaient à avoir des répercussions graves pour la firme. En 2006, John Browne, alors président du groupe, parut admettre que l'heure n'était plus aux bricolages de fortune : « Nous devons organiser nos priorités, annonçait-il, et notre premier travail consiste à nous atteler à ce qui vient de se passer. Nous ne nous contenterons pas d'une solution superficielle, nous le corrigerons en profondeur. »

Mais ce beau discours ne s'est jamais concrétisé. BP a continué d'opérer plus ou moins comme par le passé, ce qui lui a valu une rafale de blâmes officiels et une amende rondelette pour avoir manqué à l'engagement pris par Browne. En avril 2010, le groupe a fini par payer cher le prix de son cynisme : une nouvelle explosion a détruit la plateforme de forage de Deepwater Horizon, faisant 11 morts et 17 blessés parmi les employés, avant de cracher dans le golfe du Mexique plus de 780 millions de litres de pétrole brut, qui ont provoqué la plus grande catastrophe écologique de l'histoire des États-Unis.

Ce fiasco nous rappelle combien notre addiction aux solutions à court terme peut être dangereuse. Pourtant, même si des vies sont en jeu, si d'énormes sommes d'argent risquent d'être perdues, si une redoutable incertitude pèse sur notre quotidien, notre santé, nos emplois ou notre environnement, et bien que nous sachions que la route menant à la catastrophe est pavée de remèdes dérisoires, nous nous obstinons à nous jeter sur ces solutions à court terme comme des papillons de nuit attirés par une flamme.

Il y a malgré tout une bonne nouvelle : nous pouvons nous affranchir de cette dépendance. Dans tous les secteurs, nous sommes de plus en plus nombreux à prendre conscience qu'il n'est pas toujours opportun de vouloir résoudre trop vite les problèmes complexes et que les meilleures solutions ont besoin que nous leur consacrions du temps, des efforts et des moyens. Donc, que nous appuyons sur la pédale de frein.

Ce livre soulève beaucoup de questions. Qu'est-ce que la solution lente ? Chaque difficulté appelle-t-elle la même recette ? Comment savoir si un problème a été correctement résolu ? Et, surtout, comment mettre en œuvre la solution lente dans un monde accro à la vitesse ?

Pour répondre à toutes ces questions, j'ai parcouru la planète en tous sens et rencontré des gens qui portent un regard nouveau sur la manière de résoudre les problèmes compliqués. Nous allons rendre visite au maire qui a révolutionné les transports en commun de Bogota, en Colombie, passer un peu de temps en compagnie des pensionnaires et des gardiens d'une prison modèle en Norvège, étudier la manière dont les Islandais sont en train de réinventer la démocratie. Certaines des solutions examinées pourront peut-être trouver à s'appliquer dans votre propre vie, dans votre entreprise ou dans votre réseau social, mais mon but est d'agir en profondeur. Je veux retirer de toutes ces histoires quelques principes universels sur la façon de découvrir la solution la plus adaptée lorsque tout va de travers. Il faudra donc identifier les points communs entre des problèmes qui n'ont, en apparence, aucun lien entre eux. Par exemple, dans quelle mesure les émissaires de la paix au Moyen-Orient pourraient s'inspirer du système de don d'organes en Espagne ? Comment un programme pour redynamiser un village rural au Viêt Nam pourrait améliorer la productivité d'une société canadienne ? Que peut apporter la réhabilitation d'une école de Los Angeles à des chercheurs français chargés de réinventer la bouteille d'eau ? Que pouvons-nous apprendre des cerveaux de la Nasa, des jeunes inventeurs d'Odyssey of the Mind ou des *gamers* invétérés qui passent des heures à résoudre des problèmes en ligne ?

Ce livre répond également à une quête personnelle. Après des années de fausses joies et de demi-mesures, de raccourcis stériles et de faux-fuyants, je veux découvrir pourquoi j'ai mal au dos. Est-ce mon régime alimentaire ? ma posture ? mon style de vie ? Mes douleurs lombaires auraient-elles une cause émotionnelle ou psychologique ? Je suis enfin prêt à prendre le temps qu'il faut pour obtenir la guérison – définitive – de mon dos. Fini les réparations dérisoires avec des solutions à court terme. J'arrête d'uriner sur une jambe congelée.

L'heure de la solution lente a sonné.

Chapitre 1

Pourquoi une solution à court terme ?

I want it all, and I want it now[1].

Queen, groupe de rock

L'église Saint-Pierre, au cœur de Vienne, semble indifférente à la frénésie qui anime la ville. Entourée d'immeubles adossés à ses flancs comme autant de soldats serrant les rangs, elle se dresse sur une petite place à l'écart du brouhaha des rues commerçantes qui quadrillent la capitale autrichienne. Souvent, les touristes la dépassent sans même remarquer la beauté de sa façade baroque et ses dômes vert-de-gris.

En poussant ses lourdes portes, vous remontez le temps jusqu'à une époque où les gens avaient peu de raisons de se hâter. Quelques hauts parleurs discrets chuchotent des chants grégoriens, dans la lumière tremblotante que projettent des cierges sur des retables dorés et des tableaux représentant la Vierge Marie. Un parfum d'encens flotte dans l'air. Un escalier de pierre usé mène à une crypte millénaire. L'épaisseur de ses murs l'isole du réseau des antennes-relais et le silence qui y règne est presque métaphysique.

Je suis venu à Saint-Pierre pour parler des vertus de la décélération. La conférence est principalement destinée à des entrepreneurs, mais plusieurs ecclésiastiques sont également présents. À la fin de la soirée, alors que la plupart des invités se sont égayés dans la nuit viennoise, Mgr Martin Schlag, superbe dans sa soutane écarlate, s'approche pour me faire une confession sur un ton presque penaud : « En vous écoutant, j'ai subitement pris conscience de la facilité avec

1. « Je veux tout, et je le veux maintenant. »

laquelle nous nous laissons contaminer par l'impatience du monde moderne, me dit-il. Ces derniers temps, je dois bien avouer que j'ai prié un peu vite.»

Nous nous amusons de cette ressemblance inattendue entre hommes d'Église et hommes d'affaires, mais son aveu souligne combien le réflexe de recourir à des solutions express est profondément enraciné en nous. Après tout, en cas de problème, la prière constitue probablement l'ultime recours. Depuis des temps immémoriaux et dans toutes les civilisations, nos ancêtres s'en sont remis aux dieux et aux esprits durant les périodes troublées pour qu'ils les aident à traverser les crises – qu'il s'agisse d'inondations, de famines, de sécheresses ou d'épidémies. Si le débat sur le pouvoir de la prière reste ouvert, un constat s'impose : aucun dieu n'a jamais réservé ses bienfaits à ceux qui priaient plus vite que les autres. « La prière n'a pas vocation à servir de raccourci, me dit Mgr Schlag. L'essence même de la prière est de ralentir, d'écouter, d'aller au fond des choses. En expédiant une prière, vous la privez de son sens et de son pouvoir. Elle devient un remède précipité et totalement creux.»

Si nous entendons résoudre les difficultés en profondeur, il convient d'abord de décrypter cette attirance fatale qui nous pousse vers les solutions rapides. Il nous faut découvrir pourquoi même des ecclésiastiques comme Mgr Schlag, des gens qui consacrent leur vie à la contemplation, en viennent pourtant à tomber dans ce travers. Serions-nous désormais voués aux remèdes improvisés ? Serait-il, dans notre monde moderne, plus difficile de résister à la tentation d'uriner sur une jambe congelée ?

Des racines physiologiques

Après ma conversation avec Mgr Schlag, je me suis adressé à un expert séculier pour en savoir plus sur le fonctionnement du cerveau humain. Peter Whybrow est psychiatre et dirige le Semel Institute for Neuroscience and Human Behavior de l'université de Californie, à Los Angeles. Il est également l'auteur d'un livre intitulé *American Mania*, qui explore la façon dont la mécanique du cerveau – celle-là même qui a aidé les premiers hommes à survivre dans une nature hostile – nous incite à nous empiffrer à l'ère de l'abondance. Comme beaucoup de ses collègues, il pense que notre addiction aux solutions rapides a des racines physiologiques.

Pour résoudre les problèmes, le cerveau humain dispose de deux mécanismes, communément appelés système 1 et système 2. Le premier est rapide et intuitif. Grâce à lui, si nous apercevons un lion qui nous observe depuis la berge opposée d'un marigot, nos cellules grises cartographient aussitôt les différentes issues de secours et nous propulsent vers l'une d'entre elles. Remède immédiat, problème résolu. Mais notre système 1 n'est pas réservé aux situations de danger extrême. Il est aussi le raccourci que nous empruntons pour naviguer dans notre vie quotidienne. Imaginez ce qui se passerait si toutes nos décisions (choisir un sandwich chez le boulanger, décider de l'attitude à adopter face à un charmant inconnu dans le métro, etc.) étaient le fruit d'une analyse puissante et d'une introspection intense. La vie deviendrait insupportable. Le système 1 nous permet donc d'éviter toutes ces tracasseries.

À l'inverse, le système 2 est lent et réfléchi. Il correspond à la réflexion consciente que nous engageons lorsqu'il faut calculer le produit de 16 par 23 ou évaluer les éventuels effets secondaires d'un nouveau programme social. Il fait appel à la planification, à l'analyse critique et à la pensée rationnelle, et dépend de zones du cerveau qui continuent de se développer tout au long de l'adolescence – ce qui explique pourquoi les enfants recherchent toujours des gratifications immédiates. Bien évidemment, ce système 2 consomme beaucoup plus d'énergie.

Dans les temps anciens, le système 1 était parfaitement adapté à la vie quotidienne. Nos ancêtres avaient moins besoin que nous de cogiter et de prendre du recul. Ils mangeaient quand ils avaient faim, buvaient quand ils avaient soif et dormaient quand ils étaient fatigués. « Dans la savane, demain n'existait pas et la survie dépendait des actions du jour même, explique Whybrow. Dans ces conditions, les systèmes physiologiques, dont notre cerveau et notre corps ont hérité, se concentraient sur les solutions à court terme et le système de récompenses qui accompagnait ces réactions adaptées. » Quand l'agriculture s'est développée, il y a 10 000 ans, prévoir l'avenir est devenu un atout. De nos jours, vu la complexité de notre univers postindustriel, le système 2 devrait donc, selon toute logique, régner en maître.

Ce qui est pourtant loin d'être le cas. L'une des raisons est que, dans notre subconscient, nous sommes toujours en train de parcourir la savane. Si le système 1 continue d'exercer son emprise, c'est qu'il demande beaucoup moins de temps et d'effort. Quand il entre en jeu, il inonde le cerveau de gratifications chimiques, comme la dopamine, qui nous envoient une décharge de bien-être et nous poussent à en redemander. Voilà qui explique pourquoi vous ressentez ce léger frisson de plaisir à chaque fois que vous progressez d'un niveau dans *Angry Birds* ou que vous rayez une corvée sur votre *to-do list*: travail bouclé, rétribution livrée, frisson suivant. Selon l'analyse coût-bénéfice adoptée par les neurosciences, le système 1 est celui qui offre la rentabilité maximale pour l'investissement minimal. Le coup de fouet qu'il procure peut même devenir une fin en soi. Tout comme ces accros au café qui feraient des bassesses pour une dose de caféine ou ces fumeurs prêts à braver des ouragans pour une cigarette, nous devenons dépendants à la récompense immédiate que procure la solution à court terme. Par contraste, le système 2 fait triste mine, exigeant des tourments et des sacrifices immédiats pour une récompense future très imprécise – un peu comme un *coach* acariâtre qui vous ordonnerait d'oublier cet éclair au chocolat si tentant pour vous concentrer sur les vingt prochaines pompes, ou un parent sévère vous sommant de terminer vos devoirs avant d'aller jouer. C'est au système 2 que pensait Henry T. Ford quand il déclarait: «Il n'y a rien de plus difficile que de réfléchir. Voilà sans doute pourquoi si peu de gens s'engagent dans cette voie.»

Mais le système 2 peut aussi agir comme un mauvais génie qui rationaliserait notre préférence pour les récompenses à court terme. Après avoir succombé à la tentation et engouffré cet éclair au chocolat, nous nous persuadons que nous méritions cette douceur, que nous avions besoin du regain d'énergie qu'il nous a apporté ou que nous brûlerons les calories excédentaires lors d'une prochaine séance de gym. «En bref, le cerveau primitif est accro aux solutions à court terme et l'a toujours été, affirme Whybrow. La rétribution tardive qui accompagne une vision à long terme impose un gros effort. La solution à court terme est un penchant plus naturel. C'est celle qui nous procure du plaisir. Nous l'apprécions énormément et nous voudrions qu'elle agisse de plus en plus rapidement.»

Voilà pourquoi nos ancêtres nous ont mis en garde contre les remèdes miracles, bien avant que Toyota ait inventé le signal *andon*. Dans la Bible, l'apôtre Pierre exhorte les chrétiens à se montrer patients: «Le Seigneur ne tarde pas dans l'accomplissement de la promesse, comme quelques-uns le croient; mais il use de patience envers vous, ne voulant qu'aucun périsse, mais voulant que tous arrivent à la repentance.» (2P3:9) En clair: il n'appartient pas à Dieu de fournir des solutions en temps réel. Mais les autorités religieuses ne sont pas les seules à s'être émues de ce penchant critiquable du genre humain pour les sirènes du court-termisme. Un grand philosophe des Lumières, John Locke, avait en son temps prédit que les marchands de solutions express couraient à leur perte : « L'homme doit avoir la maîtrise de ses inclinations ; il faut qu'il sache résister à l'impression importune d'un plaisir présent ou d'une peine, et se conformer à ce que la raison lui dit qu'il est convenable de faire, s'il ne veut pas manquer des vrais principes de la vertu et de la prudence, et s'exposer à n'être jamais bon à rien. »

Un siècle plus tard, Alexander Hamilton, l'un des pères fondateurs des États-Unis, nous rappelait ce péril : « Les passions momentanées et les intérêts immédiats ont une influence plus importante et plus impérieuse sur les comportements humains que des considérations générales ou isolées de politique, d'utilité ou de justice. » Cette défiance à l'encontre des décisions précipitées a perduré jusqu'à nos jours. Face à un diagnostic médical pessimiste, il est communément conseillé de rechercher un second avis. Les États, les entreprises et, plus généralement, les organisations consacrent des milliards à la collecte de données, de recherches et d'analyses susceptibles de les aider à résoudre leurs problèmes en profondeur.

Alors pourquoi, malgré ces mises en garde et ses exhortations, persistons-nous à favoriser les solutions à court terme ? L'illusion entretenue par le système 1 n'offre qu'une explication partielle. Depuis des milliers d'années, le cerveau humain a développé tout un arsenal de mécanismes plus ou moins extravagants qui déforment notre réflexion et nous poussent dans la même direction.

Résolument optimistes !

Examinons par exemple notre tendance naturelle à l'optimisme. Dans toutes les cultures et à toutes les époques, la majorité des gens envisagent un avenir beaucoup plus riant qu'il l'est en réalité. Nous sous-estimons de façon significative la probabilité de connaître un jour un licenciement, un divorce ou une longue maladie. Nous sommes convaincus d'avoir des enfants doués, de surpasser nos pairs et de vivre plus longtemps que ce que la vie nous réserve effectivement. Pour paraphraser Samuel Johnson, nous laissons l'espoir triompher de l'expérience. Cette tendance pourrait répondre à un impératif d'évolution, qui nous inciterait à nous démener et à aller de l'avant plutôt qu'à nous retirer dans un coin sombre pour y ruminer l'injustice de notre condition. Dans son ouvrage *The Optimist Bias* (*Tous programmés pour l'optimisme*[2]), Tali Sharot assure que la foi en un avenir meilleur favorise des esprits plus sains, dans des corps plus sains. Mais elle nous met aussi en garde contre un excès d'optimisme. Pourquoi, en effet, se soumettre à des examens médicaux réguliers ou ouvrir un plan d'épargne retraite puisque tout doit forcément bien se passer ? « Les slogans alarmistes comme "Fumer tue" n'ont pas d'impact, car les gens sont persuadés qu'ils ont peu de chances de contracter un cancer du poumon, explique Tali Sharot. Et même devant un taux de divorce de 50 %, les gens restent persuadés que cette situation ne les concernera pas. Il y a un biais important dans le cerveau. » Ce biais affecte la manière dont nous abordons les problèmes. Avec des lunettes roses, les solutions à court terme nous paraissent aussitôt beaucoup plus plausibles.

Effet *Einstellung* et biais de *statu quo*

Le cerveau humain a, par ailleurs, un faible pour ce qu'il connaît bien. Plutôt que de prendre le temps d'analyser une difficulté en fonction de ses caractéristiques spécifiques, nous préférons habituellement recourir à des solutions qui ont fait leur preuve dans des circonstances similaires, même si nous avons sous les yeux de meilleures alternatives. Ce biais, mis en lumière par d'innombrables études, est connu sous le nom d'effet *Einstellung*. Il s'est révélé fort utile à une époque où le genre humain devait parer à un nombre limité d'urgences évidentes, comme éviter de se faire dévorer par un fauve. Mais elle s'avère beaucoup moins opportune face à l'étourdissante complexité de nos sociétés modernes. C'est cet effet *Einstellung*, entre autres, qui nous pousse à reproduire continuellement les mêmes erreurs – et dans tous les domaines : sphère publique, privée ou professionnelle.

Mais ce phénomène repose également sur notre aversion pour le changement. Les conservateurs ne sont pas les seuls à souhaiter que rien ne change. Même en présence d'arguments irréfutables en faveur d'un renouveau, l'homme favorise instinctivement l'immobilisme. C'est pourquoi nous pouvons lire un ouvrage de développement personnel, opiner à chaque page et nous abstenir de le mettre en pratique. Les psychologues appellent cette inertie le « biais de statu quo ». Ce

---

2. Marabout, 2012.

syndrome explique notamment pourquoi nous nous installons systématiquement à la même place dans une salle de cours, alors que rien ne nous y oblige, ou pourquoi nous restons clients de la même banque, du même supermarché ou du même opérateur de téléphonie quand leurs concurrents offrent des conditions plus intéressantes. D'ailleurs, cette résistance au changement a de multiples échos dans la sagesse populaire. Ne clamons-nous pas volontiers qu'« on n'apprend pas à un vieux singe à faire la grimace », ou qu'« on ne change pas une équipe qui gagne » ou encore que « le mieux est l'ennemi du bien » ? Tout comme l'effet *Einstellung*, le biais de *statu quo* nous dissuade d'abandonner notre recours récurrent aux solutions à court terme.

Le problème de l'héritage

Ajoutez à ces différents penchants notre réticence naturelle à reconnaître nos erreurs et vous obtenez un nouvel obstacle à la solution lente, que nous appellerons le problème de l'héritage. Plus nous investissons dans une solution (qu'il s'agisse de dépenses de personnel, de technologie, de marketing ou de publicité), moins nous sommes enclins à la remettre en question ou à lui chercher de meilleures alternatives. En d'autres termes, nous préférons conserver une réponse inopérante plutôt que d'en chercher une autre qui aurait des chances de fonctionner. Même les champions de la résolution de problème ne sont pas à l'abri de ce piège. Au début du IIIe millénaire, un trio de génies de l'informatique venus d'Estonie a élaboré un code qui a permis d'utiliser Internet pour téléphoner. Cette découverte a donné naissance à une société qui a connu l'un des plus forts taux de croissance du XXIe siècle. Dix ans plus tard, le quartier général de Skype, établi à Tallin, la capitale estonienne, reste le sanctuaire de l'entreprenariat chic, avec ses murs de briques nus, ses gros poufs confortables et ses toiles *funky*. Une population de jeunes branchés venus des quatre coins du monde sirote de l'eau minérale en caressant un iPad. Dans une alcôve, près de la salle où je dois m'entretenir avec Andres Kütt, le jeune techno-évangéliste de Skype, j'aperçois un tableau encore couvert des hiéroglyphes de la dernière session de *brainstorming*.

Bizarrement, les mauvais remèdes font de fervents émules jusque dans les repaires les plus iconoclastes. À 36 ans, Kütt est déjà un apporteur de solutions chevronné. Il a concouru à l'essor de la banque en ligne et mené le projet qui a donné aux Estoniens la faculté de faire leurs déclarations de revenus sur Internet. Il craint que, en prenant de l'âge et en s'embourgeoisant, Skype n'ait perdu certaines des qualités qui faisaient sa force pour traiter les problèmes : « Cet héritage est devenu un poids pour nous, confie-t-il. Vous investissez énormément pour résoudre un problème et, tout d'un coup, celui-ci disparaît presque derrière un nombre incalculable de personnes et de systèmes soucieux de justifier leur existence. Vous vous retrouvez avec un scénario dans lequel la source initiale du problème est cachée et difficile à atteindre. » Généralement, dans ce type de situation, au lieu de changer de tactique, les gens préfèrent s'accrocher à la solution la plus répandue, quitte à s'embourber. « Ça fait toujours peur de revenir en arrière et de reconnaître que les anciennes solutions peuvent ne pas fonctionner et qu'il va falloir envisager d'investir du temps, de l'argent et de l'énergie pour en trouver de nouvelles, reconnaît Kütt. C'est tellement plus facile et plus sécurisant de rester dans une zone de confort. »

Il peut sembler aberrant de s'accrocher à un navire en train de sombrer, mais nous sommes loin d'être aussi rationnels que nous aimons l'imaginer. Nombre d'études montrent que nous avons tendance à supposer que les personnes dotées d'une voix grave (généralement des hommes) sont plus intelligentes et plus dignes de confiance que celles qui s'expriment dans un registre plus aigu (habituellement les femmes). Nous avons également tendance à surestimer la finesse et la compétence des personnes séduisantes. Un autre exemple, que nous appellerons l'« illusion du bol de salade », confirme ces propos. À l'occasion d'une enquête menée par le Kellog Institute of Management, des consommateurs devaient évaluer le nombre de calories contenues dans divers aliments très énergétiques comme les gaufres au bacon et au fromage. Ces cobayes ont dû ensuite deviner l'apport calorique de ces mêmes préparations, accompagnées cette fois d'un assortiment plus sain, de type bâtonnets de carotte ou de céleri. Toutes les personnes interrogées ont estimé qu'un accompagnement diététique rendait la *totalité* du repas moins riche, comme si la présence de légumes était de nature à réduire le niveau de lipides des aliments gras. Et cet effet halo était encore plus prononcé lorsque le groupe testé était composé d'acharnés du régime. Alexander Chernev, le directeur de cette étude, en conclut : « Les gens adoptent souvent un comportement illogique qui finit par produire des effets contraires à leurs objectifs. »

Et comment ! Notre aptitude à ne voir que ce qui nous arrange paraît sans limite. En présence de faits qui remettent en cause nos convictions (par exemple, si on nous apporte la preuve que notre remède miracle est inopérant), nous avons tendance à les invalider en les considérant comme des données isolées ou comme « des exceptions qui confirment la règle ». Ce phénomène est connu sous l'expression « biais de confirmation ». Sigmund Freud l'appelait quant à lui « déni » et c'est un grand allié du problème de l'héritage et du biais de *statu quo*. Il est capable de générer une illusion puissante qui déforme la réalité. Ainsi, beaucoup de patients auxquels des docteurs annoncent qu'ils vont bientôt mourir refusent purement et simplement d'entendre cette information. Il nous arrive de nous accrocher à nos croyances malgré les preuves tangibles et irréfutables de leur absence de fondement. Songez aux avocats du déni de l'Holocauste. Réfléchissez aux 330 000 personnes décédées en Afrique du Sud parce que Thabo Mbeki, alors président du pays, refusait d'admettre le lien de causalité entre le virus du VIH et le sida, comme le clamait pourtant la communauté scientifique dès la fin des années 1990.

Et même lorsque nous n'avons aucun intérêt à travestir ou à filtrer l'information, nous sommes enclins à chausser des œillères, comme en témoigne cette expérience, répétée des douzaines de fois sur YouTube, dans laquelle les sujets testés doivent visionner un match de basket et compter le nombre de passes effectuées par l'une des équipes. Un tel exercice exige une grande concentration car chacune des équipes a une balle et les joueurs ne cessent de se mélanger. Cet exercice de focalisation est généralement très utile pour nous préparer à ignorer des distractions incompatibles avec une réflexion profonde. Mais il peut conduire à rétrécir notre champ de vision jusqu'à nous amener à ignorer des bribes d'information importantes : l'arbre finit par dissimuler la forêt. Aux deux tiers de la vidéo, un homme déguisé en gorille se plante au milieu du terrain et se tourne vers la caméra avant de se frapper le torse de ses poings, puis de disparaître. Devinez combien de personnes ne s'en souviennent pas ? Plus de la moitié.

Une civilisation de la vitesse

Tout cela souligne une vérité alarmante : dans de très nombreuses situations, le cerveau humain n'est pas fiable. Qu'il faille le mettre au compte de l'optimisme ou des biais de *statu quo* et de confirmation, des illusions entretenues par le système 1 ou de l'effet *Einstellung*, il semble parfois que le choix des solutions à court terme relève d'une fatalité biologique. Mais notre conditionnement neurologique n'offre qu'une explication partielle. Car nous avons bâti une civilisation de l'homme pressé qui nous entraîne dans l'avenue de la solution express.

Aujourd'hui, la précipitation constitue notre principale réponse aux difficultés. Nous marchons vite, nous parlons vite, nous lisons vite, nous mangeons vite, nous faisons vite l'amour et nous réfléchissons vite. Nous sommes entrés dans l'ère du yoga rapide, des histoires courtes pour endormir les enfants, de ceci « à l'instant même », de cela « à la demande ». Cernés que nous sommes par des gadgets qui accomplissent de petits miracles en un clic ou un glissement de doigt sur un écran, nous en sommes venus à penser que tout devait se réaliser à la vitesse de l'ordinateur. Même nos rituels les plus sacrés finissent par devoir se soumettre à un processus de simplification et d'accélération. Ainsi, des paroisses américaines se sont lancées dans les enterrements sur le mode des *drive-in* : la cérémonie se déroule sans que personne ne descende de voiture. Récemment, le Vatican a été dans l'obligation de préciser que les fidèles ne pouvaient pas recevoir l'absolution s'ils confessaient leurs péchés par le biais d'une application de leur *smartphone*. Et même nos loisirs les plus coupables nous entraînent vers les solutions express, puisque alcool, amphétamines et cocaïne font passer le cerveau en mode système 1.

L'économie, elle aussi, nous encourage dans cette voie. Le capitalisme valorisait la rapidité bien avant que se développe la dématérialisation des échanges. La vitesse de réalisation des profits permet de les réinvestir tout aussi rapidement pour encore plus de bénéfices. Toute solution favorisant une accélération de la circulation monétaire ou de la hausse des cours a de grandes chances de remporter la palme – parce c'est maintenant qu'il faut s'enrichir, quitte à ce qu'un autre doive réparer les dégâts ensuite. Ce mode de pensée s'est exacerbé au cours des vingt dernières années. Nombre d'entreprises sont plus préoccupées par le cours en Bourse du jour que par les investissements qui pourraient les placer sur le podium dans un an. Il y a tellement de travailleurs précaires qui enchaînent petits boulots et contrats courts qu'il devient vital de traiter les problèmes au plus vite, sans trop s'embarrasser d'une vision à long terme. Ce phénomène atteint tout spécialement les conseils d'administration, où le mandat moyen d'un P.-D.G s'est dramatiquement réduit depuis quelques années. En 2011, Leo Apotheker a été révoqué de ses fonctions de patron de Hewlett-Packard au bout de onze mois à peine. Dominic Barton, directeur associé de l'entreprise de consulting McKinsey & Company, entend les mêmes lamentations de la part de tous les dirigeants de la planète : faute de temps et d'incitations, nous ne pouvons plus regarder plus loin que la prochaine solution express. Son verdict : « Le capitalisme est aujourd'hui trop centré sur le court terme. »

Le règne absolu de l'immédiat

Dans les bureaux, une nouvelle culture tend à renforcer ce rétrécissement de nos horizons. De quand date votre dernier examen approfondi d'un problème ? Quand avez-vous pu, pour la dernière fois, consacrer plusieurs minutes de réflexion à un sujet quelconque ? Sans même parler de traiter de questions fondamentales comme vos objectifs à cinq ans ou une réorganisation d'envergure de votre entreprise. Nous sommes, pour la plupart, trop absorbés par les rafales incessantes de tâches sans intérêt : signer un document, assister à une réunion, répondre à un coup de fil. Les statistiques montrent que les hommes d'affaires consacrent aujourd'hui la moitié de leur temps de travail à gérer uniquement leur messagerie électronique et leurs réseaux sociaux. Jour après jour, semaine après semaine, l'immédiat l'emporte sur l'important.

La sphère politique fait, elle aussi, les frais de cette tendance. Nos élus ont tout intérêt à favoriser des mesures qui porteront leurs fruits juste avant le prochain scrutin. Un ministre pourra avoir besoin d'obtenir des résultats avant le prochain remaniement gouvernemental. Certains analystes prétendent que les administrations américaines disposent d'à peine six mois (soit la fenêtre temporelle existant entre la confirmation de leurs dirigeants par le Sénat et le début de la campagne suivante, en vue des élections de mi-mandat) pour se concentrer sur les décisions stratégiques à long terme, avant de devoir se préoccuper des gros titres des quotidiens et des sondages. Et notre attirance pour les leaders sans états d'âme, qui dégainent plus vite que leur ombre, n'arrange rien. Nous chérissons l'image du héros solitaire qui débarque avec une solution toute prête dans les sacoches de sa selle. Combien d'hommes politiques ont réussi à remporter une élection en déclarant : « Il me faudra beaucoup de temps pour déterminer la façon de régler nos problèmes » ? Toute volonté de ralentir pour se consacrer à la réflexion, à l'analyse ou à la consultation d'experts est souvent assimilée à de la paresse ou à de la faiblesse, surtout en périodes de crise. Comme le formule l'un des détracteurs de Barack Obama : « Il nous faut un leader, pas un lecteur. » Daniel Kahneman, l'un des deux seuls psychologues à avoir reçu le prix Nobel d'économie, estime que notre préférence naturelle pour des politiciens qui fonctionnent à l'instinct réduit la démocratie à un carrousel de remèdes à court terme. Dans son livre *Thinking, Fast and Slow* (*Système 1 – Système 2. Les deux vitesses de la pensée*[3]), il affirme : « L'opinion publique aime les décisions rapides, ce qui pousse les dirigeants à suivre leurs pires intuitions. »

Cela dit, de nos jours, politiciens et chefs d'entreprise ne sont pas seuls à croire qu'il suffit d'agiter une baguette magique. Nous sommes tous victimes de cette illusion dans cette époque de discours creux, prétentieux et verbeux. À cet égard, je vous suggère de regarder *X-Factor*[4] où une ribambelle de tocards aspirent à devenir le nouveau Michael Jackson ou la prochaine Lady Gaga. La pression pour sortir du lot est telle que nous en venons à embellir notre CV, à poster des photos flatteuses sur Facebook et à brailler sur des blogs ou sur Twitter pour attirer l'attention. Une étude récente a révélé que 86 % des adolescents de 11 ans utilisaient les réseaux sociaux pour construire leur « marque personnelle ». Si cet exhibitionnisme fait peut-être des émules et des adeptes, il pourrait aussi nous jeter dans les bras dangereux des solutions express. Pourquoi ? Tout simplement parce que nous perdons progressivement toute humilité et refusons d'admettre que nous n'avons pas toutes les réponses, qu'il nous faudrait un peu plus de temps et qu'un petit coup de main serait le bienvenu.

Le business du développement personnel est partiellement responsable de cet état de fait. Après des années consacrées à la lecture et à la rédaction d'ouvrages sur le sujet, Tom Butler-Bowdon a pris en grippe son gagne-pain. Il a fini par conclure qu'il y avait trop de gourous qui bernaient le public avec des raccourcis et des soi-disant remèdes miracles dépourvus de véritable efficacité. Il a contre-attaqué avec son livre *Never Too Late to Be Great* (*Il n'est jamais trop tard pour réussir*[5]), qui démontre que les meilleurs remèdes, quel que soit le domaine considéré – l'art, les affaires ou la science –, requièrent généralement une longue gestation. « En omettant de rappeler que toute production de qualité exige du

---

3. Flammarion, 2012.
4. Ce télé-crochet a connu un échec retentissant en France (deux saisons seulement), mais a connu un grand succès au Royaume-Uni.
5. Payot, 2012.

temps, l'industrie du développement personnel a produit une génération qui croit pouvoir tout résoudre en une journée », déplore-t-il.

Les médias attisent d'ailleurs cet incendie. Lorsque quelque chose tourne mal, les journalistes s'emparent du désastre, le dissèquent avec délectation et exigent des solutions immédiates. Après avoir été épinglé pour ses aventures extraconjugales, le golfeur Tiger Woods a disparu de la scène durant trois mois avant de rompre son silence par un *mea culpa* public et d'annoncer qu'il était en cure de désintoxication sexuelle. Les médias ont réagi avec indignation à la longue attente qu'il leur avait imposée. Le pire péché que puisse commettre une personnalité publique sur la sellette consiste à ne pas communiquer tout de suite sur sa stratégie de sortie.

Cette impatience nourrit une tendance à surcommuniquer à propos de solutions qui se révèlent, peu de temps après, de parfaits flops. Ingénieur de formation, Marco Petruzzi a exercé durant quinze ans le métier de consultant à l'international avant de dire adieu au milieu des affaires pour concevoir de meilleures écoles aux États-Unis destinées aux déshérités. Nous le retrouverons dans quelques pages. Pour le moment, examinons le procès qu'il intente à notre culture de la poudre aux yeux : « Par le passé, à force de travail, les personnes entreprenantes finissaient par développer des trucs incroyables. Elles *agissaient* et ne se contentaient pas d'en *parler*, me dit-il. Aujourd'hui, nous vivons dans un monde où la parole ne coûte pas cher et où un peu d'audace peut vous rapporter une fortune colossale, sans rien produire. Il y a des multimilliardaires dont le seul mérite a été de faire le bon investissement au bon moment, ce qui ne fait que conforter la tendance actuelle à refuser de consacrer un peu de temps et d'efforts à la découverte de solutions réelles et durables aux problèmes qui se posent. Car, en effet, si les gens se débrouillent bien sans se poser de questions pour demain, ils peuvent en retirer un profit immédiat. »

Le choix des solutions à court terme semble avoir encore de beaux jours devant lui. Qu'il s'agisse des inclinations de notre cerveau ou de la manière dont va le monde, tout semble aller dans le sens des remèdes improvisés à la hâte. Mais tout n'est pas perdu. De plus en plus de gens, tous milieux confondus, se détournent de ces solutions de facilité pour découvrir de meilleures manières de résoudre les problèmes. Certains évoluent dans l'ombre, d'autres font les gros titres, mais tous ont en commun une puissante envie de développer des remèdes qui fonctionnent. Car le monde regorge de solutions lentes. Il faut juste prendre le temps de les dénicher et d'en tirer les leçons.

Chapitre 2

Avouer :
la beauté du *mea culpa*

Le succès ne consiste pas à ne jamais faire d'erreurs,
mais à ne jamais faire deux fois la même.
George Bernard Shaw

Par une nuit fraîche de septembre, quatre avions de chasse Typhoon bourdonnent au-dessus des eaux glacées de la mer du Nord. Engagés dans un combat aérien à deux contre deux, ils piquent, virent et lacèrent l'obscurité de leurs sillages, à plus de 800 km/h, à la recherche de leur cible. Il s'agit d'une mission d'entraînement, mais, pour les pilotes, l'enjeu paraît réel. Sanglé dans son cockpit, une machine de guerre de 12 tonnes au bout des doigts, le lieutenant-colonel Dicky Patounas n'est qu'adrénaline. C'est sa première sortie de nuit aux commandes de l'un des plus puissants jets de combat jamais construits.

« Nous volons tous feux éteints car il s'agit d'un exercice en conditions réelles que nous organisons rarement. Par conséquent, je suis dans une obscurité totale et je pilote uniquement aux instruments, derrière ma visière, se souvient Patounas. Je navigue au radar, en jouant sur la portée et l'altitude – le truc de base. Mais je ne connais pas bien cet avion et je suis hyperconcentré. » Soudain, tout dérape.

Quelques mois plus tard, Patounas revit cet instant depuis le plancher des vaches. Sa base aérienne, la RAF Coningsby, se trouve dans le Lincolnshire, une région à l'est de l'Angleterre dont le relief plat, dépourvu de tous points de repère, attire plus de pilotes que de touristes. Vêtu de sa combinaison verte sillonnée de fermetures Éclair, Patounas rappelle les héros de *Top Gun* : mâchoires puissantes, carrure d'athlète, maintien rigide et coupe en brosse. Il se saisit d'une feuille et d'un crayon pour illustrer ce qui s'est passé cette nuit-là. Comme tous les militaires britanniques, il s'exprime de façon saccadée.

Patounas se trouvait derrière les deux Typhoons « ennemis » quand il a décidé d'exécuter une manœuvre connue sous le nom *overshoot* en phase 3 identification visuelle (VID). Il avait l'intention de dégager à gauche avant de reprendre aussitôt sa trajectoire initiale, pour se placer juste derrière le dernier avion ennemi. Mais, au lieu de maintenir leur route, ses deux partenaires ont viré à gauche juste sous son nez, pour éviter un hélicoptère situé à une trentaine de kilomètres. Les deux pilotes ont annoncé leur changement de direction par radio, mais Patounas, très concentré sur sa manœuvre, ne les a pas entendus. « C'est assez technique, explique-t-il. Vous devez passer d'un bord à l'autre à 60 degrés d'inclinaison, puis sortir en vol horizontal durant 20 secondes, avant de ramener votre scanner à 4 degrés et sélectionner l'échelle 10 nautiques au radar, pour finalement, après ces 20 secondes de virage à 120 degrés et 45 degrés d'inclinaison, atteindre la position souhaitée et repérer le type à environ 4 nautiques sur votre radar. J'étais en train de mettre tout ça en place et j'ai zappé l'appel radio signalant le changement de cap. »

Au moment où Patounas achève son virage, il aperçoit son objectif là où il l'attendait. À cet instant, le lieutenant-colonel est tendu comme un arc : « L'avion apparaît juste en dessous de ma ligne de mire, comme je l'ai prévu. Du coup, je pense avoir parfaitement évalué mon coup, raconte-t-il. Je change d'échelle radar, j'ajuste ma route et je sais, malgré l'obscurité, que ma cible est exactement dans le mille. Du coup, je me prends pour un génie, un as du combat aérien. À vrai dire, à ce moment-là, j'ai l'impression de n'avoir jamais été aussi bon. »

Il secoue la tête avec un sourire amer en songeant à son arrogance. Car, au lieu de le propulser derrière le chasseur de queue de peloton, sa manœuvre l'a placé derrière l'avion de tête – sauf qu'il n'en sait rien. « C'est de ma faute : en fait, j'ai perdu toute notion de la situation des deux jets. Je savais qu'ils étaient dans le coin, mais je n'ai pas vérifié qu'il y avait deux sillages. J'aurais dû changer d'échelle pour jeter un coup d'œil à la position de l'autre type, mais je ne l'ai pas fait parce que j'étais convaincu d'avoir parfaitement exécuté ma manœuvre. »

De ce fait, Patounas est passé à 1 000 m du Typhoon de queue. « Ce n'est pas si près que ça, en fait Le vrai problème, c'est que je n'en avais absolument pas conscience, parce que j'ignorais jusqu'à sa présence, se souvient-il. J'aurais aussi bien pu être à un mètre ou le percuter. » Le lieutenant-colonel se tait un instant, comme s'il visualisait la catastrophe. Cette nuit-là, son binôme a observé toute la scène, mais il n'est pas intervenu, car il a vu qu'il n'y avait pas de risque de collision.

Reste qu'une telle erreur, lors d'un combat réel, aurait pu avoir des conséquences dramatiques. Et le lieutenant-colonel en a parfaitement conscience.

Selon la bible de l'aviation civile, un accident en vol est le résultat de sept erreurs humaines. Chacune est bénigne en soi, mais, quand elles sont toutes combinées, le résultat peut être fatal. Appliquée au domaine militaire, cette règle d'or permet de comprendre pourquoi piloter un avion de combat – un engin doté d'un système électronique extraordinairement complexe – est aussi dangereux. En 2011, alors qu'il assurait le blocus aérien au-dessus de la Lybie, un F-15E américain s'est écrasé près de Benghazi après une défaillance mécanique. Un mois plus tôt, deux F-16 de l'armée thaïlandaise s'étaient crashés au cours d'un entraînement de routine.

Dans le cas du Typhoon qui survolait la mer du Nord, le plus surprenant n'est pas qu'un tel problème ait pu se produire, mais que Patounas n'ait pas gardé pour lui l'erreur qu'il avait commise. Dans le milieu machiste des pilotes de chasse, on ne s'étend pas sur les *mea culpa* après l'atterrissage. Avec ses 22 années d'expérience dans la RAF et un groupe de 18 hommes sous ses ordres, le lieutenant-colonel avait beaucoup à perdre. Pourtant, il a fait le choix de réunir son équipe pour confesser sa faute. « J'aurais pu m'en tirer en passant l'épisode sous silence, mais la meilleure chose à faire était de le mettre sur le tapis, de le mentionner dans mon rapport et de le soumettre à l'analyse, déclare-t-il. J'ai exposé à tout l'escadron les détails de ma méprise et comment j'en étais arrivé là. Comme ça, mes gars ont vu que ça ne me dérangeait pas d'avouer que, moi aussi, il m'arrivait de foirer, comme tout le monde. »

C'est dur de reconnaître ses erreurs

Cela nous amène à parler du premier ingrédient de la solution lente : admettre nos erreurs pour en tirer les leçons. Il s'agit d'assumer nos responsabilités pour les grosses erreurs comme pour les petites bêtises et les catastrophes évitées de justesse, qui préfigurent souvent des ennuis beaucoup plus graves.

Plus facile à dire qu'à faire… Car nous détestons reconnaître nos faiblesses. L'animal social que nous sommes accorde une importance considérable à son image. Nous aimons nous présenter sous notre meilleur jour – *fare bella figura*, comme disent les Italiens. Or, il n'y a rien de tel qu'un bon gros ratage pour écorner une image flatteuse.

Voilà pourquoi, dans le monde du travail, l'aptitude à faire porter le chapeau à ses collègues est passée au rang d'un art. Mon premier patron m'a un jour donné un conseil : « Souvenez-vous que le succès a de nombreux parents, mais que l'échec est orphelin. » Examinez votre CV. Combien d'erreurs commises lors de précédents emplois y figurent ? Dans l'émission *The Apprentice*[1], la plupart des séances en salle du conseil réunissent des candidats qui attribuent leurs fautes à leurs concurrents. Les entreprises elles-mêmes préfèrent souvent fermer les yeux plutôt que d'affronter leurs erreurs, même lorsque les enjeux financiers sont conséquents. Ainsi, près de la moitié des établissements bancaires attendent qu'une société en difficultés se trouve en défaut de paiement ou affiche un déficit trop important pour lui venir en aide. Et 15 % de ces établissements ne disposent d'aucune feuille de route pour traiter ce type de situation.

Le fait que nos sociétés sanctionnent fréquemment ceux qui choisissent de faire leur *mea culpa* n'arrange rien. Dans un monde hypercompétitif, les concurrents brandissent le moindre faux pas ou signe de doute chez l'autre comme une preuve de faiblesse. Si les grands patrons et les politiciens japonais sont prompts à courber l'échine pour obtenir un pardon, leurs homologues d'autres pays préfèrent bomber le torse, en jouant sur les mots et la crédulité du public, pour éviter de devoir admettre une erreur. D'ailleurs, beaucoup de langues ont quasiment éliminé le terme « problème » du vocabulaire courant, pour le remplacer par des euphémismes plus indolores, comme « problématiques » et « défis ». Le phénomène s'explique aisément quand on découvre que, selon plusieurs enquêtes, les cadres qui passent sous silence les mauvaises nouvelles profiteraient de promotions plus rapides.

Depuis qu'il est à la retraite, Bill Clinton se fait un devoir de dire au moins une fois par jour : « Je me suis trompé » ou « Je ne savais pas ». Et lorsque sa journée ne lui en fournit pas l'occasion, il s'arrange pour en fabriquer une. S'il s'impose cet exercice, c'est pour court-circuiter l'effet *Einstellung*, ainsi que tous les autres

1. *The Apprentice* est une émission de télé-réalité américaine, dans laquelle un homme d'affaires connu fait passer des entretiens d'embauche à différents candidats, pour n'en retenir qu'un seul, auquel il offre un emploi au sein de son entreprise. La décision de retenir ou non un postulant est prise en « salle du conseil ».

biais que nous avons précédemment évoqués. Il a compris que, dans un environnement aussi complexe et volatil, seule l'ouverture d'esprit permet de venir à bout des situations difficiles. Or, pour être plus ouvert, il faut savoir reconnaître qu'on est faillible. Pensez-vous sincèrement que Bill Clinton aurait pu proférer de telles phrases quand il était encore président des États-Unis d'Amérique ? Impossible. Nous attendons de nos dirigeants qu'ils expriment la conviction et la certitude qui viennent à ceux qui possèdent toutes les réponses. Loin d'être considéré comme la preuve d'une aptitude à l'apprentissage et à l'adaptation, tout changement de direction ou d'opinion est vu comme une marque d'indécision ou de lâcheté. Si le président Clinton avait avoué commettre des erreurs, ou s'il avait exprimé des doutes sur sa politique, opposants et médias l'auraient aussitôt mis en pièces.

Il arrive aussi que la crainte d'une action en justice décourage un *mea culpa* sincère. Les compagnies d'assurance conseillent d'ailleurs à leurs clients de ne jamais admettre leur faute dans un accident de la route, quand bien même ils en sont clairement responsables. Souvenez-vous le temps qu'il a fallu à BP pour publier un communiqué s'apparentant à des excuses officielles après la catastrophe écologique causée par sa plateforme pétrolière de Deepwater Horizon ! Presque deux mois… En coulisses, avocats et gourous de la communication ont épluché la jurisprudence pour peaufiner une déclaration de nature à apaiser la vindicte publique sans déclencher une avalanche de procès.

Mais cette répugnance à admettre sa culpabilité n'est pas l'apanage des entreprises. Même après la fin de leur mandat, alors qu'ils n'ont plus à séduire un électorat, nos politiciens ont eux aussi bien du mal à faire amende honorable pour leurs errements passés. Ni Tony Blair ni George Bush n'ont jamais présenté d'excuses officielles pour avoir envahi l'Irak afin d'y saisir des armes de destruction massives inexistantes. Par ailleurs, au-delà nos freins individuels, nous nous montrons *collectivement* réticents aux *mea culpa*. Il a fallu près de quarante ans pour que la Grande-Bretagne exprime des regrets à propos du massacre du Bloody Sunday perpétré en Irlande du Nord en 1972. Ce n'est qu'en 2008 que l'Australie a admis ses crimes commis par le passé envers les aborigènes. Un an plus tard, c'était au tour du Sénat des États-Unis de présenter des excuses formelles, au nom du peuple, pour l'esclavage et la ségrégation raciale dont avaient été victimes les Noirs américains.

L'absence de témoins ne facilite pas nécessairement les actes de contrition. Comme le relevait Beethoven, « rien n'est plus intolérable que de devoir nous avouer nos propres erreurs». Cela nous oblige à affronter nos fragilités et nos limites, à reconsidérer notre identité et notre place dans le monde. Dès lors que nous admettons avoir failli, nous ne pouvons plus nous voiler la face. «C'est tout le problème lorsque l'on fait pleinement l'expérience de se tromper, écrit Kathryn Schulz dans son livre *Being Wrong* (*Cherchez l'erreur! Pourquoi il est profitable d'avoir tort*[2]). Cela fiche en l'air toutes nos théories, y compris celles que nous avions sur nous-même... Nous en retirons la sensation d'avoir été mis à nu aux yeux du monde.» En pratique, il n'existe pas de mots plus difficiles à prononcer que: «Excuse-moi.»

Ces erreurs qui nous aident

Voilà qui est spécialement regrettable, car les erreurs sont souvent très utiles. Comme le dit le proverbe, l'erreur est humaine. Elle peut nous aider à traiter un problème en lui apportant un nouvel éclairage. En mandarin, le mot «crise» s'exprime au moyen de deux caractères, l'un signifiant «danger» et l'autre «opportunité». En d'autres termes, chaque ratage porte en lui la promesse d'une amélioration – si nous prenons le temps de regarder nos erreurs en face et d'en tirer les leçons. Les artistes le savent depuis des siècles: «Les erreurs ont presque toujours un caractère sacré, déclarait Salvador Dalí dans son *Journal d'un génie*. N'essaie jamais de les corriger. Au contraire, rationalise-les, comprends-les intégralement. Après quoi, il te sera possible de les sublimer.»

Un même état d'esprit règne sur l'univers plus rigoureux des sciences, où même une expérience ratée peut générer d'intéressantes hypothèses et ouvrir de nouveaux axes de recherches. Parmi les inventions qui ont changé la face du monde, beaucoup ont pu advenir parce qu'un chercheur avait choisi d'analyser un échec au lieu de le dissimuler. En 1928, alors qu'il s'apprêtait à quitter son laboratoire de Londres pour passer le mois d'août en famille, Sir Alexander Fleming oublia malencontreusement de refermer les boîtes où il cultivait des staphylocoques. À son retour, un mois plus tard, il constata qu'un champignon avait colonisé ses échantillons et tué toutes les bactéries. Au lieu de jeter les boîtes,

2. Flammarion, 2012.

il les étudia et découvrit que la mousse verdâtre qui avait envahi ses cultures contenait un puissant agent anti-infectieux, qu'il baptisa *Penicillium notatum*. Vingt ans plus tard, la pénicilline – à ce jour, l'antibiotique le plus couramment utilisé dans le monde – fut commercialisée et révolutionna la médecine avant de valoir à Fleming un prix Nobel. Comme l'affirmait Einstein : « Celui qui n'a jamais fait d'erreurs n'a jamais tenté d'innover. »

Quant aux militaires, ils ont toujours su que l'analyse des fautes commises, et donc leur reconnaissance préalable, était une part essentielle du processus d'apprentissage. Dans l'armée de l'air, en particulier, les erreurs se payent en vies humaines. Par conséquent, les consignes de sécurité en vol prennent généralement le pas sur le désir de paraître sous son meilleur jour. Ainsi, la RAF publie depuis des années un mensuel, *Air Clues*, où pilotes et ingénieurs exposent leurs cafouillages et les enseignements qu'ils en ont tirés. Mais les solutions apportées par les autres intervenants sont également les bienvenues. Ainsi, la publication a récemment fait état de l'attribution du Flight Safety Award (médaille de la sécurité en vol) à un caporal chargé du contrôle du trafic aérien, qui avait interrompu un vol malgré l'opposition du pilote après avoir remarqué que l'extrémité de l'aile avait touché le sol au décollage.

Une réforme radicale

Dans la plupart des pays, les pilotes militaires se soumettent à des débriefings sans aucune censure après chaque sortie, afin d'analyser ce qui s'est passé – en bien ou en mal – durant le vol. Mais l'armée de l'air britannique a estimé que ces discussions n'étaient pas suffisantes. Par le passé, en effet, les soldats avaient tendance à ne partager leurs bourdes qu'avec leurs collègues immédiats, et surtout pas avec leurs supérieurs ou les escadres rivales. Fort d'une longue expérience, un officier le résumait ainsi : « Une part d'expérience importante et précieuse, de nature à améliorer la sécurité en vol pour tous, passait alors entre les mailles du filet. »

Pour y remédier, la RAF a engagé le cabinet de consultants Baines Simmons, qui avait déjà travaillé pour l'aviation civile, afin de mettre au point un système capable d'identifier les erreurs et d'en tirer les enseignements – les secteurs des transports, de l'agroalimentaire, de la sécurité sanitaire ou des forages sont familiers de ce type de démarche.

Pour l'heure, c'est le colonel Simon Brailsford qui supervise le nouveau programme. Depuis son engagement dans la RAF à l'âge de 18 ans, il a volé sur des avions de transport C130 Hercules lors d'opérations en Bosnie, au Kosovo, dans le nord de l'Irak et en Afghanistan. Aujourd'hui âgé de 46 ans, il allie l'impeccable maintien, caractéristique des officiers, au charme plus délicat d'un homme qui fut, trois années durant, l'écuyer de Sa Majesté la reine Elizabeth II.

Il utilise un marqueur rouge pour esquisser le croquis d'un crash sur le tableau blanc fixé à l'un des murs de son bureau. « L'aviation est un métier dangereux, dit-il en finalisant la silhouette du cadavre d'un pilote et quelques fumerolles. Notre objectif est d'arrêter de ramasser les morts et les morceaux de carlingue au sol. Il faut donc remettre tout à plat pour identifier les erreurs et les ratages de nature à provoquer un crash, afin que ceux-ci ne se reproduisent plus. Nous voulons résoudre les difficultés avant qu'elles se transforment en problèmes. »

Dès que les équipes au sol de la RAF Coningsby se surprennent à faire quelque chose qui pourrait hypothéquer la sécurité, il leur est désormais demandé de faire un rapport en ligne ou de remplir l'un des formulaires spécifiques distribués à tous les postes de travail de la base. Ces documents remontent ensuite jusqu'au bureau central qui détermine les questions à approfondir.

Pour que le système fonctionne, la RAF s'efforce de promouvoir ce qu'elle appelle une « juste culture ». Lorsque quelqu'un commet une erreur, il n'est pas automatiquement blâmé ni sanctionné. En revanche, le problème est systématiquement analysé pour en tirer les enseignements. « Les gens doivent comprendre que, s'ils reconnaissent une erreur commise, ils n'auront pas d'ennuis. Sinon, ils s'abstiendront de signaler les dérapages et pourront même être tentés de les dissimuler, explique Brailsford. Cela ne signifie pas qu'ils ne feront pas l'objet d'une remontrance, d'une procédure disciplinaire ou d'une formation complémentaire. Cela veut dire qu'ils seront traités de manière juste, appropriée à ce qui leur est arrivé et en tenant compte du contexte global. À tous ceux qui ont commis une erreur en toute bonne foi et qui lèvent la main pour en faire l'aveu, nous disons merci. L'essentiel est de faire comprendre à chacun que nous préférons les gars qui partagent leurs bourdes à ceux qui les gardent pour eux, car c'est ce qui nous permettra d'éviter à tous de graves accidents. »

La RAF Coningsby n'hésite pas à enfoncer le clou régulièrement. Sur toute la base, dans les couloirs, à la cantine, jusque dans les latrines, des affiches exhortent les hommes à rapporter le moindre problème de sécurité. Les toilettes sont garnies de brochures plastifiées expliquant comment éviter le danger et pourquoi le plus anodin des incidents vaut la peine d'être mentionné. À l'entrée principale, le visiteur est accueilli par une immense photo de l'officier chargé de la sécurité en vol sur la base, pointant le doigt dans la pose de Lord Kitchener[3]. Juste au-dessus du numéro de téléphone où on peut le joindre, une question a été inscrite en lettres capitales : « À QUOI AVEZ-VOUS PENSÉ AUJOURD'HUI ? » Cette nécessité de reconnaître les faux pas est également rabâchée aux cadets de l'académie militaire : « Dès le début, on nous répète qu'il est préférable de faire savoir qu'on a merdé, raconte l'un des jeunes ingénieurs de Coningsby. Bien entendu, on se fait taper sur les doigts par les copains quand on fait des conneries, mais nous savons tous que la meilleure manière de résoudre les problèmes, actuels et à venir, consiste à admettre ses responsabilités. »

En tout cas, la RAF s'assure que chacun perçoit les bienfaits de ses *mea culpa*. Les responsables des enquêtes de sécurité téléphonent à tous ceux qui leur ont signalé un problème dans les 24 heures, puis à nouveau pour leur faire connaître leurs conclusions. Ils organisent par ailleurs des ateliers hebdomadaires avec des ingénieurs pour présenter les résultats des audits et les motifs des mesures appliquées aux personnes concernées. « Ils ouvrent de grands yeux quand ils comprennent qu'ils ne vont pas se faire punir malgré leur bévue et qu'on va même peut-être les féliciter », rapporte l'un des enquêteurs.

La colonelle Stephanie Simpson a passé 17 ans dans l'armée de l'air britannique et elle est responsable de la sécurité pour la division ingénierie de Coningsby. Les cheveux réunis dans un chignon strict, son regard est vif et attentif. Elle m'explique que le nouveau programme a récemment porté ses fruits après qu'un ingénieur a remarqué qu'un test de routine sur Typhoon avait abîmé une goupille sur la verrière d'un cockpit. (Si celui-ci ne s'ouvre pas correctement, un pilote qui doit s'éjecter en urgence risque de s'écraser contre la bulle de verre.)

L'ingénieur a donc déposé son rapport et l'équipe de Simpson s'est mise au boulot. En 24 heures, ils ont confirmé que le test en cause pouvait effectivement endommager les verrières. Les techniciens ont aussitôt inspecté les pièces à risque sur la totalité de la flotte des Typhoons, en Europe et en Arabie Saoudite. La

---

3. Nommé ministre de la Guerre en août 1914, ce maréchal britannique a posé sur des affiches pour inciter les volontaires à s'enrôler.

procédure a par la suite été modifiée afin de garantir qu'elle ne causerait plus de dégâts.

« Il y a dix ans, un tel problème n'aurait probablement jamais été signalé. Les ingénieurs auraient pensé : "Bah, ce truc est cassé, on va le remplacer sans faire de vagues", avant de poursuivre leur boulot. Nous sommes en train d'instituer un nouveau mode de pensée pour que les gens se disent : "Bon sang, d'autres avions de l'escadre pourraient bien avoir le même pépin, et si je n'en parle pas maintenant, il risque de passer à l'as la prochaine fois." Voilà comment un problème mineur ne se transforme pas en catastrophe. »

Grâce à l'honnêteté du lieutenant-colonel Dicky Patounas, une enquête de la RAF a découvert qu'une série d'erreurs avait conduit à l'incident évité de justesse en mer du Nord. Le fait qu'il n'ait pas entendu l'ordre de virer à gauche est la première. La seconde, c'est que les pilotes ont modifié leur cap sans attendre confirmation que leur collègue avait bien noté ce changement. Ensuite, une fois que Patounas eut effectué sa manœuvre malheureuse, toute l'équipe aurait dû rallumer ses feux. « Il y a eu une suite de manquements à la procédure. Si chacun avait réagi comme il aurait dû, ce ne serait pas arrivé, explique le pilote. Le côté positif de cette expérience, c'est qu'elle rappelle à tous les règles à observer lors d'une phase 3 VID opérée de nuit. La prochaine fois, nous n'aurons pas le même souci. »

D'autres membres de son escadron lui ont d'ores et déjà emboîté le pas. Quelques jours avant ma visite, une jeune femme caporal a relevé que certaines règles n'étaient pas correctement respectées. « Son analyse n'était pas tout à fait pertinente, mais elle reste à mettre à son crédit, car elle a eu le courage de ses convictions en allant à contre-courant, quitte à se faire sanctionner, se félicite Patounas. Il y a vingt ans, elle n'aurait jamais soulevé la question ou, si elle l'avait fait, on lui aurait répondu : "Occupe-toi de tes affaires. Je lave mon linge sale moi-même." Du coup, moi, je lui dis merci. »

La RAF n'est toutefois pas un modèle indépassable pour gérer les problèmes. Les erreurs ou les incidents évités de justesse sont loin de tous faire l'objet d'un rapport systématique et des situations similaires ne reçoivent pas toujours une réponse identique. Des aléas de ce type peuvent affaiblir l'impact d'une « juste culture ». Car certains officiers continuent de douter de l'importance, pour les pilotes et les ingénieurs, d'accepter les vertus d'une mise à plat des problèmes. D'ailleurs, la plupart des *mea culpa* rapportés dans les colonnes du magazine

Air Clues restent anonymes. Manifestement, les mots « Excusez-moi » sont encore difficiles à prononcer dans la RAF.

Pourtant, cette évolution commence à porter ses fruits. Au cours des trois premières années de ce nouveau programme, 210 erreurs ou incidents évités de justesse ont été signalés sur la seule base de Coningsby. Soixante-treize ont donné lieu à une enquête et des mesures ont été prises pour s'assurer qu'ils ne se reproduiraient pas. « Auparavant, on ne signalait jamais les fautes qui n'avaient pas généré d'incidents ; c'est donc un pas de géant, une belle preuve de confiance, se réjouit Brailsford. Au lieu de masquer les problèmes, nous les examinons en profondeur et les traitons à la racine. Nous les étouffons dans l'œuf en les éliminant avant même qu'ils se produisent. » Les forces aériennes d'autres pays, depuis Israël jusqu'à l'Australie, en ont pris bonne note.

Les avantages du *mea culpa*

Pour traiter les situations délicates, ajouter le *mea culpa* à sa caisse à outils présente des avantages qui dépassent largement le cadre militaire. Prenons l'exemple d'ExxonMobil. Après la marée noire causée par l'*Exxon Valdez* sur les côtes de l'Alaska en 1989, le groupe a entrepris d'identifier et d'auditer ses moindres ratages. Il s'est ainsi détourné d'un important projet de forage dans le golfe du Mexique car, contrairement à BP, il a estimé que ce projet présentait de trop gros risques. La sécurité est désormais tellement inhérente à la structure de l'entreprise que, pour le moindre buffet dressé pour une réunion, un panneau conseille de ne pas se servir des plats qui sont restés plus de 2 heures à température ambiante et que, dans toutes les cantines, les sauces d'assaisonnement font l'objet d'un contrôle vigilant.

Désormais, dès qu'une erreur se produit dans les unités de production d'ExxonMobil, le réflexe est d'en tirer les leçons plutôt que de sanctionner les coupables. Les employés en viennent presque à considérer les erreurs qui n'occasionnent pas de gros incidents comme une « chance ». Glenn Murray, qui travaille dans le groupe depuis bientôt trente ans, a participé aux opérations de nettoyage après la catastrophe du *Valdez*. Aujourd'hui responsable de la sécurité au sein de la compagnie pétrolière, il estime que la moindre bévue mérite d'être examinée. « Chaque cafouillage peut nous enseigner quelque chose. Il suffit de prendre le temps de l'analyser », affirme-t-il.

Tout comme la RAF et Toyota, ExxonMobil encourage tous ses employés – même les nouvelles recrues inexpérimentées – à signaler ce qui ne leur semble pas OK. Récemment, un jeune ingénieur fraîchement recruté a ainsi émis des doutes sur le forage en Afrique de l'Ouest et a décidé de le fermer temporairement. « Il a suspendu un projet de plusieurs millions de dollars qui, selon lui, pouvait comporter des risques, estimant qu'une pause s'imposait pour tout mettre à plat. Et la direction l'a suivi, raconte Murray. Nous lui avons même donné la parole lors d'une conférence et l'avons récompensé du titre d'"employé du trimestre". » Quels que soient les indicateurs retenus, Exxon possède aujourd'hui un niveau de sécurité que peut lui envier toute l'industrie pétrolière.

Les fautes peuvent aussi représenter une chance pour les sociétés qui interviennent auprès du grand public. Quatre produits sur cinq meurent dans l'année même de leur lancement. Les entreprises les plus performantes tirent les leçons de ces échecs. Le Newton MessagePad, le Pippin ou le portable Macintosh ont fait des flops retentissants, mais ils ont permis à Apple de défricher la voie pour des succès comme l'iPad.

Le fait de reconnaître ses erreurs peut offrir des avantages concurrentiels jusque dans le secteur impitoyable de la gestion de marques, où le moindre faux pas peut faire fuir le client et torpiller la plus puissante des entreprises. En 2009, alors que ses ventes périclitaient aux États-Unis, Domino's Pizza a invité sa clientèle a donné son avis sur ses préparations. Le verdict a été cinglant : « La pire des soi-disant pizzas que j'aie jamais mangée », « Totalement dépourvue de goût ». Nombre de personnes ont comparé la pâte des pizzas à du carton.

Plutôt que de se morfondre ou d'enterrer les résultats, Domino's a publié un tonitruant *mea culpa*. Dans plusieurs publicités télévisées conçues comme des documentaires, le P.-D.G., Patrick Doyle, a reconnu que la chaîne faisait fausse route et a promis qu'elle proposerait désormais de meilleures pizzas. La société a planché et intégralement revu sa copie en modifiant tous ses ingrédients. Et avec sa campagne publicitaire « Pizza Turnaround[4] », elle a décroché le jackpot. Les ventes ont bondi de 14,3 %, soit la plus forte progression de l'histoire du fast-food. Deux ans après les excuses présentées par son P.-D.G., la capitalisation boursière de Domino's Pizza avait augmenté de 233 %. Certes, sa nouvelle recette

4. Littéralement, le « revirement de la pizza ».

y est pour quelque chose, mais le point de départ de ce succès reste le choix opéré par la société quand elle a accepté de reconnaître ses erreurs, à l'instar de ce que la RAF et Exxon demandent à leurs employés. Cette initiative a permis à la chaîne d'identifier précisément les secteurs où elle faisait fausse route afin d'y remédier. Elle a également contribué à clarifier la situation. De nos jours, tant d'entreprises claironnent avoir mis au point des « nouveautés et améliorations » qu'il en résulte un brouhaha qui laisse le consommateur de marbre. Le fait de reconnaître ses erreurs a autorisé Domino's à renouer avec ses clients en clarifiant le message.

Les spécialistes en communication conviennent d'ailleurs que, pour une entreprise, la meilleure manière de gérer une erreur reste de présenter ses excuses et d'expliquer comment elle entend agir pour corriger le tir. Cette position recoupe mon expérience. Il y a quelque temps, un virement sur mon compte bancaire s'est perdu dans la nature. Après vingt minutes d'évitement de la part de mon interlocuteur, le ton est monté à mesure que je me laissais gagner par la colère. C'est alors qu'une responsable a pris la main et m'a déclaré : « Monsieur Honoré, nous sommes désolés. Nous avons commis une erreur. » Tandis qu'elle m'expliquait la manière dont ils allaient remédier au problème, ma fureur s'est estompée et nous avons fini par deviser joyeusement de nos dernières vacances et de la météo.

Des excuses officielles peuvent susciter le même genre d'apaisement. En 2011, à la veille de Noël, un client a filmé un coursier de FedEx en train de balancer par-dessus une clôture de près de 2 m de haut un colis contenant un écran d'ordinateur ; la vidéo a fait le tour de la planète et a bien failli torpiller les ventes au moment de la période la plus sensible de l'année. Mais… dans un blog intitulé « Absolument, positivement inacceptable », le vice-président de FedEx États-Unis a annoncé qu'il était « furieux, gêné et vraiment désolé » de ce qui s'était passé. La société a offert un nouvel écran au client et sanctionné son livreur. Cette initiative courageuse a permis à FedEx de traverser la tempête.

Généralement, la meilleure tactique consiste donc à assumer ses erreurs pour en tirer les enseignements. En 2011, Ingénieurs Sans Frontières (ISF) Canada a ouvert un site Internet ayant pour nom admittingfailure.com (admettrelechec.com pour sa version française), sur lequel leurs bénévoles peuvent raconter leurs ratés afin que d'autres en profitent. « Le risque était considérable car une telle transparence est contraire aux normes du secteur », note Ashley Good qui supervise le projet pour ISF. Mais cette décision s'est avérée bénéfique. Ne craignant plus de se voir réprimandé en cas de problème, le personnel d'ISF s'est montré plus enclin à l'audace, qui constitue souvent le tremplin de l'innovation. « Aujourd'hui, les gens ont l'impression de pouvoir faire des expériences, creuser des pistes et tenter leur chance en toute liberté, car ils savent qu'ils ne se feront pas taper sur les doigts s'ils ne réussissent pas du premier coup, rapporte Good. En repoussant ainsi les frontières, on obtient des solutions beaucoup plus créatives. » Exemple ? Après nombre de tentatives et d'échecs, ISF a conçu un système pour améliorer les services d'hygiène et de distribution d'eau au Malawi, grâce à la mobilisation simultanée des administrations locales, des entreprises privées et de la population. Dans tout le secteur du développement, des bénévoles publient désormais leurs anecdotes sur le site admittingfailure. Les parrains d'ISF se félicitent eux aussi de la mise en place de cette tribune. Ils apprécient la publication de tous ces cafouillages comme autant d'occasions d'apprendre et de progresser. À cet égard, Ashley Good déclare : « Nous avons découvert que la transparence et l'honnêteté contribuaient à renforcer nos liens avec nos donateurs et à accroître leur confiance. »

Le même constat se vérifie dans la sphère intime. Après un conflit avec un proche – conjoint, ami, parent ou enfant –, le premier pas indispensable pour rétablir la communication consiste à assumer sa part de responsabilité. Reconnaître ses erreurs permet à la fois d'alléger le sentiment de culpabilité et de honte qui pèse sur le fautif et d'aider sa « victime » à surmonter une colère qui fait souvent obstacle au pardon. Expert en thérapies familiales, Marianne Bertrand observe tous les jours la magie du *mea culpa* dans son cabinet parisien. « Parmi les personnes qui viennent me consulter, nombre d'entre elles ne parviennent même pas à cerner leurs problèmes tant elles sont engluées dans la rage et le ressentiment, explique-t-elle. Quand elles finissent par reconnaître leurs erreurs et présenter des excuses sincères, puis quand elles entendent l'autre faire de même, l'atmosphère change de manière perceptible, la tension diminue, et nous pouvons commencer à travailler sur la réconciliation. »

Même les médecins commencent à considérer d'un meilleur œil le *mea culpa*. Toutes les études montrent que, parmi les patients qui ont été victimes d'une faute médicale, nombre d'entre eux ne réclament ni un dédommagement financier ni la tête de leur praticien sur un plateau. Ce qu'ils désirent par-dessus tout (comme FedEx l'a compris en son temps), ce sont des excuses sincères, une présentation transparente des circonstances de la faute qui leur a valu toutes ces souffrances et la liste des mesures envisagées pour qu'elle ne se reproduise plus. Aux États-Unis, 40 % des gens ayant engagé un procès pour erreur médicale affirment qu'ils ne l'auraient pas fait si le médecin leur avait fourni des explications et présenté des excuses. L'ennui, c'est que nombre de professionnels du corps médical sont trop orgueilleux ou lâches pour le faire.

Pourtant, ceux qui y consentent y trouvent largement leur compte. À la fin des années 1980, le centre médical des anciens combattants de Lexington (Kentucky, États-Unis) a été le premier hôpital du pays à expérimenter les pouvoirs du *mea culpa*. Dès qu'un membre du personnel commet une erreur entraînant un dommage, le centre en informe les patients et leur famille, même si la victime ne s'est rendu compte de rien. Et si la faute du médecin est prouvée, celui-ci doit présenter des excuses officielles et sincères au malade. En outre, l'hôpital détaille les mesures qu'il entend mettre en œuvre pour s'assurer que le problème ne se reproduira pas et pourra même s'avérer, en quelque sorte, utile. Mais ce sont les excuses présentées aux patients qui forment la véritable pierre angulaire de ce nouveau programme. Les malades et leurs proches leur accordent une énorme importance. « Grâce cette manière de faire, nous estimons consacrer beaucoup moins de temps et d'argent aux procès pour faute médicale aujourd'hui », déclare le directeur du personnel de l'hôpital, Joseph Pellecchia.

De plus, cette forme d'empathie favorise de meilleurs soins. À partir du moment où ils peuvent ouvertement exprimer la détresse que leur inspire leur propre culpabilité, les soignants sont moins angoissés et mieux à même de tirer les leçons de leurs erreurs. « Les médecins ne sont pas des dieux. Il leur arrive donc de se tromper, dit Pellecchia. À cet égard, il s'est produit un changement incroyable, puisque nous sommes passés d'un environnement punitif à un environnement pédagogique, dans lequel un médecin a la faculté de demander : "Que s'est-il passé au juste ? Qu'est-ce qui n'a pas fonctionné ? Est-ce une défaillance mécanique ? Est-ce ma faute ?" Ils peuvent ainsi tirer les leçons de leurs erreurs et dispenser de meilleurs soins. » Dans le monde entier, d'autres hôpitaux ont fait de même. Entérinant ce mouvement, les États-Unis et le Canada ont voté des lois connues sous le nom *sorry laws*, qui empêchent les participants à un procès de tirer argument des excuses présentées par un médecin, pour prouver sa faute. Le résultat de ces mesures se fait sentir partout : des praticiens plus heureux, des patients plus heureux et moins d'actions en justice.

En vérité, toute solution lente digne de ce nom commence généralement par un *mea culpa*. Que ce soit dans le cadre professionnel ou familial, nous avons souvent tendance à laisser courir en prétendant que tout va bien – cela ne vous rappelle-il pas le biais de *statu quo*? Admettre qu'il y a un problème et accepter notre part de responsabilité peut nous désembourber de cette ornière. Parmi les douze étapes du programme élaboré par les Alcooliques anonymes, désormais utilisé pour combattre diverses addictions, la première consiste à reconnaître que l'on a perdu le contrôle de son comportement. « Bonjour, je m'appelle Carl, et je suis accro aux solutions à court terme. »

Encourager l'aveu

Pour surmonter une réticence naturelle à admettre nos fautes, surtout au travail, la première chose à faire consiste souvent à supprimer la menace du bâton. La perspective d'une carotte peut aussi encourager un tel aveu. Souvenez-vous de ce jeune ingénieur d'ExxonMobil nommé « employé du trimestre ». Outre la médaille de la sécurité en vol, la RAF octroie une prime à toute personne qui rapporte une erreur dont la résolution permettra à son escadron de réaliser des économies à terme. Dans le secteur de l'humanitaire, les organisations peuvent elles aussi décrocher un prix, le Brilliant Failure Award (Prix de l'échec génial[5]), pour avoir accepté de partager leurs erreurs commises dans le cadre de projets de développement. Chez SurePayroll, une société de gestion de paie en ligne, le personnel désigne lui-même les nominés au concours de meilleures bourdes. À l'occasion d'un colloque annuel résolument décontracté, les employés écoutent le récit des faux pas de leurs collègues, ainsi que les enseignements qu'ils en ont tirés ; ceux qui confessent la bévue la plus utile se voient gratifiés d'un chèque.

Même le secteur de l'éducation commence à envisager – timidement – de récompenser les étudiants qui admettent leurs erreurs ; jusqu'à présent, une seule mauvaise réponse à un examen pouvait coûter une admission dans les meilleurs établissements… En 2012, craignant que ses meilleurs éléments n'aient perdu le goût du risque intellectuel, l'une des écoles les plus renommées de Londres a organisé une « semaine de l'échec ». Avec l'aide de professeurs et de parents d'élèves, et à l'occasion de conférences, d'ateliers et d'autres exercices, les étudiantes

5. Ce prix récompense la meilleure source d'apprentissage basée sur l'échec dans le secteur humanitaire.

de Wimbledon High ont exploré les avantages qu'il y avait à se tromper. « Les étudiants brillants tirent des leçons de leurs échecs, se ressaisissent et peuvent continuer d'avancer, déclare la directrice, Heather Hanbury. Ce grain de sable dans l'engrenage pourrait même être ce qui leur est arrivé de mieux à long terme – en stimulant leur créativité, par exemple –, même si, sur le moment, ils l'ont vécu comme un désastre. » Depuis la « semaine de l'échec », l'ambiance a changé dans l'école. Au lieu de ménager leurs élèves, les professeurs n'hésitent plus à leur dire sans ambages que leur réponse n'est pas la bonne, ce qui facilite la recherche d'une meilleure solution. De leur côté, les élèves prennent plus de risques en suivant des raisonnements plus audacieux en classe ou en s'engageant plus volontiers dans des concours d'écriture. Les membres des clubs d'éloquence de l'école recourent à des arguments plus téméraires que par le passé et remportent plus de compétitions. « Mais ce que cette semaine nous a apporté de plus important est peut-être un langage qui nous permet de parler de l'échec non pas comme une situation à éviter à tout prix, mais comme une part essentielle de l'apprentissage, de la progression et de la résolution de problèmes, constate Hanbury. Maintenant, quand une étudiante se lamente à propos d'une mauvaise note, une autre peut lui remonter le moral par une plaisanterie ou en lui disant : "D'accord, tu t'es plantée, mais est-ce que tu en retires quelque chose ?" »

La majorité des entreprises auraient besoin d'une évolution culturelle similaire. Songez à tous ces enseignements laissés en jachère, ces problèmes qui attendent un complet pourrissement, ces ressentiments secrètement ruminés, cette énergie et cet argent gaspillés, tout ce gâchis parce que l'être humain cherche instinctivement à enterrer ses fautes. Réfléchissez maintenant à ce que pourrait être votre métier, en termes d'efficacité, voire de plaisir, si chaque erreur devenait le catalyseur de méthodes de travail plus intelligentes. Au lieu de surnager dans votre coin, vous pourriez révolutionner votre société ou votre usine de fond en comble.

Pour exploiter efficacement le *mea culpa* et tirer les leçons de nos erreurs, il existe des mesures accessibles à tous. Mettez-vous une fois par jour dans la peau du président Clinton en vous disant : « Je me suis trompé », puis trouvez les raisons de cette erreur. Quand vous vous plantez au travail, identifiez une ou deux leçons à en retirer et faites un rapide *mea culpa*. Et lorsque d'autres trébuchent, résistez à la tentation de vous en réjouir ou de vous en moquer, mais attachez-vous plutôt à les aider à identifier le bon côté de ce ratage. Lancez un débat – au sein de votre entreprise, de votre école ou avec vos proches – sur les avantages qu'il y a à reconnaître ses erreurs, en termes de progrès et d'innovation. Renforcez votre discours en associant des mots tels que « cadeau » ou « prime » à des exemples de fautes bénéfiques et en usant de citations comme celle-ci : « L'échec n'est que l'opportunité de recommencer plus intelligemment » (Henry T. Ford).

Il peut également s'avérer utile de créer un espace partagé, par exemple un forum de discussion sur le Web ou une boîte à idées, pour échanger sur les échecs. Empruntant à Toyota l'une de ses idées, le lieutenant-colonel Patounas a ainsi mis en place un « tableau de communications » dans son escadre, où chacun de ses hommes peut inscrire un problème sur lequel il souhaite attirer l'attention, chaque cas étant aussitôt examiné et traité. « Ce tableau est déjà très populaire, et il est fréquent de voir des ingénieurs et des pilotes réunis devant, se réjouit-il. C'est un objet très concret. »

Par ailleurs, il peut être réconfortant de savoir que, aux yeux de notre entourage, nos fautes ne sont pas aussi terribles que nous l'imaginons. Or, nous avons naturellement tendance à surestimer l'intérêt que les autres portent à nos faux pas. Les psychologues appellent ce phénomène l'« effet projecteur ». Il vous est peut-être arrivé de vous morfondre en réalisant que vous aviez assisté à une réunion importante avec des bas filés ou une cravate tachée. Pourtant, il est probable que personne ne s'en est aperçu. À l'occasion d'une étude menée à l'université de Cornell, il a été demandé aux étudiants de pénétrer dans une salle de classe, vêtus d'un tee-shirt à l'effigie de Barry Manilow – la meilleure manière, aux États-Unis, de passer pour un vrai ringard. Certes, la majorité des cobayes a effectivement failli mourir de honte, mais seulement 23 % des personnes présentes dans la salle avaient jeté un regard distrait au *crooner* fatal.

Nous savons désormais que la reconnaissance de nos erreurs est rarement aussi dramatique que nous le redoutons, mais ce n'est que le premier pas en direction de la solution lente. L'étape suivante consiste à prendre le temps de déterminer précisément comment et pourquoi nous nous sommes trompés.

Chapitre 3

Penser à fond :
indispensable pour avancer

Don't just do something, stand there[1].

Le lapin blanc du *Alice au pays des Merveilles* de Disney

Si vous deviez concevoir un bureau que ses employés soient impatients de retrouver le lundi, vous imagineriez peut-être une structure proche de celle du siège social de Norsafe. Toutes les fenêtres donnent sur un paysage enchanteur: des maisons de bois au milieu des arbres, quelques barques oscillant le long d'un ponton, un ciel pur sillonné par les goélands et, en fin de matinée, un millier de diamants que le soleil allume à la surface des eaux calmes de cet étroit bras de mer du sud de la Norvège.

Durant de longues années, le bilan de la société a présenté une image tout aussi idyllique. Norsafe construit des bateaux depuis 1903, dans une nation qui prend la navigation très au sérieux. Doté d'une façade côtière plus étendue que celle des États-Unis, ce pays tout en longueur a toujours été tourné vers la mer. Aujourd'hui encore, un Norvégien sur sept possède une embarcation quelconque lui permettant de prendre le large. Mais les apparences sont parfois trompeuses. Il n'y a pas si longtemps, Norsafe était une entreprise en plein naufrage qu'aucun de ses salariés n'avait envie de regagner à l'issue du week-end.

La société fabrique des canots de sauvetage pour les plateformes pétrolières et les supertankers. Comparables à de petits sous-marins orange, comme l'impose la réglementation, ces coquilles de noix doivent pouvoir être balancées à la mer

1. « Ne te contente pas de faire quelque chose, reste là. » Cette réplique ne figure pas dans le texte original de Lewis Carroll, mais dans le dessin animé de Walt Disney (1951).

depuis une hauteur de près de 40 m, avec leur chargement de passagers. Au milieu des années 2000, en plein boom économique, les commandes affluaient du monde entier, faisant tripler le chiffre d'affaires du constructeur. Pourtant, derrière ce bilan financier exemplaire se cachait une affaire en déroute qui, à l'instar de Toyota, avait perdu de vue les fondements de sa réussite et luttait pour se maintenir à flot. Les délais n'étaient plus respectés, les erreurs de conception n'étaient plus signalées par la production et les réclamations des clients n'étaient plus traitées. La multiplication des procès et la chute des résultats divisaient violemment les équipes de conception, de fabrication et de commercialisation. Tous voyaient qu'il y avait un problème, mais personne ne semblait capable de le résoudre.

Le tournant s'est produit en 2009, après l'intervention d'un expert en organisation du nom de Geir Berthelsen dans les locaux de Norsafe. Avec son crâne rasé et ses yeux perçants, ce Norvégien de 48 ans affiche la sérénité d'un moine bouddhiste. Depuis le début des années 1990, son cabinet de conseil, Magma, a remis sur pied bon nombre de sociétés à travers le monde grâce à sa propre déclinaison de la solution lente. La première étape de son plan de redressement est toujours la même, quel que soit le contexte : prendre le temps de déterminer les vraies raisons du fiasco. « La plupart des entreprises agissent dans l'urgence. Par conséquent, elles se contentent de balancer des remèdes à court terme qui n'éliminent que les symptômes, sans s'attaquer aux causes, déclare-t-il. Pour identifier le cœur du problème, il faut commencer par appuyer sur la pédale de frein et se faire une idée globale de la société. Il faut procéder comme Toyota et se demander pourquoi, pourquoi et encore pourquoi. Il faut faire une pause suffisamment longue pour analyser et comprendre. »

Voilà un excellent résumé du deuxième composant de la solution lente : prendre le temps d'aller au bout de sa réflexion pour poser le bon diagnostic. Lorsqu'on lui demandait ce qu'il ferait s'il disposait d'une heure pour sauver la planète, Albert Einstein répondait : « Je consacrerai 55 minutes à définir le problème et 5 minutes à le résoudre. » Or, en général, nous faisons exactement l'inverse. Repassez-vous le film de votre dernier rendez-vous chez le médecin. J'imagine que la visite n'a pas duré plus de quelques minutes et que vous avez eu du mal à exprimer tout ce que vous aviez en tête. Une étude a en effet révélé que les docteurs laissent environ 23 secondes à leurs patients pour exposer ce qui les amène, avant de les interrompre. Dans ces conditions, est-il si surprenant qu'il y ait autant d'erreurs de diagnostic ?

Réfléchir avant d'agir

Dans la même veine, vous conviendrez qu'il est bien rare que la simple lecture d'un courriel, la convocation d'une réunion ou l'examen rapide d'un rapport annuel permette de découvrir les véritables causes de l'échec d'une organisation. Comme nous l'avons vu plus haut, quand les choses tournent au vinaigre, les gens choisissent généralement de se défausser en s'abstenant de tout commentaire qui pourrait leur faire perdre la face ou indisposer leurs collègues. De plus, l'action primant désormais sur la réflexion, il faut un sacré sang-froid pour consacrer 55 minutes à d'intenses cogitations alors que le chronomètre tourne. Pourtant, quel que soit le domaine considéré, depuis l'économie jusqu'à la médecine, les experts seraient bien avisés de prescrire un peu d'inaction. Il est vrai que certaines difficultés ne sont que des turbulences passagères ou des leurres et que d'autres se résoudront d'elles-mêmes. Mais, même pour celles qui nécessitent une intervention, une relative inertie, associée à une profonde réflexion et à une fine observation, peuvent constituer le premier pas vers une solution intelligente. Lorsqu'ils sont confrontés à une pathologie inhabituelle, les médecins doivent parfois passer des jours, des semaines voire des mois à enchaîner les examens, observer l'évolution des symptômes et ordonner de nouvelles analyses, avant de pouvoir rendre leur diagnostic et prescrire un traitement. « Ne rien faire est la chose la plus difficile au monde, disait Oscar Wilde. La plus difficile et la plus intellectuelle. »

C'est aussi la raison pour laquelle le cabinet Magma passe de longs moments sur le terrain, aux côtés des employés, à regarder, écouter, apprendre, gagner la confiance, lire entre les lignes. « Nous commençons toujours par la base, là où s'effectue le travail, qu'il s'agisse d'une usine ou de bureaux, et nous y passons le temps qu'il faut pour comprendre exactement le fonctionnement de tous les systèmes et la manière dont les gens y participent, explique Bertelsen. Nous devons identifier les bonnes questions avant de pouvoir y apporter les bonnes réponses. Ce n'est qu'après tout cela que nous pouvons trouver une véritable solution. »

Après de nombreuses heures sur place, l'équipe de Magma a découvert pourquoi Norsafe battait de l'aile : la grosse structure qu'elle était devenue au fil du temps continuait à fonctionner comme un atelier d'artisanat. À mesure que les commandes gagnaient en complexité, les employés avaient cessé de faire attention aux détails – une erreur potentiellement fatale concernant des canots de sauvetage pouvant contenir jusqu'à 1 500 pièces et soumis à des normes et réglementations extrêmement strictes. Les concepteurs, pour leur part, avaient fini par pondre leurs plans au mépris des budgets et des lois de la physique. Quant aux commerciaux, ils avaient pris l'habitude de valider des cahiers des charges dont ils ne comprenaient pas toutes les clauses. Installée dans deux bâtiments éloignés de la direction, la fabrication faisait de son mieux pour concilier les différentes logiques à l'œuvre. Cette configuration ayant généré de nombreuses plaintes, la société était devenue le terrain d'une guerre de tranchées entre vassaux. « On avait du mal à obtenir des commerciaux qu'ils nous dévoilent les commandes à venir, sans parler de leur soutirer la moindre information, et personne ne parvenait à rompre le mutisme paisible des gars de la conception, dans leur tour d'ivoire, se souvient Geir Skaala, le propriétaire et directeur de l'entreprise. Je finissais par avoir l'impression que j'étais la seule personne de la direction à se préoccuper de ce qui se tramait à la production. »

Une fois le terrain défriché, le cabinet Magma a élaboré un système devant permettre à Norsafe de fonctionner comme l'exigeait sa taille. La première étape a consisté à accorder plus de temps à l'examen des contrats. Aujourd'hui, les commerciaux passent toutes les commandes au peigne fin et Skaala revoit chaque engagement contractuel, en indiquant en rouge ses points de désaccord et en jaune ceux qui requièrent des éclaircissements. Désormais, tout plan diffusé par l'équipe de conception est assorti de la liste complète des spécifications afférentes. Le rôle de chacun est clairement défini et le personnel tient à jour des registres d'intervention.

L'organisation imaginée par Magma a également permis d'éliminer les barrières entre les départements. Concepteurs, commerciaux et fabricants se rencontrent plus régulièrement – tous téléphones éteints – pour discuter des contrats, des nouveaux prototypes et des difficultés rencontrées éventuellement par la production. Tout comme les cadres de la RAF ou d'ExxonMobil, les salariés de Norsafe sont encouragés à rapporter le moindre problème et à proposer des solutions. Pour favoriser ce nouvel esprit d'ouverture, Skaala prend maintenant ses repas à la cantine plutôt que seul dans son bureau.

La solution n'a pas émergé du jour au lendemain ni sans douleur. Elle a nécessité des mois d'explications, d'accompagnement et de formation. Certains ego ont été malmenés et quelques amitiés ébranlées. Bizarrement, alors que la perspective de rester englués dans une ambiance délétère leur était insupportable, beaucoup d'employés ont eu du mal à adopter la nouvelle façon de travailler. « Ils se disaient : "C'est comme ça que j'ai toujours fait, tout comme mon père et mon grand-père avant moi, alors je ne vois pas pourquoi je changerais", explique Skaala. Ce n'était pas de la mauvaise volonté. C'est juste qu'il est plus facile de ne rien changer à sa manière de faire. » Un biais de *statu quo*, en d'autres termes. Mais, au bout du compte, la plupart des salariés de Norsafe ont accepté le nouveau mode de fonctionnement et les deux seules personnes qui n'ont pas réussi à s'y faire ont quitté la société.

Le personnel paraît d'ailleurs ravi du changement. Hans Petter Hermansen est à la tête de l'unité de fabrication de l'entreprise depuis plus de 20 ans. Avec son visage buriné, ses cheveux blancs et son regard bleu ciel, il est à mi-chemin entre Giorgio Armani et le héros du *Vieil homme et la mer* d'Ernest Hemingway. « Quand une commande nous pose problème, Magma nous a appris à nous en plaindre, voire à stopper la production plutôt que d'essayer de bricoler une solution ponctuelle, se réjouit-il. Maintenant, nous discutons et fonctionnons comme une équipe. Du coup, on fait les choses correctement dès le départ, ce qui est bien plus efficace que de devoir réparer des erreurs en bout de chaîne. »

Mais la solution lente a encore du chemin à faire. La révolution engagée au niveau des commerciaux est en train de s'étendre peu à peu au reste de la société. Il faudra toutefois beaucoup plus de temps pour répercuter ces changements auprès des antennes chinoises et grecques. Même au sein de la maison mère, le nouveau régime n'en est encore qu'à ses prémices. Le jour où je m'y suis rendu, Norsafe testait un prototype de canot de sauvetage. Plusieurs concepteurs nerveux se tenaient sur le ponton pour observer l'acheminement de leur vaisseau sur les lieux de l'essai. Malheureusement, une fois mis à l'eau, l'engin ne se redressa pas dans les 3 minutes, comme l'exigent les normes internationales. Les responsables de la conception affichaient une mine perplexe, mais Hermansen m'adressa un regard malicieux : « Ils sont en train de se gratter la tête, mais je les avais prévenus qu'il fallait 4 cm de mousse en plus sur les bordés, me chuchota-t-il. Cela prouve que, malgré les bonnes procédures instituées dans la société, les gens n'écoutent pas toujours ce qu'on leur dit. »

Pourtant, malgré quelques ratés, Norsafe semble avoir tourné une page. Les contrats recommencent à affluer, des canots en état de marche sont livrés dans les délais convenus et les chiffres s'améliorent. Il n'y a plus aucun procès en cours et l'humeur générale dans les couloirs est plus joyeuse. En 2011, le premier quotidien financier de Norvège a publié un article décrivant Norsafe comme une « machine à faire de l'argent ». Skaala est sur un petit nuage. « Maintenant, tout fonctionne et j'ai de nouveau plaisir à venir au bureau, dit-il. Nous ne construisons pas des fusées. Notre boulot n'est pas vraiment sorcier. Il ne présente pas de difficultés insurmontables. Nous avions juste besoin de lever le pied pour réfléchir en profondeur à ce qui n'allait pas dans notre entreprise, avant de pouvoir y remédier. »

D'autres que lui ont fait ce choix de la réflexion sans recourir à des consultants. À la fin des années 1980, l'essor de Patagonia a été si brutal que le célèbre fabricant californien de vêtements de plein air écologiques a dû cesser de former ses cadres correctement et perdu le contrôle de ses réseaux de production et de distribution, devenus tentaculaires. Pour faire face, Yvon Chouinard, son fondateur et principal actionnaire, a d'abord opté pour des colmatages express en restructurant sa société cinq fois en cinq ans. « Je rendais tout le monde dingue à force de tester constamment de nouvelles idées, sans jamais définir précisément nos objectifs », écrira-t-il plus tard. Pour y voir plus clair, il a fini par actionner le signal *andon*. En 1991, il a emmené une douzaine de cadres dirigeants dans le sud de l'Argentine, pour une immersion en Patagonie. À l'instar des prophètes bibliques qui partaient chercher la vérité dans le désert, les gros bonnets de la société ont passé deux semaines à crapahuter dans un paysage lunaire balayé par les vents, sans cesser de ruminer la Question avec un grand Q : quel genre d'entreprise voulons-nous bâtir ? Ils sont rentrés d'Amérique du Sud avec une foule d'idées qui ont fini par se muer en profession de foi : « Concevoir le meilleur produit, sans causer de dégât inutile, et utiliser le monde du business pour promouvoir et mettre en œuvre des solutions à la crise environnementale. » Pour concrétiser ce credo à tous les échelons de l'entreprise, Chouinard a convié le personnel d'encadrement à des retraites hebdomadaires dans les grands parcs nationaux des États-Unis. Comme ils avaient réussi à construire une vraie profession de foi pour l'entreprise, les dirigeants de Patagonia sont parvenus à remettre de l'ordre dans leur société en simplifiant son organigramme, en rationalisant ses stocks et en reprenant le contrôle des circuits de distribution. Aujourd'hui, la société fait un chiffre d'affaires annuel de plus de 540 millions de dollars et continue de verser, comme elle le fait depuis 1985, 1 % du produit de ses ventes à des causes environnementales.

Il n'y a pas que le monde des affaires qui peut tirer profit des bienfaits d'une intense réflexion. Depuis la mise en place de son nouveau programme de sécurité, la RAF a recours à des psychologues pour dénicher les fameux « facteurs humains » qui jouent un rôle si important dans les accidents. « Chacune des pièces du puzzle a son histoire et, derrière chaque histoire, s'en cache une autre – soit celle du type qui a quitté la maison tôt le matin parce que sa virée tardive de la veille lui a valu une scène de ménage ou celle du gars qui n'a pas trouvé les bouquins qu'il était censé référencer, explique le colonel Simon Brailsford. Il s'agit de remonter à la racine de chaque problème. Cela nous oblige à réfléchir plus longtemps avant d'agir, mais nous sommes alors en mesure d'apporter les vraies solutions aux vrais problèmes. »

Rien ne sert de courir…

Le monde des sentiments ne fait pas exception à cette règle. Pour renouer des liens rompus ou distendus, il faut prendre le temps de déterminer ce qui ne va pas avant de chercher la réponse adaptée. Quand il conseille les couples, Dave Perry, de Toronto, pose une petite tortue en céramique sur la table qui le sépare de ses patients. « Cet objet est là pour nous rappeler qu'il faut aborder le cœur de l'histoire avec lenteur et patience, explique-t-il. Au début, les gens ont du mal à s'y faire, parce qu'ils sont à la recherche d'une solution rapide. Mais une fois qu'ils sentent qu'ils ont la possibilité de ralentir, ils en éprouvent un profond soulagement. »

Cette façon d'identifier puis de cerner le problème est très exactement le *modus operandi* d'Ideo, une agence de design internationale qui a construit sa réputation sur l'exploration systématique du contexte auquel elle se livre avant d'apporter des solutions. Lorsque le Memorial Hospital and Health System de South Bend (Indiana, États-Unis) a fait appel à elle pour concevoir les plans de son nouveau centre dédié aux maladies cardiovasculaires, ses équipes ont passé des semaines dans les locaux de l'hôpital à observer, écouter et poser des questions. Ils ont interrogé les patients, leurs familles, les médecins, les infirmières, les administrateurs, les techniciens et les bénévoles, et organisé des ateliers avec ceux-ci. Ils sont allés jusqu'à reconstituer une arrivée à l'hôpital pour diverses pathologies – de la simple consultation de cardiologie à une opération à cœur ouvert – en se plaçant du point de vue d'un malade et de ses proches. Nombre de leurs suggestions ont été prises en compte dans la conception de la nouvelle aile du bâtiment. « Au lieu d'enquêter sur les besoins des gens en leur demandant directement ce qu'ils aimeraient, nous avons adopté une approche plus empirique, passant par l'immersion et par l'infiltration, précise Jane Fulton Suri, une des responsables d'Ideo. Le fait de consacrer plus de temps à se familiariser avec un problème permet de faire émerger de nouvelles perceptions, parfois inattendues.»

Poser le vrai problème

Cette démarche peut même conduire à une reformulation complète du problème initial. Face à un client qui veut un nouveau grille-pain plus performant, il arrive à Ideo de renverser la question pour se demander : existe-t-il une meilleure manière de faire griller du pain ? Ou encore comment faire évoluer le petit-déjeuner ? En 1980, l'agence a d'ailleurs procédé ainsi pour aider Apple à mettre au point sa souris d'ordinateur révolutionnaire : « Dès le départ, nous nous sommes posé la question suivante : "Quel est le vrai problème à résoudre ?" évoque Jane Fulton Suri. Il existe toujours un risque que la solution soit déjà inscrite dans la façon dont nous posons le problème. En prenant le temps de trouver un autre énoncé, nous pouvons ouvrir la porte à des alternatives souvent meilleures, qui répondent au véritable besoin.»

Ce parti pris porte ses fruits jusque dans l'univers de la gestion du trafic autoroutier. Quand les accidents se multiplient sur un tronçon de route, la réponse habituelle consiste à revoir l'équipement (ajouter de nouveaux feux, des dos-d'âne ou des panneaux incitant à la prudence). En partant du présupposé que plus vous maternez les automobilistes, plus ils conduisent avec vigilance.

Mais est-ce vraiment le cas ? Après avoir constaté, pendant des années, que l'application de cette règle d'or n'améliorait pas la sécurité routière, quelques ingénieurs ont fini par se demander s'ils ne se posaient pas la mauvaise question. Au lieu de s'interroger sur ce qu'ils pouvaient *ajouter* comme signalisation pour rendre les routes plus sûres, ils se sont efforcés d'imaginer, à la façon contre-intuitive d'Ideo, à quoi pouvait ressembler une route moins dangereuse. Et ce qu'ils ont découvert les a laissés pantois. Il est apparu que notre approche conventionnelle de la circulation n'était pas la bonne. Généralement, *moins* vous en dites aux automobilistes, *plus* ils redoublent de prudence. La plupart des accidents arrivent à la sortie des écoles et au niveau des passages pour piétons, ou à proximité des voies de bus et des pistes cyclables. Or, tous ces endroits sont criblés de panneaux, de feux et de pancartes. Cette cacophonie d'instructions distrait le conducteur. Elle peut également lui donner une impression illusoire de sécurité qui le pousse à relâcher sa vigilance.

Simplifiez les feux, la signalisation et les instructions visuelles, et les automobilistes devront penser tout seuls. Il faudra qu'ils regardent les piétons et les cyclistes dans les yeux, qu'ils négocient leur traversée de la ville, qu'ils anticipent leurs prochains mouvements. La circulation sera plus fluide et moins dangereuse. Le fait de retirer les panneaux de Kensington High Street, l'un des axes les plus commerçants de Londres, a ainsi permis de réduire le taux d'accidents de 47 %.

Il existe également des motifs neurologiques pour inciter à prendre le temps d'examiner calmement et en profondeur un problème. Il n'est pas question d'ignorer les délais qui ont, somme toute, leur rôle à jouer dans la découverte de solutions, mais l'urgence peut conduire à une réflexion désordonnée et superficielle. Teresa Amabile, enseignante et directrice de recherche à la Harvard Business School, a passé les trente dernières années à étudier la créativité sur le lieu de travail. Le résultat de ses études amène à une conclusion qui donne à réfléchir : nous sommes moins créatifs dans la précipitation. « S'il est vrai qu'une pression ponctuelle ne perturbe pas la créativité, une pression excessive peut l'anéantir, car les gens ne parviennent pas à s'approprier le problème, constate Amabile. La créativité exige généralement une période d'incubation. Les gens ont besoin de temps pour s'imprégner du problème et permettre aux idées d'émerger. »

Nous en avons tous fait l'expérience. Nos meilleures idées surgissent rarement lorsque nous sommes en mode « avance rapide », à jongler entre les courriels, à essayer de faire entendre notre voix lors d'une réunion hyperstressante ou à lutter contre la montre pour livrer à notre patron impatient un boulot important. Ces révélations s'imposent à nous alors que nous promenons le chien ou dans les vapeurs d'un bain chaud ou encore grâce au balancement lancinant d'un hamac. Une fois au calme, préservé de toute urgence et dégagé de tout motif de stress ou de distraction, le cerveau glisse vers un mode de pensée plus riche et plus subtil. Certains l'appellent la « pensée lente » et les esprits les plus affûtés ont toujours reconnu son pouvoir. Milan Kundera parle ainsi de « sagesse de la lenteur », Conan Doyle décrivait son héros Sherlock Holmes en état de quasi-méditation, avec « dans ses yeux une expression vide et rêveuse », tandis qu'il soupesait les indices d'une scène de meurtre, et Charles Darwin se qualifiait lui-même d'« esprit lent ».

Ralentir pour réfléchir se révèle bénéfique, quand bien même les circonstances n'autoriseraient pas des semaines d'observation patiente ou de longues promenades méditatives en Patagonie. Statistiquement, les officiers de police qui travaillent seuls sont moins souvent confrontés à des fusillades ou des agressions, que lorsqu'ils font équipe avec un partenaire. Pourquoi ? Parce qu'un flic solitaire est plus prudent et circonspect, plus soucieux d'envisager les alternatives avant d'agir. Il arrive même qu'une petite pause nous rende plus éthiques. Des chercheurs de l'université Johns-Hopkins ont démontré que, lorsque nous sommes face à une alternative claire entre le bien et le mal, nous avons cinq fois plus de chances de choisir l'option vertueuse si on nous laisse le temps d'y réfléchir. D'autres études suggèrent qu'il ne nous faut que deux minutes de raisonnement pour parvenir à dépasser nos biais et reconnaître les avantages d'un argument rationnel.

Pour une réflexion riche et créative, il est nécessaire de faire tomber les *a priori* sur la lenteur qui semblent si profondément ancrés dans la culture du XXIe siècle. Il faut admettre qu'une décélération judicieuse, programmée au bon moment, peut nous rendre plus intelligents. Ainsi, dans une réunion organisée pour traiter un problème quelconque, il faut se méfier des penseurs éclair qui occupent le devant de la scène au détriment des timides, assis en retrait pour mieux cogiter. Tim Perkins, qui intervient dans l'organisation d'Odyssey of the Mind, observe constamment ce phénomène : « L'année dernière, nous avons eu une gamine qui est restée sagement assise durant toute la session de *brainstorming*. On pouvait presque oublier qu'elle était là, se souvient-il. Mais elle prenait le temps de comprendre tout ce qu'elle entendait et ne demandait la parole qu'un quart d'heure plus tard. Et, souvent, son équipe finissait par retenir la solution qu'elle avait proposée. »

Nous sommes tous capables de réfléchir profondément. Même en l'absence de difficultés, prenez l'habitude de ménager un espace dans votre emploi du temps pour vous déconnecter de vos appendices électroniques et laisser votre esprit vagabonder. Face à tout nouveau casse-tête, faites-vous une règle d'attendre au moins le lendemain matin pour prendre une décision. Demandez-vous pourquoi, pourquoi et encore pourquoi, jusqu'à ce que vous ayez identifié la cause première. Conservez un objet quelconque sur votre bureau (une petite sculpture, un escargot en bois, une photo de votre lieu de vacances favori), qui vous rappellera qu'il faut ralentir et réfléchir avant d'agir. Mais, avant tout, testez à plusieurs reprises vos solutions, même si elles vous paraissent infaillibles.

Ne jamais s'arrêter de chercher

Tout miser sur une solution rapide, apparemment prometteuse, reste un piège tentant, même après avoir mis en place des garde-fous censés nous prémunir contre cet écueil. Frais émoulus de leur formation à l'art de décrypter les « facteurs humains » et de traquer la source des anomalies, les enquêteurs de la RAF Coningsby sont eux-mêmes tombés dans le panneau. À l'occasion d'une opération de maintenance courante, un ingénieur a ouvert la porte du train d'atterrissage d'un Typhoon. Celle-ci a percuté un énorme cric posé à proximité, occasionnant une déchirure telle qu'elle aurait pu être le fait d'un projectile ennemi. Par le passé, le jeune caporal aurait été puni et probablement raillé par ses collègues. Cette perspective aurait même pu le conduire à maquiller les dégâts pour en faire porter la faute par un autre. Dans tous les cas, son équipe aurait remplacé la porte sans s'interroger sur les circonstances de l'incident.

Grâce au nouveau régime instauré, l'ingénieur a aussitôt déposé un rapport qui a déclenché une enquête en règle. L'équipe de la colonelle Stephanie Simpson n'a pas tardé à découvrir que la tige de sécurité qui aurait dû retenir la porte du train d'atterrissage manquait. Jusque-là, rien de trop alarmant. Mais une vérification plus approfondie a débouché sur une constatation plus dérangeante : trois escadrons de la RAF sur quatre n'avaient jamais installé la pièce manquante sur leurs engins.

Simpson n'en revenait pas : « Tout le monde suit le manuel. Tout le monde est formé à partir du manuel. Tout le monde peut voir des photos de la tige installée sur le panneau. Pourtant, personne n'a relevé que nous n'avions même pas cette pièce en stock », s'étonne-t-elle. Une belle confirmation de l'utilité de la nouvelle procédure, s'il en était besoin. La RAF a donc acheté un lot de tiges de sécurité, avant d'archiver le dossier sous la mention « Porte de train d'atterrissage endommagée ».

« Tout le monde s'est réjoui des résultats du nouveau système et a reconnu qu'une telle défaillance n'aurait jamais été identifiée par le passé, raconte Simpson. Nous nous sommes congratulés en pensant que le souci était résolu et l'affaire classée. Mais, quelques semaines plus tard, une autre porte de Typhoon a été endommagée dans des circonstances similaires. »

Cette histoire de tige de sécurité était en fait un chiffon rouge. Lorsque les enquêteurs ont pris le temps de creuser la question, ils ont découvert que toute une série de facteurs étaient à l'origine de ces dégâts : des ingénieurs perturbés par une rotation d'équipe ; un éclairage insuffisant dans les hangars ; une illustration imprécise dans le manuel, créant une ambiguïté sur l'angle de la tige…

« Nous étions tellement heureux d'avoir mis le doigt sur cette pièce manquante, elle constituait une réponse si évidente au problème, que nous avons cessé d'en rechercher les autres causes possibles, explique Simpson qui grimace à ce souvenir. Cette expérience a du moins le mérite de nous avoir apporté une bonne leçon : ce n'est pas parce que l'on trouve une explication qui ressemble à une solution quasi idéale qu'il faut s'arrêter de chercher. Il faut poursuivre les investigations, creuser et poser des questions, jusqu'à obtenir une vision complète de l'incident et de la façon d'y remédier. » En d'autres termes, si la première solution paraît trop belle pour être vraie, c'est sans doute le cas…

Lorsque j'ai demandé à Simpson si toutes ces réflexions intenses débouchaient parfois sur la lumière, elle a pris un peu de temps pour me répondre : « À un moment, vous finissez effectivement par savoir ce qu'il faut faire, mais ça ne se produit pas d'un coup de baguette magique. Il existe toujours des causes multiples qu'il faut relier entre elles. »

Chapitre 4

Penser « global » : l'art de relier les points

Tout est connecté… rien ne peut changer tout seul.

Paul Hawken, environnementaliste

On l'appelle le *ghetto limp*, le boitillement du ghetto. Vous avez pu l'observer dans les épisodes de la série *The Wire*, sur les bas-fonds de Baltimore, ou dans d'innombrables clips de hip-hop, voire dans les rues de votre propre ville. Il s'agit de cette démarche chaloupée qu'ont adoptée les jeunes des quartiers difficiles. Elle est censée évoquer une vieille blessure par balle ou une pièce d'artillerie lourde dissimulée quelque part dans le *baggy*. C'est un truc de gang, une posture urbaine, un message adressé à ses concitoyens : « Ne me cherche pas, parce que je suis un sale fils de pute. »

Quand je l'ai rencontré, Lewis Price maîtrisait le *ghetto limp* comme un pro. Les cheveux plaqués par un réseau de petites tresses africaines, un pantalon informe, des baskets Air Jordans rouges et noires aux lacets savamment défaits et les lettres « MOB » (*Money Over Bitches*[1]) ostensiblement tatouées sur le poignet, il possède, à 17 ans, la musculature compacte et l'énergie électrique d'un athlète sur une ligne de départ – ou d'un chat prêt à bondir.

Pourtant, quand Price commence à parler, vous réalisez qu'il n'a rien d'un *mean motherfucker* (« sale fils de pute »). Son sourire spontané et ses manières courtoises contredisent son apparence inquiétante. Plutôt bavard, il s'empare du moindre

1. « Money Over Bitches » peut se traduire par « Le fric avant les filles ». À la fois en référence à un titre du rappeur 2pac et à l'acronyme de Member of Bloods, le gang rival des Crips, à Los Angeles, à partir des années 1970.

sujet de conversation, tandis que ses yeux vifs parcourent la pièce à la recherche d'un nouveau motif de rigolade. Contrairement à beaucoup de jeunes englués dans la violence des gangs qui infestent le quartier de South Central, à Los Angeles, son déhanchement n'est pas feint. À 14 ans, un membre d'une bande rivale lui a tiré dessus alors qu'il traînait sur le trottoir. La balle a transpercé sa jambe droite et pénétré si profondément dans la gauche que les médecins ont préféré ne pas la retirer. Il ne peut plus jouer au foot ni au basket, et sa claudication lui vaut désormais des regards hostiles dans la rue : « Les gens croient que je fais exprès de marcher comme ça, que je bouge comme les types des gangs pour frimer ou un truc dans le genre. Mais, depuis que je me suis fait canarder, je ne peux plus faire autrement, sourit-il. Je me dis même que j'ai du bol de pouvoir encore marcher. »

L'adolescent essaie plutôt de voir le bon côté des choses. Il a tourné le dos à la rue, s'est gagné une place au tableau d'honneur et projette de s'inscrire à l'université. Pas si mal pour un môme qui a grandi dans un quartier aussi chaud que celui de Watts. Cette zone de Los Angeles a en effet longtemps été le théâtre de la lutte du peuple noir. En 1965, de violentes émeutes ont transformé ce quartier en champ de bataille où les affrontements avec la police ont fait 34 morts, plus de 1 000 blessés et ont provoqué l'incendie ou la destruction de plusieurs immeubles. Des gangs ont ensuite pris le contrôle de cette zone, dont les Bloods et les Crips bien connus, qui y règnent par la violence. Au cours des dix dernières années, l'afflux massif de Latinos n'a pas permis d'éliminer les vieux foyers du désespoir urbain : pauvreté, criminalité, écoles en déroute, problèmes de santé, chômage, habitat insalubre, drogue, maternités précoces, malnutrition, absence paternelle, violences domestiques. Avec des gangs comptant plusieurs milliers de recrues, les bagarres et les agressions au couteau ou par arme à feu, comme celle qui a handicapé Price à vie, font partie du quotidien.

Lewis Price n'est pas le premier membre d'un gang à s'être acheté une conduite. Mais, au lieu d'en attribuer le crédit à sa paroisse, à sa famille ou à un éducateur héroïque, il affirme devoir sa conversion à son école. Pour la plus grande joie de nombreux résidents de Watts, et à leur surprise, la *high school*[2] du quartier est passée du statut d'établissement sinistré à celui d'école phare, porteuse d'espoir.

---

2. Les *high schools* sont l'équivalent des lycées français et accueillent des adolescents âgés de 15 à 18 ans.

« Sans Locke, je ne serais pas celui que je suis devenu, déclare le jeune homme. Avant d'aller là-bas, je me disais : "Mec, le seul moyen de t'en sortir, c'est de survivre dans la rue", mais quand je suis arrivé là-bas, ils m'ont réveillé. » Il se tait un instant, comme s'il imaginait la voie qu'il aurait pu suivre, puis il ajoute : « Sans Locke, j'en serais au même point que mes anciens potes : mort ou en taule. Maintenant, tu vois, j'ai un avenir. Je suis un bon élève et je vais m'en sortir quelque part. »

Beaucoup d'États s'escriment encore à briser le cercle vicieux qui conduit les enfants des familles les plus pauvres sur les bancs d'écoles médiocres, où une scolarité chaotique les entraîne irrésistiblement vers une vie misérable. La question se pose tout spécialement aux États-Unis où 10 % des *high schools* produisent près de la moitié des délinquants du pays. L'une des solutions préconisées consiste à construire des établissements neufs et de meilleure qualité dans ces zones défavorisées. C'est l'approche qu'a choisie le réseau des Charter Management Organisations (CMO[3]). Depuis les années 1990, ces associations à but non lucratif assurent, au moyen de fonds publics, l'ouverture et le fonctionnement de centaines d'écoles gratuites, disséminées sur l'ensemble du territoire américain. L'administration Obama s'est, quant à elle, engagée sur une voie différente, en mandatant des proviseurs charismatiques pour revoir de fond en comble l'organisation d'établissements scolaires en perdition. Jusqu'à présent, l'une et l'autre de ces stratégies ont produit des résultats mitigés. Si Locke se distingue du lot, c'est parce qu'elle combine ces deux approches.

Une école en déroute

En 2007, l'Unified School Dictrict de Los Angeles[4] a invité l'une de ces CMO, dénommée Green Dot, à réformer en profondeur la *high school* de Locke. C'était la première fois qu'un tel organisme acceptait de prendre en charge une école en difficulté : en l'occurrence, celle-ci était au bord du gouffre. Ouvert en 1967 comme un symbole du renouveau après les émeutes de Watts, l'établissement avait été baptisé du nom d'Alain Leroy Locke, le premier Afro-Américain à avoir reçu une

3. Ces organismes à but non lucratif sont chargés de la mise en place et du fonctionnement d'écoles privées sous contrat (bénéficiant d'un financement public).
4. Sorte de direction académique locale.

bourse – la Rhodes Scholarship – pour étudier à l'université d'Oxford. Au fil des années, la raréfaction progressive des emplois dans ce quartier a fait fuir la classe moyenne qui emporta avec elle toute perspective de jours meilleurs pour Locke. À l'époque de l'intervention de Green Dot, la *hight school*, étalée sur six pâtés de maisons et forte de 3 100 élèves, était devenue une pépinière à délinquants, digne d'un film catastrophe : des bâtiments recouverts de graffitis, des vitres brisées, des salles de classe mal éclairées aux peintures lépreuses, des ordures éparses et des voitures garées jusque sur les terrains de sport.

Les élèves séchaient régulièrement les cours pour errer dans les couloirs, jouer aux dés ou fumer de l'herbe. Ils allumaient des feux dans l'enceinte de l'établissement et organisaient des fêtes sur les toits. Le gymnase était devenu le point de ralliement des revendeurs de drogue. Les gardiens passaient leur journée à intervenir dans des bagarres et à séparer les gangs rivaux ; plusieurs élèves s'étaient fait descendre à la sortie.

Au milieu de cet enfer, quelques professeurs héroïques continuaient de se battre pour dispenser une instruction décente aux rares adolescents disposés à les écouter ou capables de le faire, mais ils avançaient clairement à contre-courant. Beaucoup d'entre eux avaient baissé les bras. Le personnel enseignant en était venu à programmer tellement de films que les parents avaient fini par surnommer Locke le « Cinéplex du ghetto ». Nombre d'élèves lisaient des journaux ou des romans pendant les cours, tandis que d'autres caracolaient entre les tables ou jouaient aux cartes. Le prof d'instruction civique donnait le plus souvent ses cours en état d'ivresse. Le navire toucha le fond en 2007, lorsque la ville dut envoyer des hélicoptères et la police anti-émeute pour mettre un terme à une échauffourée entre plusieurs centaines d'élèves. Outre les fusillades, les viols et les agressions qui faisaient régulièrement les gros titres, les statistiques dessinaient une situation alarmante sur le plan scolaire : sur les 1 451 enfants entrés en neuvième[5] en 2004, moins de 6 % obtiendraient, quatre ans plus tard, des notes suffisantes pour présenter leur candidature à l'université de l'État de Californie.

Si Locke en était arrivé là, ce n'était pas parce les autorités avaient jeté l'éponge. Au contraire, la ville multipliait les projets au sein de l'école : nouvelle politique de présence, institution d'un programme de lecture, réforme du code de discipline…

5. Le *ninth grade* du cursus américain est l'équivalent de la troisième dans le système français.

Le véritable problème tenait au fait que les décideurs n'avaient jamais pris le temps d'envisager la situation globalement. Ils avaient bricolé des initiatives ponctuelles, tout aussi efficaces que mes tentatives dérisoires pour éradiquer mon mal de dos. Stephen Minix, qui s'occupait de l'athlétisme, a été l'un des témoins privilégiés de ce kaléidoscope de solutions illusoires. « Année après année, des types en costard débarquaient pour saupoudrer un peu de ceci ou un peu de cela, en nous promettant des résultats mirifiques, avant de repartir comme ils étaient venus, se souvient-il. Il s'agissait toujours de programmes de grande envergure, parachutés par l'administration, sans aucune réflexion sur leur adéquation à la réalité de Locke. Du coup, ça ne changeait absolument rien – des cautères sur une jambe de bois. »

Une chirurgie lourde

Dans ce contexte, l'intervention des équipes de Green Dot a d'abord suscité un grand scepticisme. Les enseignants, y compris Minix, y ont vu les énièmes colporteurs de remèdes miracles et la plupart des habitants de Watts se sont méfiés de ces beaux parleurs venus d'ailleurs. Comme le résume un parent d'élève : « Beaucoup de gens se sont dit : "Encore des Blancs qui vont planter leurs tentes et leurs clôtures en nous promettant le salut pour notre école et nos mômes, sans que nous ayons notre mot à dire, et, quand ils verront que ça ne marche pas, ils disparaîtront dans le soleil couchant, en nous laissant sur les bras une pagaille encore plus grande qu'avant." »

Heureusement, Green Dot ne fait pas dans la facilité et l'association a aussitôt opté pour la chirurgie lourde. À sa tête se trouve Marco Petruzzi, un homme qui ne mâche pas ses mots sur notre époque d'esbroufe. Quand je lui ai demandé ce que la renaissance de Locke pouvait nous enseigner sur l'art de traiter les problèmes, sa réponse ne s'est pas fait attendre : « La principale leçon, c'est qu'aucune politique, aucun logiciel, aucun changement d'environnement ne permet, à lui seul, de réparer une école en panne, déclare-t-il. Il existe toute une série de facteurs qu'il faut identifier, relier entre eux et appréhender comme un tout. »

Voilà qui nous met sur la voie de l'ingrédient suivant de la solution lente : relier les points entre eux pour une approche holistique, c'est-à-dire globale. Au chapitre précédent, nous avons vu qu'il est essentiel de prendre le temps de définir la vraie nature des problèmes. En général, cette phase met à jour une kyrielle de paramètres interdépendants qu'il est impossible d'éradiquer avec une seule cartouche. Les problématiques complexes – qu'il s'agisse du changement climatique, des conflits au Moyen-Orient ou d'un couple à la dérive – doivent être examinées à travers une lentille plus large et traitées de manière globale. Dans les années 1980, quand les entreprises américaines se sont mises à investir massivement dans la technologie, les experts s'attendaient à un bond de la productivité. En vain. Ce sursaut a fini par avoir lieu, mais seulement quand les patrons ont compris que l'installation de nouveaux ordinateurs et de logiciels fabuleux n'était pas suffisante en soi. Il fallait engager une série de changements systémiques, allant de la formation du personnel à la reformulation des méthodes de travail. Il ne faut jamais oublier un principe de base : pour chaque dollar dépensé dans une technologie nouvelle, il faut impérativement investir 5 à 10 dollars dans la réorganisation de la structure si l'on veut en tirer profit.

L'approche holistique s'avère également judicieuse dans le domaine médical, car les symptômes physiologiques sont généralement le produit d'une histoire qui les dépasse. Conscients de l'existence de liens entre le corps et l'esprit, beaucoup d'hôpitaux ont désormais recours à l'art, à la musique, et même à des clowns, pour combattre le stress, gérer la douleur et accélérer la guérison.

La même règle se vérifie dans les problèmes de couple. Marianne Bertrand, cette spécialiste des thérapies familiales dont nous avons déjà parlé, a constaté que les couples qui se déchirent se concentrent souvent sur un grief, par exemple une liaison extraconjuguale. Pourtant, il est rare que de tels écarts se produisent de manière isolée, et ils sont souvent le signe de difficultés plus profondes et plus complexes. Tout comme la RAF qui démêle l'écheveau des histoires ayant conduit à un accident, Marianne Bertrand aide les couples à explorer leur parcours pour remonter jusqu'aux racines du mal. « Vous ne pourrez jamais comprendre une pièce de Shakespeare à la lecture d'un seul monologue, explique-t-elle. Toute relation est comme un immense puzzle extrêmement compliqué, dont il faut d'abord examiner toutes les pièces avant de savoir comment les imbriquer. »

L'ennui, c'est que la pensée holistique ne s'impose pas à nous naturellement. Comme nous l'avons vu précédemment, le cerveau humain fonctionne facilement avec des œillères. Plus de la moitié d'entre nous ne voient pas le type déguisé en gorille qui traverse le terrain de basket… C'est pourquoi les meilleurs apporteurs de solutions passent autant de temps à essayer de relier les points entre eux. « Nous nous efforçons d'aborder chaque problème en commençant par mettre à jour le quotidien des gens au sein du système, expose Jane Fulton Suri, de l'agence Ideo. Nous le faisons pour déterminer en quoi les choses sont liées, comment les activités des différents acteurs se combinent pour créer la culture en vigueur et comment impliquer chaque intervenant pour susciter le changement.» C'est dans un état d'esprit similaire que Green Dot s'est mis en tête de réformer Locke depuis l'intérieur.

Pour créer un environnement plus intime, l'association a scindé l'établissement en plusieurs structures plus petites, qu'elle a isolées au moyen de clôtures de fortune. Elle a aussi réduit les effectifs des classes en les faisant passer de 40 à 30 élèves. Tous les enseignants ont été limogés et invités à représenter leur candidature. Ils ont dû tous subir un entretien exigeant et seul un tiers d'entre eux ont été réembauchés; de jeunes candidats enthousiastes sont venus compléter les effectifs. Désormais, les membres du corps professoral doivent se former régulièrement et se soumettre à des évaluations qui les empêchent de s'endormir sur leurs lauriers. Au lieu de se ruer vers la sortie quand la cloche sonne, à 15 heures, les enseignants profitent de la fin de journée pour dispenser des cours de soutien, offrir leurs conseils sur les dossiers de candidatures aux universités ou, tout simplement, se tenir à l'écoute des élèves. Ils peuvent également rendre visite aux familles auxquelles ils laissent leur numéro de téléphone privé. «Les profs nous donnent des cours, mais ils font bien plus que ça, affirme Price. Si on n'a pas compris un truc, on peut toujours venir les voir. On peut les appeler tard le soir pour leur demander de l'aide quand on n'arrive pas à faire un devoir, et ils ne raccrochent qu'une fois qu'on a terminé.»

Pour donner un objectif tangible à ces évolutions, Green Dot a entrepris de fonder la culture de l'établissement sur un leitmotiv unique: avec du travail et de l'imagination, tous les enfants qui passent les portes de l'école pourront un jour entrer à l'université. Ce credo est répété comme un mantra. À partir de la neuvième, chaque élève se fait aider pour élaborer son projet d'études supérieures. Des emblèmes des facultés et des brochures ont été disposés dans toutes les salles, à côté des photos des diplômés récents, vêtus de leur toge et de leur calot. Les *alumni*[6] viennent présenter la vie à l'université. Pendant les cours, les profs glissent régulièrement des phrases du type: «Quand vous serez à la fac...»

6. Les *alumni* sont les anciens élèves diplômés d'un établissement.

Un *relooking* complet

Parallèlement à son entreprise de remobilisation des enseignants, Green Dot a travaillé sur l'image et l'atmosphère de Locke, en commençant par offrir au campus un véritable lifting : les façades des bâtiments ont été repeintes, les ordures ramassées, les vitres brisées et les éclairages défectueux ont été changés, les plaques de béton lézardées ont laissé la place à des étendues de pelouse où poussent fleurs, buissons, oliviers et faux poivriers qui fournissent une ombre bienvenue à quelques tables disposées à proximité de la bibliothèque. Les couloirs, dont les murs disparaissaient derrière les graffitis et autres signes de reconnaissance des gangs, sont aujourd'hui vierges de toute inscription, à l'exception d'affiches annonçant les prochains matchs de foot ou exposant les derniers projets d'élèves. En passant dans un couloir, j'aperçois un panneau ou sont affichés des dissertations sur le deuxième amendement de la Constitution[7], quelques poèmes tout à fait honorables et plusieurs caricatures politiques assez bien vues.

Les étudiants ont eux aussi bénéficié d'un *relooking*. Ils portent aujourd'hui un uniforme composé d'un pantalon en toile beige et d'une chemise aux couleurs de l'école. Les vestes aux couleurs criardes sont découragées au profit de teintes plus neutres qui ne peuvent être rattachées à un gang quelconque. Ceux qui arrivent sans cette panoplie sont renvoyés chez eux, à moins de pouvoir emprunter une tenue réglementaire ; mais, tous les mercredis, chacun est libre de venir en jean et en tee-shirt à l'emblème de Locke. Les élèves disent que l'instauration de ce régime a mis un terme aux débats incessants sur le bon code vestimentaire et que leur nouvel uniforme leur permet de traverser tranquillement les rues mal famées qui cernent l'établissement. « Quand tu portes tes fringues habituelles, tu vois tout de suite que les gens te matent, relève Maurice Jackson, un étudiant de onzième[8] dont les yeux malicieux et la décontraction signalent immédiatement le boute-en-train de la classe. Mais quand tu as ton uniforme, ils ne te regardent même pas. C'est comme si tu étais transparent. J'imagine qu'ils se disent que tu es juste un gamin qui va à l'école et qui ne présente aucune menace. Du coup, ils te fichent la paix. »

---

7. Cet amendement garantit à tout citoyen américain le droit de porter des armes.
8. L'*eleventh grade*) du cursus américain est l'équivalent de la première en France.

Redonner aux enfants ce sentiment de sécurité était l'une des poutres maîtresses de la solution lente imaginée par Green Dot. Quelle que soit la qualité des enseignants, l'aspect du campus ou l'élégance de la tenue, les étudiants n'apprendront rien s'ils doivent constamment redouter une agression ou une balle perdue. Or, selon Minix, Locke était « un lieu où régnaient en permanence la colère et la peur ».

Green Dot a aussi totalement réformé les normes de sécurité. Au début et à la fin de chaque cours, le personnel d'encadrement, muni de talkies-walkies, se poste aux endroits stratégiques du campus pour veiller à la circulation et maintenir l'ordre. Un policier détaché par le shérif du comté et des agents de sécurité privés sillonnent le campus avec un régiment d'assistants sans arme, tandis que des patrouilles de police régulières éloignent les gangs et assurent un périmètre de sécurité dans un rayon de plusieurs centaines de mètres autour de l'école. Par ailleurs, Locke affrète des bus pour transporter les enfants des quartiers les plus éloignés et raccompagner ceux qui doivent s'attarder après les heures de cours à cause d'un entraînement sportif ou d'une séance de soutien scolaire. Les élèves doivent toujours se soumettre à des fouilles pour vérifier qu'ils ne portent aucune arme, mais celles-ci sont effectuées plus discrètement que par le passé. Il n'y a pas si longtemps, les vigiles n'hésitaient pas à faire irruption en plein milieu d'un cours alors que, maintenant, les fouilles s'effectuent désormais dans une salle à l'écart. « Il s'agit de faire preuve de plus de compréhension vis-à-vis des mômes », explique Jacob McKinney, un gardien non armé, ayant lui-même étudié à Locke dans les années 1990.

Or, pour mieux comprendre ces gamins, il a fallu relier des événements se déroulant très loin des salles de classe. Plus d'un cinquième des élèves de l'établissement sont placés dans des foyers ou des familles d'accueil, et près de la moitié d'entre eux sont issus d'une famille monoparentale. La violence et les grossesses précoces sont monnaie courante dans leur famille, la malnutrition n'est pas inhabituelle, et beaucoup de gamins n'ont jamais vu un dentiste ni un médecin.

Dans ce contexte, pour alléger le poids du quotidien, Green Dot collabore avec une crèche située en face de l'établissement, qui prend en charge les quelque 200 bébés d'élèves étudiant à Locke. L'association a aussi engagé une équipe de psychologues à plein temps, fait venir un dentiste sur place et procuré des lunettes à ceux qui en avaient besoin. Quand des prostituées ou les membres d'un gang commencent à embêter un élève dans un parc voisin, des employés de l'école débarquent avec un chariot de sandwichs pour calmer le jeu. Comme beaucoup de ses camarades, André Walker (un élève de onzième qui vit dans un foyer d'accueil) considère l'établissement comme sa seconde maison, un ange gardien qui scruterait les chemins sombres de son parcours du combattant: «Je suis sans parents et, parfois, je n'ai envie de parler à personne, alors je vais voir un des profs d'ici qui s'appelle Mac, et je lui dis ce que je ressens quand je pense à mon ancienne vie, confie-t-il. Avant, quand j'avais besoin de décompresser, ça m'arrivait de boire un coup ou de m'énerver, mais maintenant je peux aller le voir. Les administratifs et les profs sont un peu comme des seconds parents: ils t'emmènent là où tu dois aller.»

Green Dot a aussi persuadé les familles et les structures d'accueil de s'intéresser davantage à la vie de l'établissement. Parents et éducateurs peuvent ainsi prendre régulièrement un petit-déjeuner avec le proviseur, et l'un des services de l'établissement passe des heures au téléphone pour les tenir informés des heures de colles, des devoirs, des récompenses, des retards et, plus généralement, des hauts et des bas scolaires des enfants dont ils ont la charge. «Ils appellent à la moindre occasion, et ma mère adore ça, dit Price en riant. Quand c'est Locke qui appelle, elle se précipite sur le téléphone, mais je trouve ça chouette. Ça fait plaisir de savoir que tout le monde fait attention à moi.»

Mises bout à bout, toutes ces initiatives ont permis de remettre sur pied une école en déroute, comme j'ai pu le constater à l'occasion d'un déjeuner sur place. Un groupe de filles et de garçons jouaient au foot en gloussant sur un carré de pelouse, tandis que d'autres profitaient de l'ombre d'un arbre en pianotant sur leurs portables ou leurs lecteurs MP3. Deux adolescentes avaient entrepris de se coiffer mutuellement et quatre gamins s'exerçaient au handball contre le mur de la cantine, à proximité de quelques amateurs de BMX et de skateboards. La main en visière pour se protéger du soleil hivernal, McKinney observait la scène avec un petit sourire. À l'époque héroïque, l'heure du déjeuner était ponctuée de bagarres et de fouilles au corps pour confisquer les armes à feu. Aujourd'hui, McKinney tape dans la main des étudiants et échange avec eux des plaisanteries. «Si je devais donner un titre à ce qui s'est passé ici, je l'appellerais "La résurrection de Locke", me confie-t-il. Les anciens reviennent nous voir et ils n'en croient pas leurs yeux. C'est le jour et la nuit: plus personne ne sèche les cours, tout le monde se comporte correctement, les mômes discutent ensemble... Ça ressemble vraiment à une école, maintenant.»

Pas faux. Les soirées consacrées aux parents d'élèves, qui n'attiraient auparavant que quelques égarés, drainent aujourd'hui un millier de visiteurs. Vêtus de tee-shirts aux couleurs de Locke, certains parents participent d'ailleurs à la préparation de ces événements. Les résultats ont progressé tandis que le taux d'absentéisme a chuté drastiquement, tout comme les abandons en cours de scolarité. Pendant ma visite au bureau des sports, Minix prend connaissance des derniers classements académiques. Il sautille de joie : sur les 200 basketteurs et footballeurs que compte l'établissement, seuls deux n'ont pu obtenir les notes minimales requises pour conserver leur place en équipe. Par contraste, avant la révolution suscitée par Green Dot, entre 60 et 70 élèves auraient été éliminés. « C'est phénoménal, incroyable, s'enthousiasme Minix. Je n'ai pas touché terre de la journée. Je suis sur un petit nuage. »

Un changement en profondeur

Reste que le véritable succès de Locke est beaucoup plus difficile à mesurer que les notes aux examens ou le taux de présence. À partir du moment où vous considérez tous les angles d'un problème, la combinaison des divers composants du remède peut produire un total supérieur à leur simple addition et engendrer un changement beaucoup plus profond. Pour Locke, Green Dot a réussi à provoquer un changement jusque dans l'ADN de l'établissement. Elle a réussi à faire admettre que discipline, travail et respect jalonnaient la route à suivre. Cette prouesse est presque impossible à quantifier sur un PowerPoint, mais elle est parfaitement tangible en des centaines d'occasions, tout au long de la journée.

Ma première expérience de cette révolution culturelle s'est produite dans les locaux d'Advanced Path, une structure qui aide les étudiants en difficulté à obtenir suffisamment de crédits pour décrocher leur diplôme. Au fond d'une salle où 80 jeunes pianotent sur des ordinateurs, je repère une fille qui jette un bout de papier chiffonné dans une corbeille. Au moment où le projectile rate sa cible et tombe par terre, nos regards se croisent et je perçois une certaine crispation. J'ai appris par la suite qu'il s'agissait d'une jeune maman de 17 ans connue de la police pour diverses agressions. Auparavant, elle m'aurait fait un doigt d'honneur, mais elle éclate de rire et sa posture semble me dire : « Prise sur le fait ! » Puis elle se lève et va ramasser le papier pour le mettre dans la poubelle.

Dans cette école, il semble que le rabâchage ait fini par porter ses fruits. Ce n'est pas demain que Locke enverra des légions d'étudiants dans les universités de la Ivy League[9], mais le fait d'envisager une candidature à Yale ou Stanford n'est plus un sujet de moquerie. Julia Marquez, une adolescente tranquille qui veut devenir pédiatre, adore cette nouvelle atmosphère. « Ce qui a vraiment changé, c'est que maintenant, c'est cool d'être intelligent, remarque-t-elle. Avant, pour être tendance, il fallait avoir des ennuis. Aujourd'hui, il faut avoir des super notes. »

Bien sûr, des élèves aussi studieux que Julia Marquez sont des fruits faciles à cueillir pour Green Dot. Le véritable défi consiste à récupérer des gamins comme Lewis Price. Selon ses propres termes, à l'âge de 12 ans, ce garçon était déjà une cause perdue qui traînait dans les rues, séchait les cours, fumait du cannabis, se battait et assurait des « livraisons » pour les gangs. Au sein de sa bande, il s'était gagné des galons d'OG (« Original Gangster »). « J'étais au top, se souvient-il. À 14 ans, j'avais déjà un pouvoir incroyable et c'était plutôt agréable. » Même cette balle dans la jambe ne l'avait pas convaincu de changer de mode de vie. Au contraire, cet épisode l'avait incité à encore plus de violence, afin d'asseoir son statut de « sale fils de pute » : « Depuis mon lit d'hôpital, je me disais : "Si j'en reste là, les mecs croiront que je suis un toquard." Il fallait donc que je réagisse et que je me venge, explique-t-il. Avant même que je sois rentré chez moi, ma bande était sur le coup et la guerre avait commencé : on sillonnait la zone en voiture pour canarder les autres et, forcément, ils répliquaient. Des innocents se prenaient des balles perdues, mais on s'en fichait, c'était la guerre. » Deux de ses copains se sont fait tuer au cours de ces échauffourées et Price s'est mis à emporter son pistolet Glock 9 mm de plus en plus souvent. « J'avais l'impression de ne pouvoir compter que sur moi et mon flingue pour me protéger. De toute façon, dès l'instant où tu rentres dans un gang, ce truc devient obligatoire. Sans lui, t'es bon à rien. T'es juste une cible vivante. »

Price est un puits de contradictions. Il lui arrive de parler de son passé au sein de son gang avec une sorte de nostalgie enthousiaste, comme un môme qui raconterait les épisodes les plus trépidants d'un jeu vidéo. À d'autres moments, il semble effrayé de tout ce qu'il a vécu. Mais, sur un point, il reste parfaitement

9. La Ivy League regroupe des universités privées parmi les plus anciennes, les plus prestigieuses et les plus élitistes des États-Unis.

constant : le personnel de Locke l'a aidé à trouver une solution globale pour sa propre vie.

« Quand je suis arrivé là-bas, ils se sont montrés vraiment patients avec moi, raconte-t-il. Ils m'ont juste demandé de m'asseoir et de réfléchir à toute cette histoire de gang. Ils m'ont permis de comprendre que je n'en retirais absolument rien – ni voiture, ni argent, ni bijoux – et que ça consistait seulement à faire du mal à des gens qui me feraient du mal en retour. Ils m'ont écouté sans me juger, comme jamais personne ne l'avait fait avant, et ils m'ont amené à réfléchir à tout ce que je pouvais changer. »

Price a ouvert des livres pour la première fois de sa vie, s'est mis à acheter des vêtements moins connotés et a jeté sa casquette des Toronto Blue Jays, dont les couleurs le signalaient comme appartenant au gang des Crips. Il a également cessé de rendre visite à son ancienne « fratrie ». Son nouvel objectif dans la vie est de devenir chirurgien.

Un peu plus tard, j'ai retrouvé l'adolescent dans le petit deux-pièces qu'il partage avec sa mère, Sandra, et ses trois petits frères. Récemment, il vivait avec son père jusqu'à ce que celui-ci meure d'une vieille blessure par arme à feu. À notre arrivée, une alléchante odeur de poulet flotte dans la pièce. La télévision – un écran plat en plasma accroché au mur – diffuse un programme de téléachat. Sandra semble soulagée pour son fils : « Par le passé, il a eu pas mal d'ennuis et j'ai eu très peur quand il s'est fait tirer dessus, mais Locke lui a fait beaucoup de bien. Maintenant, il a un avenir, déclare-t-elle fièrement. Mais vu son apparence et sa façon de marcher, les gens continuent à le repérer dans la rue. » Après avoir dit à sa mère de ne pas s'inquiéter, Price me conduit vers sa chambre où il a punaisé au mur le certificat qui lui a été décerné pour son accession au tableau d'honneur. Son plus jeune frère débarque alors pour lui sauter au cou et il le prend dans ses bras. « Vous savez, j'ai bien l'impression que Locke est la meilleure école du monde », me confie-t-il.

Ne nous emballons pas. Sous la peinture fraîche, Locke reste un établissement vétuste qui ressemble encore parfois à une cour de prison. La haute clôture métallique installée dans les années 1990 cerne toujours le périmètre, les vitres sont protégées par des grillages, les distributeurs automatiques de boissons sont enfermés dans des cages ultra-résistantes, et il y a des caméras de surveillance un peu partout. Les agents de sécurité postés à l'entrée du campus portent des tenus de commandos, sont tous armés et munis d'une bombe anti-agression à la ceinture.

Comme il fallait s'y attendre, à mesure que leur horizon s'est éclairci, les adolescents n'ont pas été longs à formuler des doléances. Ils critiquent la division de l'école en plusieurs entités, la vétusté des bâtiments construits dans les années 1960 et la nourriture de la cafétéria. Ils voudraient plus de tutorats de la part des profs, plus d'implication de la part des parents et un plus grand choix d'activités extrascolaires.

Au sein de Green Dot, ils sont nombreux à penser qu'on a promis trop de résultats trop tôt. Beaucoup de gamins arrivent à Locke sans connaître leurs tables de multiplication et en sachant à peine lire. Et les jeunes professeurs manquent d'encadrement et de formation à leurs débuts. Aujourd'hui encore, le personnel admet qu'il faudrait plus de cours de soutien en orthographe, une meilleure prise en charge des difficultés spécifiques et une aide pour les élèves dont l'anglais n'est pas la langue maternelle. Au lieu de promettre une augmentation du taux de réussite aux examens (qui a tardé à s'amorcer), Green Dot considère que l'école aurait dû surtout communiquer sur des objectifs plus accessibles, comme la diminution du nombre d'élèves qui abandonnent leurs études et l'instauration d'un climat plus sain sur le campus.

Il n'en demeure pas moins que la situation s'est largement améliorée. Impressionnées par la métamorphose de Locke, les autorités académiques de Los Angeles ont engagé Green Dot pour qu'elle réalise le même tour de magie dans deux autres écoles en faillite complète, et son intervention a déjà généré des résultats prometteurs. À Washington, le département d'État chargé de l'éducation cite, lui aussi, Locke comme un modèle à explorer.

Même si vous n'avez pas prévu de remettre sur pied une école dévastée, vous pouvez tirer des enseignements de l'approche globale suivie par Green Dot. Face à un problème complexe, prenez le temps d'identifier tous ses paramètres et de déterminer comment ils interagissent. Au besoin, placez-les sur un schéma pour examiner les différentes connexions. Puis élaborez une solution qui n'en laisse aucun de côté. Et quelle que soit l'urgence de la situation, ne faites jamais de promesses trop ambitieuses ni prématurées.

Cette hauteur de vue est sans doute la leçon la plus précieuse que Lewis Price ait retirée de la révolution qui s'est opérée au sein de Locke. « Green Dot nous a appris que les gens qui sont à nos côtés aujourd'hui ne le seront peut-être pas demain et que la seule personne sur laquelle nous pourrons toujours compter, c'est nous. Il faut s'appuyer sur soi-même, les livres et ce qu'on sait, dit-il. L'instruction devient vraiment essentielle à long terme et, même si le présent est difficile, il faut toujours penser à l'avenir.»

Chapitre 5

Miser sur le long terme :
demain, c'est aujourd'hui

Dans cette époque qui croit qu'il y a un raccourci à tout, la principale leçon à retenir est que la manière la plus difficile est, à la longue, la plus facile.

Henry Miller

«Je crois que vous serez impressionné», avance Are Hoeidal en poussant la porte du chalet. Nous entrons dans le confort douillet d'un logis scandinave: des murs lambrissés, des lits clos recouverts de duvets moelleux et des tapis épais sur le plancher. L'été vient de débuter en Norvège et les rayons du soleil pénètrent dans la pièce par de larges baies vitrées. Il flotte une odeur de pin.

Nous nous installons dans les fauteuils en cuir du salon pour admirer le décor. Un écran plasma est fixé au mur, à côté de reproductions de toiles impressionnistes. Plusieurs étagères accueillent quelques *Harry Potter*, des boîtes de Lego et des puzzles. Une poubelle rétro en métal monte la garde dans la cuisine.

Hoeidal fait glisser les portes coulissantes derrière nous et nous sortons sur une terrasse en bois. Une table, des bancs et quelques sièges en métal, dont un joli tabouret pivotant bleu, ont été fixés dans la pelouse pour les enfants. Une brise légère agite les frondaisons des arbres et les massifs de cassis qui délimitent le jardin. Hoeidal respire l'air vivifiant du Nord et sourit à la manière d'un homme qui aurait toutes les cartes en main: «C'est l'endroit idéal pour passer un peu de temps en famille, me dit-il, vous ne trouvez pas?»

J'approuve. Je peux aisément imaginer d'agréables vacances avec les miens dans ce paradis. Ce havre de paix ressemble à des milliers d'autres chalets isolés, nichés dans la forêt au bord d'un lac. Il me rappelle une récente escapade familiale dans les montagnes Rocheuses, bien loin d'ici. Je me revois en train d'allumer le barbecue sur la terrasse, tandis que mes enfants caracolent à proximité.

Il y a toutefois une différence : je distingue à travers les arbres un mur de béton de 6 m de haut qui borne le périmètre aussi loin que mon regard peut se porter.

Nous sommes dans une nouvelle prison de haute sécurité du nom de Halden, et Hoeidal en est le responsable. C'est dans cette coquette cabane en bois que dealers, meurtriers et violeurs reçoivent la visite de leurs proches. « Les étrangers sont surpris du confort de ce pied-à-terre, mais les Norvégiens estiment que ce genre de commodités a parfaitement sa place dans une prison, déclare mon guide. Tout cela fait partie d'un plan qui fonctionne. »

L'échec de la prison

Tous les pays sont confrontés à l'incapacité de leur système pénitentiaire à transformer les délinquants en citoyens ordinaires pour les renvoyer dans la société. Souvent, en pratique, les prisons font exactement le contraire. À la fin de leur peine, beaucoup de condamnés sont plus enragés, effrayés et inaptes à trouver un travail, louer un appartement ou, tout simplement à discuter, qu'ils ne l'étaient à leur arrivée. Peu après l'ouverture de Halden, en 2010, Ken Clarke, alors ministre de l'Intérieur du nouveau gouvernement de coalition formé en Grande-Bretagne, a balayé l'une des sacro-saintes pierres de touche de son parti – les conservateurs – en déclarant que l'envoi d'un nombre croissant de gens en prison, pour des peines de plus en plus longues, avait produit des effets contraires aux objectifs visés : « Trop souvent, la prison s'est avérée une approche coûteuse et inefficace qui échoue à transformer les criminels en citoyens respectueux de la loi, a-t-il déclaré. Et dans nos pires établissements pénitentiaires, cette approche engendre des délinquants encore plus déterminés. » Les chiffres parlent d'eux-mêmes : aux États-Unis, au Royaume-Uni et en Allemagne, plus de la moitié des détenus retournent en prison dans les trois ans qui suivent la fin de leur peine.

En Norvège, le taux de récidive avoisine les 20 %. Si je suis venu à Halden, c'est pour découvrir la raison de ce succès. Hoeidal lui-même paraît incarner une philosophie carcérale tout à fait originale. Il n'a rien du gardien brutal et arrogant des films hollywoodiens. Affable et chaleureux, il semble toujours prêt à sourire.

Quand je lui ai écrit pour organiser une visite, il a répondu à mon courriel par un amical « Hello ! » Et, au moment du déjeuner, il choisit une salade.

L'homme a les idées claires sur ce qui fonde la réussite du choix opéré par la Norvège. La plupart des pays ont une vision à très court terme de la prison, m'explique-t-il, quand ils font de la sanction et de la détention leur principal, voire leur unique objectif. Ce choix traduit un soutien populaire pour les peines longues. Il implique en outre des conditions pénitentiaires spartiates et même franchement pénibles. Le moindre signe de confort peut provoquer des tollés d'indignation dans l'opinion publique. D'ailleurs, lorsque Halden a ouvert ses portes, les médias étrangers ont très largement moqué la « prison la plus chic du monde », avec ses téléviseurs à écran plat, ses salles de bains attenantes aux cellules et sa « bibliothèque de luxe ». Certains étudiants américains se sont même plaints que l'établissement était plus confortable que leur résidence universitaire. Un bloggeur français a, pour sa part, décrit Halden comme une incitation évidente à déménager en Norvège pour tous les truands d'Europe.

La plupart des Norvégiens ont ignoré ces quolibets. Établie à la périphérie du continent européen, cette nation de 4,8 millions d'habitants, productrice de pétrole, estime que la véritable punition d'un crime réside dans la privation de liberté. Partant de là, la prison doit contribuer à la réinsertion des condamnés dans la société à l'issue de leur peine. Sur l'île de Bastøy, par exemple, les prisonniers vivent dans des maisons en bois rouges et jaunes, dans une sorte de village qui possède ses boutiques, son école et son église. Dans un livre blanc publié en 2008, le gouvernement norvégien affirme que « moins il y a de différence entre la vie à l'intérieur et la vie à l'extérieur de la prison, plus la transition de l'univers carcéral vers la liberté est facile ».

C'est là que nous abordons le prochain ingrédient de la solution lente. Nous avons déjà souligné l'importance d'un examen approfondi des problèmes pour comprendre et articuler entre eux leurs divers composants afin d'y apporter une solution globale. La réussite du système pénitentiaire norvégien nous rappelle qu'un remède efficace doit également procéder d'une vision à long terme. Certes, notre culture de hussards – tirer d'abord, poser des questions ensuite – ne nous engage pas à trop nous attarder sur l'avenir. Souvenez-vous de toutes ces paroles malheureuses prononcées dans le feu de l'action, dont vos parents, amis et collègues ont fait les frais… Vous les regrettez encore, n'est-ce pas ? Le monde des affaires est pareillement tourmenté par ce type de réactions à très court terme. Souvent, les entreprises taillent dans les budgets pour traverser aujourd'hui une période difficile, sans réfléchir à la manière dont elles feront face demain à une reprise d'activité. En 1993, General Motors a réduit ses effectifs au moyen d'un généreux plan de retraite anticipée. L'année suivante, la société a tellement manqué de personnel dans ses usines des États-Unis qu'elle a dû faire les yeux doux à ses anciens salariés pour qu'ils regagnent leurs postes, leur proposant des primes allant jusqu'à 21 000 dollars.

Une vision à long terme

Dans la plupart des pays, la première réponse à un acte répréhensible est la sanction. Nous voulons que les délinquants paient pour leurs fautes et exigeons qu'ils soient retirés de la circulation pour protéger les honnêtes citoyens de leur comportement déviant. Les Norvégiens ne font pas exception à la règle, mais, quel que soit le degré de gravité du crime, ils commencent par se demander comment remettre le coupable sur le droit chemin. « Dans le système carcéral norvégien, la vengeance n'est pas à l'ordre du jour, m'explique Hoeidal. Nous nous interrogeons plutôt sur le genre de voisin que nous aimerions avoir quand le criminel sortira de prison. Lorsqu'on traite durement les détenus et qu'on se contente de les enfermer dans une boîte durant quelques années, ils n'en ressortent pas meilleurs. À Halden, notre principale tâche ne consiste pas tant à définir ce qu'on va faire d'eux aujourd'hui, dans une semaine ou dans un mois, qu'à les épauler pour qu'ils réussissent à construire le reste de leur vie et à les aider à redevenir des citoyens normaux. »

Dans cette optique, il est essentiel de maintenir le contact avec les proches, restés de l'autre côté des barreaux. Toutes les études montrent que les prisonniers qui entretiennent de solides liens avec leur famille pendant leur peine sont moins susceptibles de récidiver après leur libération. Pourtant, dans beaucoup de pays, les détenus doivent se contenter de visites ou de coups de fil occasionnels, sous la supervision d'un gardien. Par contraste, les pensionnaires de Halden ont le droit de passer 30 minutes par semaine au téléphone avec ceux qui leur sont le plus chers et ils peuvent voir leur famille dans l'intimité, dans des salles réservées à cet effet, garnies de jouets en bois, de coussins et de photos de zèbres et de rhinocéros. Ils peuvent aussi prévoir un séjour dans le chalet familial que j'ai visité.

Par ailleurs, au lieu de satelliser ses criminels, la Norvège a choisi de les autoriser à voter et à participer à des débats télévisés depuis leurs cellules. Le pays encourage en outre la population à leur rendre visite. Ainsi, Halden a vu défiler 9 000 personnes le jour de son inauguration. « Un gros effort a été fait pour rendre les prisonniers visibles, pour exposer leur quotidien, pour montrer qu'ils ne sont pas aussi étranges qu'on se l'imagine parfois, que ce sont des êtres humains comme tout le monde, explique Nils Christie, professeur de criminologie à l'université d'Oslo. En Norvège, plus que partout ailleurs, l'hypothèse selon laquelle les rues sont remplies de monstres en liberté, qui devraient être mis sous les verrous pour le restant de leur vie, a vraiment pris du plomb dans l'aile. »

Cela ne signifie pas que tous les Norvégiens approuvent toutes les caractéristiques de leur système pénitentiaire. Alors que la peine de prison maximale est aujourd'hui de 21 ans, les partis de droite ont réclamé des sentences plus longues pour les délinquants les plus violents. Par ailleurs, une large partie de la population estime que les étrangers, qui représentent environ un tiers des personnes emprisonnées à Halden, devraient être dirigés vers des établissements moins confortables.

Reste que, pour un observateur extérieur, la Norvège paraît incroyablement détendue sur la question carcérale. Dans la plupart des pays, dans la liste des « choses que l'on n'aimerait vraiment pas voir près de chez soi », les prisons atteignent le même score que les pédophiles et les centrales nucléaires. À l'inverse, les riverains de la zone où a été établie Halden ont applaudi à sa construction, y voyant le moyen de stimuler l'économie locale. Hormis quelques remarques désobligeantes sur les prisonniers issus de l'immigration, l'ensemble des grands partis politiques a soutenu le projet.

Sans doute le faible taux de criminalité en Norvège a-t-il pu favoriser ce consensus. Ce pays fait état de dix fois moins de meurtres et de dix fois moins d'incarcérations que les États-Unis. La plupart des peines prononcées en Norvège concernent des vols mineurs, des conduites en état d'ivresse et autres violations de la loi somme toute relativement banales. Les médias locaux jouent eux aussi un rôle dans cette situation, car, plutôt que de favoriser les articles et reportages à sensation, à l'instar des tabloïds ou de certaines émissions de télé dans d'autres pays, les journalistes norvégiens exposent systématiquement les faits de délinquance – même les plus odieux – en termes sobres et résistent à la tentation de l'audience immédiate qu'un éclairage plus tapageur pourrait leur valoir.

Cette modération a été mise à l'épreuve en 2011, lorsque le militant d'extrême-droite Anders Behring Breivik a fait exploser une bombe dans Oslo avant d'assassiner 77 personnes dans un camp de la ligue des jeunes travaillistes. Après cette tragédie, certains Norvégiens ont réclamé son exécution, d'autres ont juré de le tuer à sa sortie de prison, d'autres encore ont exigé que soit votée une loi permettant l'emprisonnement à vie. Mais la réaction très largement majoritaire a été celle que l'on pouvait attendre de la part d'un État ayant construit la prison de Halden. Lors d'un séjour à Oslo, un mois après l'attentat, j'ai été surpris par la modération des discours. Alors qu'en Grande-Bretagne, à la même époque, des juges prononçaient des peines de quatre ans à l'encontre d'individus ayant utilisé Facebook dans le but d'encourager des émeutes, la population norvégienne, pourtant endeuillée par le pire massacre de son histoire, a fermement convenu que les crimes perpétrés par un fou isolé ne devaient pas conduire la nation à abandonner son œuvre de réinsertion à long terme au profit d'une vengeance immédiate. Sur Facebook, les pages appelant à l'exécution du terroriste n'ont d'ailleurs rassemblé que quelques centaines de sympathisants, dont une forte proportion d'étrangers.

Soigner plutôt que punir

L'idée de réinsertion est profondément enracinée en Norvège. Vers le milieu du XIXe siècle, les Scandinaves ont commencé à considérer la prison comme un endroit où les criminels pourraient apprendre à travailler et à retrouver le chemin du Seigneur. Après la Seconde Guerre mondiale, alors que les images des camps nazis étaient encore dans toutes les mémoires, beaucoup de pays d'Europe ont pris des mesures pour améliorer le quotidien dans leurs pénitenciers. À la fin des années 1990, la Norvège a fait de la réinsertion la pierre angulaire de sa philosophie pénitentiaire. Elle a rebaptisé sa machinerie pénale « système de soins de la délinquance » et adopté le bracelet électronique, ainsi que les prisons ouvertes. Les gardiens, devenus des « officiers de contact personnel », sont censés intervenir comme tuteurs-confidents auprès des détenus. Cette réforme n'est pas encore achevée et nombre de condamnés continuent de purger des peines à l'ancienne mode, dans des prisons fermées, dont la salubrité est beaucoup plus approximative que celle des établissements de Bastøy (faible sécurité) et de Halden (haute sécurité). Dans le lugubre centre pénitentiaire d'Oslo, où Hoeidal a officié 11 ans en qualité de gardien, beaucoup de pensionnaires passent 23 heures sur 24 dans leur cellule, et la consommation de drogue est monnaie courante. Mais, déterminée à poursuivre son « chantier de normalisation » pour que le dedans ressemble le plus possible au dehors, la Norvège s'est engagée à faire de ses prisons des lieux plus hospitaliers. Halden est à l'image de ce projet. « Il existe encore un écart important entre la situation idéale et la réalité, mais nous avons déjà été témoins de profonds changements », dit Hoeidal.

Pour rappeler aux criminels qu'ils continuent de faire partie de la société et qu'il serait donc judicieux qu'ils anticipent leur retour à une vie normale, les architectes ont conçu Halden à l'image d'un village. Les habituelles façades de béton gris, rapidement tachées par les intempéries, ont été remplacées par un mélange de briques, de bois et d'acier galvanisé. Les fenêtres n'ont pas de barreaux et le mur d'enceinte est partiellement dissimulé par les arbres. Dolk, un street-artiste norvégien à la mode, a peint trois immenses fresques, dont l'une représente un détenu dans sa combinaison rayée faisant du lancer de poids avec le boulet auquel il est enchaîné. Certes, des caméras de surveillance sont dispersées dans tout l'établissement, mais le monde libre ne semble pas non plus épargné aujourd'hui par ce phénomène. Dans les allées, les détenus, revêtus de leurs effets personnels, et les gardiens, qui sillonnent la zone sur des gyropodes dernier cri, peuvent, à certains égards, donner à Halden l'allure d'un campus universitaire ou du siège social d'une start-up de la Silicon Valley.

À l'intérieur, l'atmosphère est tout aussi agréable. Baignés par la lumière du jour et décorés de photos de jonquilles ou de rues, les larges corridors, où ont été installés des tables de ping-pong et des vélos d'appartement, sont accueillants. Les cellules individuelles offrent le confort des hôtels d'affaires de moyenne gamme, avec un bureau, un lit et une armoire en bois blond, un écran de télévision plat, un mini-réfrigérateur et une salle de bains attenante, carrelée de blanc et dotée de draps de bain épais. Une haute fenêtre verticale pourvue d'une bouche d'aération permet de profiter de l'air du dehors. À la nuit tombée, de coquets rideaux de coton et un éclairage par LED composent une ambiance feutrée. Pour évoquer l'atmosphère d'un foyer, les cellules ont été divisées en groupes de douze unités, disposées autour d'un espace collectif meublé de canapés confortables, de tables basses et d'un grand téléviseur. Les détenus ont même la possibilité de se faire livrer des provisions pour cuisiner leurs plats favoris dans la cuisine.

Bien qu'ils soient confinés dans leur chambre de 20 h 30 à 7 heures du matin, les prisonniers sont encouragés à en sortir pour profiter des équipements, moyennant une incitation de 53 couronnes par jour[1]. Ils peuvent ainsi jouer au foot ou au basket, copier de la musique dans un studio hypermoderne, transpirer dans la salle de gym ou grimper au mur d'escalade. Alternativement, ils peuvent étudier la mécanique, la fonderie ou la menuiserie dans un grand atelier, à moins qu'ils ne préfèrent apprendre à lever des filets de poissons ou à préparer un sorbet au pamplemousse dans la cuisine professionnelle flambant neuf. Ils ont également le droit de réaliser de menus travaux pour des entreprises extérieures. Au cours de ma visite, je passe à côté d'un groupe de détenus en train de rire d'une histoire un peu crue que vient de raconter l'un d'eux, tout en emballant des barrettes en plastique dans des cartons. « Ça n'est jamais bon de rester tout seul dans son coin, me fait remarquer Hoeidal. Quand ils sont occupés, ils sont plus heureux. Du coup, ils sont moins enclins à s'installer dans leur condition de détenu. »

Au lieu d'exercer leur surveillance derrière des vitres blindées ou adossés à un mur, les gardiens de Halden prennent leurs repas avec leurs pensionnaires, font du sport avec eux et, plus généralement, les côtoient de près. Aucun ne porte d'arme. « Nous n'avons pas besoin de pistolet, car nous sommes ici pour prendre soin des détenus et parler avec eux, pas pour les terroriser, explique Hoeidal. Même dans les autres pays scandinaves, vous observerez plus de distance entre les gardiens et les prisonniers. Ici, nous évoluons dans leur environnement, au milieu d'eux. »

Cette proximité est sans doute facilitée par le fait que la Norvège consacre un budget plus important que les autres pays à son personnel pénitentiaire. Beaucoup de surveillants ont obtenu un diplôme universitaire, généralement en criminologie ou en psychologie, avant de passer deux ans à étudier au sein de l'école des gardiens de prison, dont le cursus combine cours théoriques et stages pratiques. Ils accèdent ainsi à une profession valorisante, qui va bien au-delà du verrouillage de portes et de la maîtrise des bagarres. D'ailleurs, l'école reçoit un nombre incroyable de dossiers de candidatures à chaque ouverture de poste.

Un jeune gardien – ou plutôt un officier de contact personnel – prénommé Asmund me sert de guide. Il est instruit, poli et courtois comme savent l'être les Scandinaves. Alors que nous parcourons les différents bâtiments, il échange

1. Environ 7 euros.

quelques mots ou blagues avec les détenus. « Nous sommes plus que de simples surveillants. Nous sommes aussi des travailleurs sociaux, me dit-il. Forcément, l'aspect sécuritaire de notre métier est primordial, mais une grosse part de notre boulot consiste à promouvoir un environnement aussi ordinaire que possible en instaurant un climat de confiance, pour que les prisonniers puissent prendre leur vie en main et soient capables de se réinsérer par la suite. Tout ce que nous faisons ici doit être un investissement dans leur avenir. » Ce mode de pensée a sa transcription dans le langage courant puisque, en norvégien, le terme qui désigne le gardien de prison exprime une notion de service, de protection et de soin. Halden a été conçue jusque dans ses moindres détails pour faciliter le retour à la vie civile. Ainsi, pour éviter que les prisonniers ne deviennent des montagnes de muscles potentiellement dangereuses, le gymnase ne comporte pas d'haltères. Par ailleurs, la moitié du personnel est composé de femmes : « Cela réduit le niveau d'agressivité à l'intérieur de la prison. En plus, les détenus apprennent ainsi à se sentir à l'aise en présence de femmes, ce qui est important pour leur futur retour dans la société », me dit Hoeidal.

Les prisonniers, pour leur part, semblent apprécier ce régime. Lors de ma visite, je commence par m'arrêter dans le studio de musique, véritable caverne d'Ali Baba remplie d'instruments étincelants et d'iMac dernière génération. Une affiche de la série télévisée *Prison Break* a été punaisée sur la porte.

Marcus Nordberg pianote sur un ordinateur dans la salle de mixage. Il a été transféré ici il y a quelques mois. Issu de l'industrie de la musique et du cinéma, il arbore une cinquantaine décontractée, avec sa barbichette, ses lunettes et ses tongs. Il refuse de m'expliquer les raisons de sa présence à Halden, mais il ne tarde pas à en chanter les louanges : « C'est un établissement de haute sécurité, mais on n'a pas l'impression d'être en taule ici, me confie-t-il. Ils s'efforcent de cultiver une ambiance chaleureuse et d'inciter les gens à se montrer positifs. Ils aident à envisager l'avenir. »

« Est-ce que les gardiens sont à la hauteur de leur titre d'officier de contact personnel ? » Nordberg approuve vigoureusement de la tête. « Il y en a quelques-uns qui ont encore l'esprit maton, mais ils sont cantonnés à la fermeture des portes, dit-il. Tous les autres font du sport et jouent aux cartes avec nous. Ils viennent dans la salle commune pour discuter. Ils contribuent à créer une atmosphère de normalité et de respect – c'est un bon entraînement à ce qui nous attend de l'autre côté, à l'issue de notre peine. La plupart des gars apprécient, en tout cas. »

Quand je lui demande si un tel régime n'est pas finalement très coulant, il me lance un regard noir. Le mois dernier, on lui a refusé la permission d'assister à l'enterrement de son père à l'étranger. À ce souvenir, sa voix s'enroue et ses yeux s'embuent. « La prison, c'est la prison, et ce n'est pas parce que c'est un endroit agréable que ce n'est pas une punition, dit-il. Même si c'est dans un hôtel cinq étoiles, quand tu es enfermé, c'est horrible – vraiment horrible. »

Depuis que j'ai visité Halden, je ne peux plus considérer sa réponse comme la marque d'un apitoiement un peu complaisant sur soi-même. C'est un lieu agréable, doté d'une panoplie appréciable d'installations et d'équipements, mais, comme le dit Nordberg, ça reste une prison. La privation de liberté porte un coup très dur au moral d'un être humain. Même si cela n'a rien de comparable, je me souviens que les six mois où j'ai dû porter un plâtre à la cheville ont été les plus déprimants de ma vie. Ce n'était pas tant la douleur qui me gênait que l'impossibilité de me déplacer librement. J'imagine aisément que l'interdiction d'être avec les gens qu'on aime, voire avec des gens tout court, doit être encore plus éprouvante. Charles Dickens, qui en connaissait un rayon sur les coups durs que réserve la vie, a dénoncé l'isolement dans une cellule comme le plus cruel des châtiments : « Je considère cette lente et quotidienne atteinte aux mystères du cerveau comme étant incommensurablement pire qu'aucune torture physique. » Après quelques heures à me balader dans l'enceinte de Halden, je me surprends d'ailleurs à lancer des regards inquiets au mur qui en cerne le périmètre. On dirait qu'il jaillit de la forêt comme le monolithe de *2001, l'Odyssée de l'espace* – un rappel implacable, solide, tangible de l'impossibilité d'aller et venir à ma guise. Sur le chemin de la bibliothèque, je prends soudain conscience que je n'écoute plus Asmund : je suis en train de me demander comment je peux sortir de là.

Une fois parvenu à destination, j'observe Arne Lunde, plongé dans un livre sur Ole Høiland, le Robin des Bois norvégien. À 37 ans, l'homme possède la carrure imposante et le visage lisse et vif d'un collégien. Il est ici parce qu'il a tué sa mère. Ancien instituteur, c'est officieusement le philosophe des lieux. Ses camarades de prison viennent le trouver pour qu'il les aide à améliorer leur CV ou à se préparer à des examens. Il s'est inscrit en master d'histoire pour enseigner cette matière au terme des sept années que doit durer sa peine. Fort d'abondantes lectures sur les prisons du monde entier, c'est un partisan fervent du système carcéral norvégien. « Dans ce pays, vous avez l'impression que la prison est là pour vous aider, pas pour vous enfoncer, m'explique-t-il. Dès votre arrivée dans un endroit comme Halden, vous pouvez commencer à reconstruire votre vie, afin d'être un jour capable de revenir dans le monde extérieur.»

Certes, Halden doit encore éliminer quelques ombres au tableau. Les détenus se procurent en cachette de la drogue – les œufs en plastique des Kinder, dissimulés dans un orifice, sont un des moyens les plus courants. Les esprits s'échauffent aussi parfois et il y a des bagarres. Occasionnellement, un prisonnier est placé à l'isolement dans la cellule de sécurité – une pièce nue, avec un matelas à même le sol et une minuscule fenêtre. Certains pensionnaires estiment que les surveillants passent trop de temps avec eux tandis que d'autres regrettent que les gardiens les moins expérimentés ne se montrent pas plus amicaux. Les plus critiques s'interrogent en outre sur la possibilité de réunir en une seule personne les qualités de maton et de confident. «Ce type qui lit mon courrier et écoute mes conversations téléphoniques, est-ce un auxiliaire psychiatrique ou un espion travesti? relève le Pr Christie. C'est le contact privilégié qui m'a été assigné, mais jusqu'où puis-je me lâcher en sa compagnie?»

Même les plus optimistes estiment que la Norvège ne parviendra jamais à éradiquer totalement la récidive. Hoeidal, pour sa part, vise le chiffre de 10 %. Nordberg est également de cet avis: «Je pense qu'Halden est trop douce pour les vrais durs à cuire, me confesse-t-il. Ils voient cet endroit comme un hôtel et ils attendent la fin de leur peine pour reprendre leurs activités criminelles.»

Là encore, la Norvège est au rendez-vous et continue de se préoccuper de ses détenus, même après leur sortie de prison. Tous les experts affirment d'ailleurs que ce type d'actions est l'un des principaux facteurs de réduction des récidives. La majorité des prisonniers finissent leur temps dans des prisons ouvertes, bien intégrées à la société. Ensuite, on leur garantit un travail et un logement, même si, en pratique, tout ne fonctionne pas toujours comme prévu. Et si toutes ces mesures ne suffisent pas, la Norvège est un État-providence sur lequel on peut compter. Par comparaison, aux États-Unis, les délinquants sont souvent lâchés dans la nature avec, pour tout bagage, un ticket de bus et quelques dollars en liquide.

En matière de diminution de la criminalité et de la récidive, il semble que l'interventionnisme de l'État soit l'une des composantes de la solution. Quels que soient les pays considérés, de nombreuses études suggèrent en effet que la pauvreté et l'inégalité sociale constituent les principaux moteurs du crime et que les nations qui investissent beaucoup dans la santé, l'éducation et la sécurité sociale consacrent généralement moins de fonds à leur système carcéral. À l'inverse, la Californie dépense plus pour ses prisons que pour son enseignement supérieur.

En d'autres termes, l'ouverture à bref délai d'un établissement de type Halden aux États-Unis représenterait une solution vouée à l'échec. « Pour qu'un pénitencier semblable aux prisons norvégiennes fonctionne aux États-Unis, il faudrait que les Américains copient l'attitude des Norvégiens vis-à-vis de la criminalité et de la réinsertion et qu'une forme d'État-providence la soutienne, affirme John Pratt, professeur de criminologie à l'université Victoria de Wellington et spécialiste des prisons nordiques. Il serait, par ailleurs, utile de réduire les fractures sociales trop manifestes et de favoriser une plus grande homogénéité au sein de la population de manière à ce que les détenus ne deviennent pas ces créatures redoutées, ces dangereux spécimens qui nous paraissent si éloignés de nous-mêmes. »

Cela dit, à ce jour, les pays qui ont adopté la philosophie pénitentiaire norvégienne ont tout lieu de s'en féliciter. À la fin des années 1990, Singapour a entrepris de réduire son taux de récidive en plaçant la réinsertion au cœur de son dispositif pénal. Cette île-nation a rebaptisé ses matons « capitaines de vies et superviseurs personnels », tout en les formant à travailler au contact des détenus pour faciliter un retour à la vie civile. Ce pays a également lancé une campagne nationale visant à promouvoir les bénéfices à long terme de la réinsertion et a mis en œuvre un programme destiné à inciter les communautés à donner une seconde chance aux anciens détenus. Certains prisonniers ont désormais le droit de purger tout ou partie de leur peine chez eux en portant un bracelet électronique. La vie dans les prisons de Singapour a changé, elle aussi. Les prisonniers peuvent plus facilement suivre des cours et des formations qui leur permettront plus facilement de trouver un travail à leur sortie. Les employeurs potentiels ont même la faculté de leur faire passer des entretiens dans leurs cellules, ce qui permet aux détenus de sécuriser un emploi avant leur sortie. Lorsqu'une personne est incarcérée, des bénévoles aident les membres de sa famille à s'adapter à la situation, à profiter des mesures offertes par l'État dans ce genre de cas et à préparer le retour de leur proche. Une fois la peine accomplie, un réseau de gardiens de prison, d'experts en politiques sociales, de travailleurs sociaux et d'anciens détenus se tient prêt à apporter son concours à ceux qui redécouvrent la vie civile. Grâce à toutes ces mesures, le taux de récidive a diminué de près de 18 % sur onze ans (chiffres 2009). Le service pénitentiaire fait aujourd'hui partie des employeurs les plus appréciés de Singapour et attire de meilleurs candidats que par le passé. « Au-delà de notre souci de protéger la société en plaçant les criminels sous bonne garde, nous avons parallèlement développé notre capacité à œuvrer dans la réinsertion », déclare Soh Wai Wah, le responsable des prisons du pays. En clair : la réflexion à long terme produit de bons résultats.

Des objectifs à long terme

Parfois, le meilleur moyen de débloquer une situation complexe consiste à se fixer un objectif clair à long terme et à évaluer toutes les actions en fonction de cet objectif. C'est ainsi que fonctionne le système pénal norvégien. La même philosophie sous-tend la Harlem Children's Zone (HCZ), un programme d'aide social à l'enfance qui semble avoir réussi à briser le cercle vicieux de la pauvreté dans ce quartier déshérité de New York. HCZ est allé encore plus loin que l'approche globale mise en pratique par le lycée de Locke, à Los Angeles. Son programme cible toutes les variables qui peuvent influer sur l'avenir d'un enfant dès sa naissance : santé, régime alimentaire, habitat, instruction, loisirs, famille, environnement, citoyenneté, criminalité, initiatives de développement local. Lorsqu'il est devenu évident que de nombreux gamins de ce secteur souffraient d'asthme, les équipes de HCZ ont fait pression sur les propriétaires pour qu'ils agissent contre les moisissures et les cafards qui infestaient les appartements où vivaient les enfants concernés. Ils ont aussi alerté leurs parents sur les risques qu'engendrait la présence d'animaux ou le fait de fumer à l'intérieur des logements, et leur ont expliqué comment gérer la capacité respiratoire de leurs petits et la façon de se servir d'un inhalateur. La proportion des élèves manquant l'école pour cause de crise d'asthme a chuté d'un cinquième.

Toutes les actions qu'engage le Harlem Children's Zone visent le même objectif à long terme : faire en sorte que chaque enfant sorte diplômé d'un *college*[2]. Dans les crèches, entre un repas équilibré et une sieste, les bambins de 3 à 4 ans se familiarisent avec les chiffres, les couleurs et l'anglais, et apprennent aussi quelques mots de français et d'espagnol. Dans le centre que j'ai visité, chaque porte a le nom d'une université prestigieuse : Harvard, Columbia, Spelman. Un

2. Ce qui équivaut à une licence en France.

détail qui en dit très long. « Nous partons de ce présupposé que chaque enfant peut sortir d'un *college* avec un diplôme, puis nous mettons tout en œuvre pour que cela se produise vraiment, explique Marty Lipp, qui a rejoint HCZ en 2004. Le fait de considérer les choses sur le long terme apporte de la clarté et de la cohérence à nos actions présentes. »

Cette hauteur de vue peut aussi éviter de se laisser tenter par une solution à court terme dans un moment de panique. Henry T. Ford aimait parler de « la sérénité que nous donne une vision à long terme de la vie ». Selon Tom Butler-Bowdon, l'auteur de *Never Too Late to Be Grate* (*Il n'est jamais trop tard pour réussir !*)[3], envisager le long terme nous rend plus efficace et plus modéré à court terme : « Lorsque vous atteignez une telle clarté dans la définition de vos objectifs, écrit-il, et que vous acceptez que votre solution évolue à son rythme, vous pouvez vous concentrer sur la bonne exécution des tâches présentes, au lieu de regarder constamment par-dessus votre épaule ou de stresser à cause de votre voisin de bureau. »

Voilà pourquoi les entreprises qui ne visent que le profit à court terme font rarement des merveilles. Des études montrent que les sociétés qui communiquent systématiquement sur leurs résultats trimestriels profitent généralement d'une croissance moindre à long terme. Elles ont aussi tendance à moins investir dans la recherche et le développement. Avant de chuter du paradis, Toyota s'est élevée au premier rang des constructeurs automobiles en s'intéressant à ce que serait la prochaine décennie, pas la prochaine journée. À l'époque, le groupe donnait à ses cadres le conseil suivant : « Fondez vos décisions de gestion sur le long terme, même si cela doit se faire au détriment d'objectifs financiers à court terme. » En matière de haute technologie, secteur dont les acteurs sont prompts à s'enflammer pour un peu d'argent facile, la hauteur de vue est souvent la clé d'une réussite durable. « Notre but n'était pas d'être coté en bourse ni de nous enrichir, a confié Bill Gates en évoquant les débuts de Microsoft. Nous n'avions aucune visée immédiate. Nous avons toujours eu en tête ce truc à des années lumières, pour lequel il n'existait aucun raccourci et vers lequel nous faisions un pas après l'autre. »

Amazon est devenu un colosse planétaire en adoptant le même credo. Pour son fondateur, Jeff Bezos, le fait de voir plus loin que le prochain conseil d'admi-

3. *Op. cit.*

nistration s'apparente à un acte de foi: «Tout est dans le long terme», a-t-il écrit dans sa première lettre aux actionnaires, en 1997. Depuis, Bezos a suscité la foudre des spéculateurs en sacrifiant des profits immédiats pour soutenir des technologies innovantes dont les fruits éventuels ne pourront être récoltés qu'en fin de cycle. En 2006, lorsqu'Amazon s'est mise à vendre des services de *cloud-computing* à des entreprises high-tech, les critiques ont fusé, ce qui n'a pas empêché la société de devenir le leader mondial sur ce marché. Bezos prétend que réfléchir à long terme confère un avantage concurrentiel permettant de revendiquer des droits sur l'avenir, quand la masse fébrile bataille pour sauvegarder ses positions sur le court terme. «Si tout ce que vous entreprenez doit porter ses fruits dans les trois ans, vous allez avoir beaucoup de concurrents, prévient-il. Mais si vous êtes disposé à investir sur une période de sept ans, les concurrents sont nettement moins nombreux, car très peu d'entreprises sont prêtes à agir ainsi. Il vous suffit de repousser l'horizon temporel pour vous lancer dans des projets que vous n'auriez jamais pu envisager autrement.» C'est d'ailleurs ce principe d'investissement au long cours qui a fait de Warren Buffet l'un des entrepreneurs les plus célèbres du monde.

Comment peut-on maintenant appliquer cette règle à nos vies? Commencez par vous fixer un objectif principal – fédérer les clients les plus fidèles de votre secteur, passer plus de temps avec votre conjoint, faire du sport par plaisir plutôt que par nécessité –, qui soit suffisamment clair pour constituer un fil conducteur, mais assez vague pour ne pas vous aveugler. Notez cet objectif par écrit et placez le papier dans un endroit bien visible (une carte dans votre portefeuille, un post-it sur la porte du réfrigérateur ou tout près de votre ordinateur). Évaluez toutes vos actions en fonction de leur contribution à la poursuite de ce but.

Un usage mesuré des cibles

Il peut également être utile de mesurer les progrès réalisés et de s'octroyer des récompenses pour chaque étape franchie. Mais attention à ne pas devenir un obsédé des cibles. Car ces dernières ont tendance à nous rendre myopes en nous focalisant sur un seul point de mire, ce qui peut brouiller l'image globale et réduire l'angle de vue. Lorsque Sears a fixé des objectifs chiffrés à ses équipes de dépannage automobile, elles se sont mises à surfacturer les clients et à inventer des pannes.

Dans le secteur public, des diktats de même nature conduisent les commissariats à orienter leurs effectifs vers des affaires plus simples pour remplir leurs quotas tandis que les médecins font passer les patients les moins malades avant les autres pour réduire les délais d'attente. En 2011, des enquêteurs ont mis au jour le plus grand scandale de l'histoire du service public éducatif des États-Unis. Près de 180 professeurs et directeurs exerçant dans 44 établissements d'Atlanta, en Georgie, ont été accusés d'avoir régulièrement corrigé les réponses de leurs élèves lors d'examens standardisés. Ceux qui ont voulu dénoncer ces déviations ont été sanctionnés ou congédiés. L'obligation de tenir les objectifs à court terme et d'engranger les honneurs et primes était devenue plus importante que le but à long terme de délivrer aux enfants une éducation solide.

Les meilleures solutions lentes sont donc celles qui font un usage mesuré des cibles. Ainsi, ExxonMobil répertorie les cafouillages sans faire la mesure de la performance du groupe. Pourquoi ? Afin d'éviter que de telles cibles ne deviennent une fin en soi. « Si vous en faites un instrument de mesure économique, le résultat risque d'être faussé, affirme Glenn Murray, chargé de la sécurité au sein du groupe. Vous pouvez involontairement inciter les gens à ne plus signaler les erreurs ou à les minimiser. Pour que cela fonctionne vraiment, il faut que la mesure des problèmes se fasse en adéquation avec les personnes impliquées. »

Il faut également manier avec discernement la valeur argent. Vouloir réduire des idées complexes à une simple ligne de chiffres en bas d'un tableau ou sur un bilan met généralement fin à tout débat en éliminant les nuances et en réduisant tragiquement l'horizon. Les neuroscientifiques ont démontré que la perspective de réaliser un profit a, sur le cerveau, un effet comparable à celui d'une prise de cocaïne, car elle ralentit le fonctionnement du système 2, qui prend en charge la réflexion approfondie. Même les récompenses financières destinées à stimuler la découverte de solutions peuvent finir par déformer les analyses et les priorités. Songez à l'euphorie irrationnelle qui s'est emparée des marchés financiers, les poussant à une course démesurée au bonus. En 2009, l'examen de 51 études a permis à des chercheurs de la London School of Economics de conclure que les incitations financières immédiates nuisent aux résultats des entreprises sur le long terme. D'autres recherches menées par la Harvard Business School ont montré que les artistes se montraient moins créatifs quand ils répondaient à une commande : « Quand je bosse pour moi, je ressens la joie pure de créer et je peux y passer toute la nuit sans m'en apercevoir, confie l'une des personnes interrogées.

Quand il s'agit d'un travail de commande, on doit se contrôler et toujours penser à satisfaire le client.»

Dans ces conditions, il n'est pas étonnant que les solutions lentes que nous avons examinées ici ne se focalisent pas sur les gains. Dans son audit de sécurité annuel, ExxonMobil ne parle ni de profits ni de productivité. Glenn Murray redoute que créer un lien entre rémunération et objectifs de sécurité n'encourage les «mauvais types» de comportement. Et lorsque je demande à la colonelle Stephanie Simpson ce que les problèmes de cockpits des Typhoons ont coûté à la RAF, elle se tortille sur son siège. Tout comme l'industrie pétrolière, l'armée de l'air manipule des équipements si onéreux que la moindre bévue peut coûter les yeux de la tête. Mais, à l'instar d'ExxonMobil, Simpson préfère ne pas mélanger les deux aspects de la question. «Je m'efforce délibérément de ne pas évaluer le coût des dégâts causés par une erreur, dit-elle. Sinon, les gens retombent aussitôt dans la culture du blâme, consistant à pointer quelqu'un du doigt en lui expliquant que sa bourde a coûté un million de livres sterling. C'est précisément ce que nous voulons éviter.»

Reste qu'il est difficile de résister à la tyrannie du court terme. Selon Jeff Bezos, adopter une vision à long terme revient à «accepter d'être incompris pendant un long moment». Et ce point est vital. Si un jour vous osez mettre en œuvre une solution lente, sachez que les critiques ne tarderont pas: trop doux, trop cher, trop lent, gémiront les sceptiques. Pour traverser cette zone de turbulence, arguez que résoudre un problème une fois pour toutes n'est ni une partie de plaisir ni un luxe. Il s'agit au contraire d'un investissement sage et essentiel dans l'avenir. Dans la quasi-totalité des cas, un problème négligé devient beaucoup plus difficile et plus coûteux à résoudre au fil du temps. Qu'il s'agisse de votre entreprise, de votre vie sentimentale ou de votre santé, consacrez-y le temps, les efforts et les ressources nécessaires dès aujourd'hui, et vous en récolterez le bénéfice demain. Et souvenez-vous de l'exemple de Green Dot: après un investissement de départ un peu lourd, cette organisation assure désormais la gestion de la *high school* de Locke pour un budget par élève inférieur à celui qui préexistait à la réforme de l'établissement.

Toutefois, il serait stupide d'ignorer complètement les objectifs à court terme. Bien dosés et manipulés avec l'état d'esprit qui convient, ils peuvent aider à canaliser l'attention et l'énergie. Compter ses centimes aujourd'hui reste une bonne manière de préparer demain. Tout en défendant avec ardeur la nécessité de prendre du recul et de penser à long terme, les promoteurs de la solution lente vous encourageront aussi à vous occuper des petites choses. Ou, comme le formule Hoeidal, de « cultiver une approche "macro" des problèmes sans négliger l'approche "micro" ».

Chapitre 6

Peaufiner :
le diable se cache dans les détails

Ce sont les tout petits détails qui sont essentiels.
Les petites choses rendent possibles les grandes.

John Wooden,
entraîneur de basket

Par une belle matinée de janvier 1969, une équipe de plongeurs prend le large pour aller inspecter une plateforme de forage située à 10 km des côtes de la Californie du Sud. Ce qu'ils découvrent les alarme : « Tout était bricolé, se souvient Hoss McNutt, l'un des membres de l'équipée. C'était clair que la compagnie avait rogné sur tout pour faire des économies de temps et d'argent, ce que nous avons signalé en rentrant. » Union Oil, propriétaire du puits, choisit néanmoins d'ignorer l'avertissement ; trois semaines plus tard, la plateforme A explose, crachant près de 760 000 litres de pétrole brut au large de Santa Barbara. Les plages disparaissent sous les galettes d'hydrocarbures et plus de 10 000 oiseaux périssent, ainsi que d'innombrables phoques, dauphins, poissons et autres animaux marins.

Plus de quarante ans plus tard, je retrouve McNutt à East Lansing, sur le campus de l'université de l'État du Michigan. Celle-ci accueille la finale 2010 d'Odyssey of the Mind, qui met en compétition des élèves du monde entier pour résoudre des problèmes en tout genre. Toutes les chaînes d'information diffusent en boucle les images des torrents de pétrole brut que vomit le puits Macondo de BP dans les profondeurs du golfe du Mexique. Le sexagénaire au regard bleu azur observe l'écran et secoue la tête en confirmant le verdict des initiés de l'industrie pétrolière : « C'est l'histoire qui se répète. BP a ignoré les risques et les avertissements ; ils ont préféré les remèdes de fortune et maintenant ils se trouvent dans un vrai bourbier. »

En matière de résolution de problèmes, McNutt a tout vu. Au terme d'une carrière de *trouble-shooter* dans les sous-marins, il est devenu professeur de robotique à la Burton Middle School[1] de Porterville, en Californie. Il intervient aussi depuis trente ans en qualité de tuteur pour Odyssey of the Mind. Nombre de ses anciens élèves se confrontent à des défis de toutes sortes dans des salles de réunion, des usines et des laboratoires, aux quatre coins des États-Unis.

Les leçons d'une débâcle

Bien qu'ils se limitent au cadre fixé par cette finale, les heurs et malheurs de son équipe n'en constituent pas moins de très utiles leçons pour aborder la vie. Depuis plus de trente ans, cette compétition s'apparente à un immense terrain d'essai pour la solution lente. À l'occasion des championnats du monde 2010, McNutt encadre un groupe de six adolescents de 14-15 ans. Ils ont choisi de traiter le problème numéro 1 : inventer un véhicule à propulsion humaine capable de surmonter un obstacle, de nettoyer l'environnement, de se faufiler dans la nature et de subir des réparations sans interrompre son chemin. Les garçons ont décidé de construire un engin de déminage entre *Mad Max* et *E = M6*, combinant de vieux tableaux électriques, des morceaux de planches, des barres métalliques et un réseau complexe de ficelles et de poulies. Leur véhicule est pourvu d'une manette permettant d'actionner une scie à métaux qui, en frappant une boîte de conserve, produit un son grave censé effrayer les animaux sauvages. La pelle qui récupère les mines – en polystyrène – est constituée par l'écran d'un vieil iMac. Trois enfants sont nécessaires pour faire fonctionner le dispositif, que le conducteur propulse en agitant de bas en haut une planchette de bois. Je me demande aussitôt pourquoi je n'ai pas fait comme eux quand j'avais leur âge…

Comme tous les autres concurrents d'Odyssey of the Mind, les garçons du collège Burton évoquent d'un ton docte les nombreux ingrédients de la solution lente : reconnaître ses fautes et en tirer les enseignements ; réfléchir en profondeur pour découvrir la vraie nature d'un problème ; relier les points entre eux pour aboutir à des solutions globales ; considérer le long terme. Avec l'assurance

1. Les *middle schools* américaines sont des équivalents des collèges français.

d'un gourou du management, l'un d'eux me confie : « Les erreurs n'existent pas, ce ne sont que des idées fausses. » Un autre ajoute : « Quand quelque chose ne fonctionne pas, il faut reprendre toutes les étapes depuis le début, jusqu'à trouver la cause, puis y remédier. »

Jusque-là, rien à dire. Mais une heure avant que l'équipe de Burton soit appelée sur scène, je sens McNutt mal à l'aise. Il pense que les enfants devraient peaufiner jusqu'à la dernière minute leur solution au problème numéro 1, mais le règlement lui interdit d'insister sur ce point de façon trop appuyée. « Certaines pièces de ce véhicule pourraient encore casser à ce stade, s'inquiète-t-il. Si j'étais à leur place, je serais stressé avant de monter au créneau avec ce machin. »

Par-dessus son épaule, j'aperçois le démineur abandonné dans un coin du gymnase. Le seul membre en vue de l'équipe caracole en direction de la sortie. McNutt le rappelle :

« Tu sais à quelle heure vous devez commencer votre présentation ?

– 15 heures, répond le gosse.

– Et il vous reste combien de temps ? » insiste le tuteur.

Le garçon hausse les épaules en montrant son poignet dépourvu de montre.

« 50 minutes, enchaîne McNutt. Tu ne crois pas que vous devriez faire une simulation ou quelque chose dans le genre pour vous préparer ? »

L'adolescent répond qu'il va en parler à ses copains, qui ignorent le conseil. Une heure plus tard, dans une salle voisine, les mômes, déguisés en robots, s'apprêtent à monter sur scène. Près de 200 enfants et une kyrielle d'encadrants et de parents attendent sur les gradins. C'est l'aboutissement de neuf mois de préparatifs. La première équipe met la barre très haut en déroulant de longues pousses de bambous pour propulser son engin. Le spectacle est sidérant, élégant et curieusement émouvant. La foule rugit de contentement.

Quand vient leur tour, les garçons de Burton s'avancent en tremblant. Ils mettent plus de temps que prévu à s'installer. Enfin, le démineur fait 3 mètres, avant de stopper en cahotant. Les gamins s'agitent fébrilement pour le remettre en marche, mais il s'arrête encore et, cette fois, on aperçoit une chaîne qui pendouille sous le châssis. Deux des adolescents ôtent leur déguisement de robot pour se faufiler sous la machine, comme des mécanos de Formule 1. Un silence gêné envahit le gymnase. Bien que ce soit officiellement une compétition, Odyssey of the Mind a su préserver un excellent esprit de camaraderie et les divers concurrents s'encouragent mutuellement. Aucune des personnes présentes n'a envie de voir des mômes s'effondrer sur scène. Finalement, les spectateurs sortent de leur torpeur et se mettent à frapper dans leurs mains, en hurlant des encouragements aux malheureux démineurs. Ceux-ci parviennent enfin à faire redémarrer leur engin, mais, alors qu'il s'apprête à ramasser sa première mine, un coup de gong signale que le temps de présentation vient d'expirer. Les gosses sont anéantis, malgré l'ovation que leur fait la foule. Un juge se précipite pour consoler le plus jeune qui s'est mis à pleurer.

Après quelques condoléances émues, McNutt analyse calmement la débâcle. Ayant été le témoin d'épisodes similaires d'auto-sabordage de la part d'autres équipes, il estime que ses poulains retireront de cette expérience une plus grande aptitude à la résolution de problèmes: « La leçon qu'ils ont apprise ici est plus importante que de remporter la coupe, me dit-il. Aujourd'hui, ils ont compris que, pour inventer des solutions, il faut être incroyablement minutieux, car le diable se niche toujours dans les détails. »

Ces paroles nous mettent sur la voie d'un nouvel ingrédient de la solution lente. Si, pour traiter des situations complexes, il est essentiel de prendre du recul et de la hauteur, il est également indispensable de zoomer sur les détails. Savez-vous ce qui, en 2000, causa la fin du Concorde dans une gerbe de feu, non loin de l'aéroport Charles de Gaulle? Le déclencheur de la catastrophe fut un minuscule morceau d'alliage en titane qui s'était détaché d'un autre avion pour atterrir sur la piste de décollage et sur lequel le Concorde a roulé à plus de 500 km/heure. C'est pour cette raison que la RAF emploie à plein temps un escadron dont la seule mission est de s'assurer que les pistes d'envol ne comportent aucun détritus et que tous les conducteurs de véhicules s'arrêtent pour vérifier la propreté de leurs pneus avant de traverser ces pistes. « Pour que quelque chose soit vrai, il faut qu'il le soit à la fois dans la globalité et dans le détail, affirme Jane Fulton Suri d'Ideo. Les deux sont nécessaires pour traiter un problème. »

Comme tous les autres composants de la solution lente, cette minutie demande du temps car, en règle générale, il est nécessaire de ralentir pour identifier, comprendre et traiter les détails. Parfois, nous le faisons naturellement: calculez les heures passées devant votre glace avant un rendez-vous amoureux pour traquer la moindre imperfection; comptez le nombre de relectures dont a profité votre dernière lettre de candidature avant d'être postée. Mais, le plus souvent, dans notre monde pressé, cette attention aux petites choses passe à la trappe. L'esprit est enclin à balayer d'un revers de main les vétilles qui pourraient remettre en cause nos théories fumeuses – à cet égard, je vous renvoie au biais de confirmation et au problème de l'héritage décrits plus haut. D'autant que l'examen méticuleux des détails peut se révéler éprouvant et rébarbatif. Ce genre d'exercice fait d'ailleurs rarement les gros titres et émoustille assez peu les auditoires. Ce qui attire l'œil, ce sont les gestes amples et téméraires. Pourtant, quel que soit l'investissement (en argent, en énergie et en temps) et la noblesse de l'intention, un seul détail peut faire capoter le meilleur des remèdes.

Des détails qui comptent

L'histoire de l'aide humanitaire en fournit une confirmation édifiante. Depuis des décennies, les Occidentaux envoient en Afrique des containers de matériel médical que la chaleur accablante empêche de fonctionner ou des prothèses auditives conçues pour des pathologies que l'on rencontre très rarement dans les pays en développement. Des détails tout aussi absurdes freinent la reconstruction si médiatisée de l'Afghanistan. Dans cet État ravagé par la guerre, les autorités américaines ont bâti des écoles, mais ont négligé la formation des professeurs…

Le souci du détail a toujours été la marque de fabrique des plus grands apporteurs de solutions. Certains sont d'avis que les plus belles céramiques de tous les temps ont été réalisées sous la dynastie des Song du Sud, qui a régné en Chine entre le XIIe et le XIIIe siècle. Les potiers de l'époque Song passaient une vie entière à améliorer, retoucher et peaufiner des formes sobres en quête du vase parfait. Ils croyaient fermement que le plus modeste des bols pouvait avoir une puissance évocatrice immense et traduire la plus haute maîtrise artistique. En s'attachant à l'infiniment petit, ils ont créé des pièces qui continuent à séduire et inspirer huit siècles plus tard.

Un intérêt identique pour le détail distingue tous ceux qui réussissent, quel que soit le domaine considéré. Imaginez le savoir-faire obsessionnel qui se cache derrière un costume de chez Savile Row, une Rolls-Royce Phantom ou le manche en acajou d'une guitare Paul Reed Smith. Si seulement les adolescents du collège Burton avaient suivi la voie d'Henry Steinway, qui a d'abord réalisé 482 pianos à la main avant de connaître le succès dans son entreprise ! Et quel est le secret de la prose lumineuse de Gustave Flaubert ? Une obstination maniaque qui l'a conduit à retravailler et à ciseler chaque phrase de ses romans, jusqu'à ce que la moindre consonne soit à sa place. Relisez la célèbre scène de *Madame Bovary* où Emma se glisse hors de chez elle à l'aube pour rejoindre son amant. L'auteur en a écrit 52 versions avant de trouver l'agencement parfait des mots. Sur le modèle de la sentence préférée de McNutt, il aurait pu affirmer : « Le Bon Dieu se niche dans les détails. »

Steve Jobs, le fondateur et ancien président d'Apple, a porté cette profession de foi jusqu'à l'obsession. Vers la fin de sa vie, alors qu'il agonisait sur un lit d'hôpital, il épuisa 67 infirmières avant d'en retenir trois qui satisfaisaient son extrême niveau d'exigence. Malgré les sédatifs, il a réussi à arracher son masque à oxygène pour en critiquer l'apparence, sidérant son pneumologue quand il exigea qu'on lui présente cinq autres modèles afin qu'il puisse sélectionner celui qui lui convenait. Ce qui pourrait passer pour un TOC a contribué à faire d'Apple l'une des entreprises les plus florissantes de l'histoire. Jobs harcelait ses designers, ingénieurs et commerciaux pour que tout soit parfait dans les moindres détails. S'il a fallu plus de trois ans pour développer l'ordinateur Macintosh, c'est parce que Jobs n'arrêtait pas de le peaufiner, allant jusqu'à abandonner le ventilateur interne qu'il estimait trop massif et à redessiner une carte mère jugée inélégante. Pour améliorer le bandeau figurant en haut de chaque fenêtre ou document ouvert à l'écran, il a obligé ses développeurs à revoir leur copie encore et encore. Et quand ces derniers ont fini par protester après une vingtaine de propositions, il leur a répliqué d'un ton indigné : « Est-ce que vous pourriez avoir ça tous les jours sous les yeux ? Ce n'est pas juste un détail. C'est un truc que nous devons absolument réussir. » Même quand Apple était au sommet de la vague, son patron, tel un céramiste Song des temps modernes, s'est préoccupé du nombre de vis qui entraient dans la composition des ordinateurs conçus par sa société. En d'autres termes, à chaque fois que Steve Jobs montait sur scène avec son légendaire col roulé noir pour dévoiler son dernier gadget révolutionnaire, son entreprise avait déjà tout passé au peigne fin et envisagé tous les cas de figures, avec une rigueur qui aurait fait pâlir de honte les gamins de Burton et la plupart de ses concurrents.

Parfois, le plus infime détail peut faire la différence entre un triomphe et un échec. Le manque d'éclairage artificiel est un problème chronique dans les pays en développement, et les foyers pauvres des zones rurales d'Afrique, d'Asie et d'Amérique latine y consacrent une large part de leurs maigres revenus pour acheter bougies, piles électriques et kérosène, alors que cet argent pourrait être plus judicieusement dépensé en nourriture, en éducation, en soins médicaux, ou investi dans des exploitations agricoles. Malgré ces efforts financiers, le manque de lumière continue de rendre tout déplacement difficile après le coucher du soleil. Cette situation empêche en outre les enfants d'étudier dans la soirée. Les jeunes filles manquent l'école pour accomplir les tâches ménagères durant la journée et toute femme qui sort après la tombée de la nuit court plus de risques de se faire agresser. Sans compter que les lampes de fortune au kérosène polluent l'atmosphère, attirent des moustiques porteurs de malaria et causent des incendies et de graves brûlures. En 2006, Mark Bent a découvert un antidote génial à ce fléau : ses lanternes BoGo fonctionnent à l'énergie solaire, résistent aux chocs et peuvent fournir 5 heures d'éclairage après avoir été exposées 10 heures au soleil. Pour chaque lampe achetée, Mark Bent en offre une à l'association humanitaire de votre choix – BoGo est la contraction de « Buy one, Give one » (« Achetez-en une, offrez-en une »).

À l'instar de Geir Berthelsen pour Northsafe, et contrairement à beaucoup d'organisations humanitaires, Bent a commencé par écouter. Après des années dans les pays en développement en qualité de militaire, puis de diplomate, et enfin de cadre dans le secteur pétrolier, il a compris l'importance de la connaissance du terrain : « Je vois trop de types avec des intentions formidables et des projets fantastiques qui essaient d'en aider d'autres sans rien connaître de leurs modes de fonctionnement, de leurs besoins réels, de ce qui les intéresse ou des contraintes économiques, sociales ou tribales auxquelles ils sont confrontés, regrette-t-il. Il faut y consacrer énormément de temps et d'écoute, parce que la première chose que les gens disent ne correspond jamais à la réalité. Ils vous affirmeront que tout est merveilleux mais, au bout d'une heure, ils avanceront timidement quelques regrets parce que l'éclairage ne dure pas assez longtemps ou n'est pas assez puissant, ou commenceront à imaginer comment ils pourraient le déplacer ou le suspendre. » Fort de ces indices impressionnistes, Bent a pu améliorer sa lanterne BoGo pour répondre au cahier des charges.

Nous examinerons dans un prochain chapitre pourquoi il est utile que les gens soient impliqués dans la définition des solutions à apporter à leurs problèmes, mais concentrons-nous pour l'instant sur le détail qui a permis à la lampe BoGo de changer la donne. Quand les premiers modèles sont arrivés dans un camp de réfugiés de l'ONU en Éthiopie occidentale, ils étaient orange vif : « Je voulais un objet lumineux que les gens pourraient retrouver dans la pénombre », explique

Bent. Mais il est vite apparu que les hommes s'emparaient des torches et abandonnaient les femmes à l'obscurité de leur tente.

Alors que les émissaires de l'ONU envisageaient de pister les lampes au moyen de leur numéro de série, leur inventeur a eu une idée plus simple et plus élégante : il les a fait peindre en rose. Il savait que beaucoup d'Africains sont fiers, sourcilleux et superstitieux sur la question de la virilité, mais il n'ignorait pas non plus que la plupart d'entre eux n'associent pas nécessairement le rose à la féminité. Il entreprit donc de distribuer ses lanternes en faisant circuler le message que tout mâle digne de ce nom risquait de succomber au ridicule s'il était vu avec un accessoire d'une telle couleur. Et sa stratégie a payé. Aujourd'hui, dans certaines régions d'Afrique, les hommes contraints d'utiliser les loupiotes BoGo préfèrent utiliser un bâton pour les manipuler afin de ne pas être surpris avec un objet aussi infamant à la main. Il arrive même que le simple fait de transporter un tel lumignon puisse valoir à un homme une étiquette de voleur. À ce jour, Bent a envoyé près de 400 000 loupiotes dans les pays les plus pauvres et les femmes africaines disposent désormais de leur lampe rose comme bon leur semble.

Des détails qui changent tout

Parfois, il peut aussi être payant de réexaminer un détail d'abord écarté pour son insignifiance. Traditionnellement, en Occident, la musique classique était le domaine réservé des hommes. Le monde masculin des solistes en queue-de-pie et des chefs d'orchestre à la toison grisonnante a cru longtemps dur comme fer que les femmes ne pouvaient tout simplement pas jouer aussi bien qu'eux. Leurs bouches, leurs poumons et leurs mains n'étaient pas faits pour cela. Et puis elles étaient bien trop fragiles. Elles ne pouvaient pas *ressentir* la musique de la même façon. D'ailleurs, les cerbères des grands orchestres ne cessaient de le constater durant les auditions, puisque les hommes s'y révélaient systématiquement plus virtuoses que les femmes. Mais était-ce vraiment le cas ?

À l'époque, les auditions classiques se déroulaient souvent de manière informelle, les candidats jouant quelques minutes devant un directeur musical ou un chef d'orchestre. Ce face-à-face était censé aider les examinateurs à se forger une opinion avisée, mais il avait souvent l'effet opposé. Le fait d'être installé au premier rang lors d'une audition ne facilite pas la concentration du jury sur la compétence première exigée de tout musicien, à savoir la qualité de son jeu. Cette proximité peut même démobiliser voire influencer les jurés à cause des distractions visuelles qu'elle autorise : posture, âge, coupe de cheveux, profil, sueur, expressions, maniement de l'instrument et… sexe.

Le rôle joué par ces données visuelles dans l'appréciation des aptitudes d'un musicien est devenu évident quand, dans les années 1970, les professionnels de la musique classique se sont mis à organiser des auditions à l'aveugle. Les concurrents se voyaient assignés des numéros et interprétaient leur morceau cachés derrière un paravent. Toute manifestation de nature à trahir leur sexe – comme un toussotement, même bref, ou le claquement d'un talon – entraînait le report de l'exercice à une heure ultérieure et l'attribution d'un nouveau numéro. Ce changement a contraint les experts à respecter un principe qu'ils prétendaient pourtant mettre en œuvre depuis des lustres : juger le candidat sur la seule qualité de son jeu. Et soudain les femmes se sont mises à mieux jouer… Cette virtuosité subite leur a progressivement permis d'accéder à des postes prestigieux de solistes et, depuis l'instauration des auditions anonymes, le nombre de musiciennes dans les grands orchestres américains a été multiplié par cinq. La progression générale de l'égalité des droits dans la société a sans doute contribué à cette évolution, mais il est plus que probable que, sans la mise en place de cette nouvelle forme de recrutement, les femmes auraient continué à jouer beaucoup moins bien que les hommes…

En sociologie, le pouvoir du détail qui compte est parfaitement décrit dans la « théorie de la vitre brisée », qui soutient que la plus insignifiante détérioration de notre environnement (par exemple, une vitre brisée au milieu d'une façade ou un tag sur un mur) peut susciter d'autres comportements antisociaux. En 2011, un groupe de chercheurs de l'université de Groningue, aux Pays-Bas, a montré comment ce phénomène fonctionnait en pratique. Pour les besoins d'une expérience, ils ont déposé des tracts publicitaires sur des vélos garés dans une ruelle, à proximité d'un panneau signalant que les graffitis étaient interdits. Quand le passage a été tagué, 69 % des cyclistes ont jeté le tract par terre ou l'ont déposé sur un vélo voisin. Une fois les façades repeintes, seulement 33 % ont reproduit ce comportement. À l'occasion d'un test similaire, les mêmes chercheurs ont glissé dans une boîte aux lettres une enveloppe comportant un billet de 5 euros bien visible, en prenant soin de la laisser dépasser. Quand la boîte était propre et en bon état, seuls 13 % des passants ont dérobé l'argent, ce chiffre doublant dans le cas d'une boîte couverte de graffitis dans un environnement sale (canettes vides, mégots de cigarettes et autres ordures par terre).

Cela ne signifie pas que le fait de débarrasser les rues de leurs détritus mettrait fin à la délinquance – pour obtenir un tel résultat, il faudrait relier beaucoup d'autres points. Mais cela prouve que changer un détail insignifiant en apparence – remplacer un carreau cassé ou dresser un écran entre des musiciens et un jury – peut faire une énorme différence.

C'est en tout cas le message que rabâchent les apporteurs de solutions les plus pointus. John Wooden était l'entraîneur de l'équipe de basket-ball d'UCLA quand celle-ci a remporté dix années de suite le titre de champion de la NCAA, entre 1964 et 1975. Même s'il a eu la chance d'accueillir dans ses rangs des joueurs surdoués comme Kareem Abdul Jabbar et Bill Walton, il est reconnu comme l'un des plus grands coachs de l'histoire du sport universitaire. Or, que faisait-il quand une nouvelle fournée de prodiges du basket débarquait pour son premier entraînement ? Il leur expliquait comment enfiler correctement leurs chaussettes. Tel un moine médiéval déroulant le parchemin d'un manuscrit, il remontait lentement chacune de ses chaussettes, depuis les orteils jusqu'à la cheville, en passant par le coup de pied et la voûte plantaire, avant de l'ajuster au niveau du genou. Ensuite, il en aplanissait méticuleusement tous les plis. Puis il observait chacun de ses champions reproduire ces gestes, jusqu'à ce qu'ils les maîtrisent à la perfection. Wooden donnait deux explications à ce rituel. Tout d'abord, les chaussettes qui tire-bouchonnent causent des ampoules qui handicapent le joueur. Mais il entendait aussi souligner la nécessité de se montrer méticuleux : « Je crois à ces deux principes : faire attention aux détails qui peuvent être couramment négligés et les traiter à la perfection, a-t-il écrit. Ces préoccupations peuvent sembler triviales, risibles même pour ceux qui ne les comprennent pas, mais elles sont fondamentales pour progresser, qu'il s'agisse du basket-ball, du business ou de la vie. Ce sont elles qui font la différence entre les champions et les vice-champions. »

Dans le monde des affaires, c'est ce que répètent constamment les gens qui se sont élevés au sommet. Lorsqu'il a pris sa retraite, on a demandé à Conrad Hilton, le fondateur de la chaîne hôtelière qui porte son nom, quel conseil il donnerait à des entrepreneurs en herbe. Il a répondu à la question par une formule lapidaire et mémorable : « N'oubliez pas de replacer le rideau de douche à l'intérieur de la baignoire. » Et lorsque Sir Richard Branson rend visite à l'une des 300 entreprises qui forment son empire – Virgin –, il relève par écrit toutes les petites imperfections qu'il identifie, depuis la saleté de la moquette de l'avion au ton inapproprié de l'employé du centre d'appel. « Ce qui fait la différence entre une prestation correcte et une prestation exceptionnelle, c'est le souci du détail, a-t-il écrit. L'exception ne doit pas être réservée aux débuts de l'entreprise : d'un bout à l'autre de la chaîne, les employés doivent veiller à ce que tout se passe bien durant toute la journée, et tous les jours. »

Des M&Ms qui en disent long

Même les rockeurs déchaînés de Van Halen l'ont compris. En pleine gloire, dans les années 1980, le groupe faisait figurer dans chacun des contrats pour leurs concerts une clause qui a fait couler beaucoup d'encre : ils exigeaient qu'on place dans les loges un énorme saladier de M&Ms dont toutes les pastilles marron seraient retirées. L'article 126 stipulait en effet : « Il n'y aura aucun M&Ms marron en coulisses, sous peine d'annulation du spectacle, avec dédommagement intégral. » Quand l'information a filtré, les médias se sont indignés, jugeant que les rois du hard rock avaient succombé à l'ivresse du vedettariat. Pourtant, les membres de Van Halen avaient de très bonnes raisons de bannir les M&Ms marron. Pionniers des tournées gigantesques, ils avaient remarqué que le staff des villes moyennes dans lesquelles ils se produisaient bataillait souvent avec les équipements scéniques du fait de leur complexité technique. Or, la moindre négligence pouvait nuire à la qualité du son ou du spectacle, voire provoquer des dommages plus graves. Un jour, à l'occasion de leur passage à l'université du Colorado, la scène s'est effondrée, occasionnant 85 000 dollars de dégâts matériels, parce que les équipes de montage avaient omis de vérifier les contraintes de poids spécifiées au contrat. Un tel accident aurait très bien pu blesser ou tuer quelqu'un. C'est de là que naquit l'idée des M&Ms, qui seraient au spectacle ce que le canari était à la mine de charbon[2]. D'après les rockeurs, un saladier sans pastille marron indiquait que l'équipe technique était fiable et avait revu toutes les exigences du groupe jusque dans leurs moindres détails : « Si je repérais un M&Ms marron dans le saladier, raconte le chanteur David Lee Roth, l'erreur technique était garantie. Ils n'avaient pas lu le contrat. Il

2. Les mineurs emportaient autrefois dans la mine un canari en cage qui, lorsqu'il s'agitait ou donnait des signes de suffocation, était le signe qu'il fallait remonter.

allait forcément y avoir un problème. Quelque chose qui risquait éventuellement de détruire le spectacle. Ou même un truc carrément mortel.»

Les bienfaits de la check-list

Une des manières de formaliser le test des M&Ms consiste à établir une check-list. Depuis des décennies, les pilotes d'avion y ont recours pour ne pas oublier d'actionner une fonction indispensable ou de confirmer un message vital. Les avocats l'utilisent eux aussi pour éviter de passer à côté d'infimes détails qui peuvent s'avérer cruciaux dans un contentieux délicat. Ces listes sont également de plus en plus courantes dans l'industrie, qu'il s'agisse de construction immobilière ou d'ingénierie informatique, où le fait de bâcler une procédure apparemment sans importance peut avoir des conséquences catastrophiques.

L'ennui, c'est que beaucoup d'experts rechignent à ce type d'exercice. Nous avons vu plus haut combien il est difficile de reconnaître ses erreurs et ses limites. Le recours à une check-list revient à admettre que, malgré de nombreuses années d'expérience, personne n'est à l'abri d'une bourde élémentaire. Pourquoi aurais-je besoin d'un tel pense-bête pour me rappeler de faire toutes ces choses que je fais sans réfléchir ? Précisément, c'est tout le problème. Quand nous branchons le pilote automatique, quand nous cessons de réfléchir, nous risquons de passer à côté d'un petit rien qui peut renverser une situation. Même le père Noël vérifie deux fois sa liste !

Voilà pourquoi le corps médical s'est lui aussi mis aux check-lists. Prenons l'exemple des antibiotiques administrés juste avant ou juste après une intervention pour limiter tout risque d'infection. Pour qu'ils soient efficaces à 100 %, il faut les prendre *au plus tôt* 1 heure et *au plus tard* 30 secondes avant que le chirurgien effectue sa première incision. En dehors de ce créneau, les risques d'infection sont une fois et demie plus élevés. Tous les étudiants en médecine peuvent réciter ces chiffres par cœur et pourtant les praticiens expérimentés se trompent fréquemment. En 2005, le Nationwide Children's Hospital de Columbus, dans l'Ohio, a découvert que son personnel oubliait d'administrer le bon antibiotique au moment adéquat dans près d'un tiers des cas d'appendicectomie. Ils donnaient le médicament soit trop tôt soit trop tard, quand ils ne l'oubliaient pas purement et simplement. À première vue, ce phénomène semblait inexplicable. Comment des professionnels aussi chevronnés pouvaient-ils se tromper aussi souvent ? Tout simplement parce que la chirurgie est l'une des formes les plus exigeantes de la résolution de problèmes. En concentrant des défis multiples – dont celui d'ouvrir le ventre d'un être humain pour le remettre en état –, tout bloc opératoire devient véritablement miné par les sujets de distractions : un appel de dernière minute des urgences ; un équipement défectueux ; un bloc-notes manquant ; un patient agité ; un anesthésiste épuisé. Dans ce maelström, on comprend aisément que les antibiotiques puissent passer à l'as.

Le directeur du service de chirurgie du Nationwide Children's Hospital était aussi pilote d'avion à ses heures perdues. Il savait donc que les check-lists étaient susceptibles de réduire le nombre d'erreurs et donc d'améliorer la sécurité en vol. Pour remédier à ce problème d'antibiotiques, il équipa toutes les salles d'opération de l'établissement d'un tableau blanc sur lequel était fixé un récapitulatif préopératoire, intitulé « Paré pour le décollage ». La liste comportait deux cases à cocher avant que le chirurgien puisse poser la main sur son scalpel. D'abord, l'infirmière devait confirmer oralement que la personne allongée sur la table d'opération était bien le patient prévu et que c'était le bon côté de son anatomie qui était exposé. Ensuite, les membres de l'équipe chirurgicale devaient s'assurer que les antibiotiques appropriés avaient bien été administrés. Pour inciter son personnel à la minutie, le directeur passa beaucoup de temps à discuter des avantages de sa check-list avec les médecins, les infirmières et les anesthésistes. Et comme il était lui-même très sensible au détail, il fit fabriquer de petits chapiteaux métalliques d'une quinzaine de centimètres portant la mention « Paré pour le décollage », que les infirmières étaient chargées de placer sur les scalpels, quand elles préparaient les instruments pour une intervention. Dans les premiers temps, la présence de ce gadget permit de rappeler aux différents intervenants qu'il fallait prendre le temps de lire les inscriptions en petits caractères.

Ces changements infimes eurent des conséquences importantes. Trois mois après le lancement du programme, un audit établit que les antibiotiques étaient correctement administrés dans 89 % des appendicectomies. Après dix mois, ce chiffre passa à 100 %. D'autres hôpitaux ont connu des succès comparables grâce aux check-lists, dont certaines comportent une vingtaine ou une trentaine de points.

Pour autant, il est rare que le seul souci du détail suffise à élaborer une solution qui fasse date. Il faut aussi savoir examiner les petites choses avec un regard neuf. C'est ainsi que nombre d'inventions majeures peuvent voir le jour. En 1941, un ingénieur suisse du nom de Georges de Mestral trouva, en rentrant d'une expédition de chasse dans les Alpes, des capitules de bardanes accrochées à ses chaussettes et aux poils de son chien. Au lieu de se débarrasser de ces boules collantes et duveteuses, ainsi que les randonneurs le faisaient depuis des générations, il les examina au microscope et remarqua que des centaines de crochets minuscules permettaient à l'inflorescence d'adhérer à n'importe quelle surface pelucheuse. Cette plante commune lui apparut soudain sous un jour que jamais personne n'avait songé à explorer. Fort de cette révélation, il inventa… le Velcro.

Dans le même esprit, beaucoup de problèmes médicaux ne sont résolus que parce que quelqu'un a fini par prêter attention à un effet secondaire inattendu durant les essais cliniques. À la fin des années 1980, un laboratoire pharmaceutique anglais s'est intéressé aux moyens de guérir les angines. Ses chercheurs fondaient de grands espoirs sur l'UK-92480, un composé qui semblait affecter les vaisseaux sanguins des volontaires sains. Après quelques tests décevants, le produit était sur le point d'être abandonné quand certains sujets ont commencé à mentionner qu'ils avaient eu des érections consécutivement à sa prise. Les chercheurs écartèrent dans un premier temps cette information qui leur semblait dépourvue d'intérêt – si ce n'est qu'elle les avait fait sourire. Mais certains ont fini par se demander si le composé en cause n'était pas la solution aux problèmes de dysfonction érectile. Et ils avaient raison : après six autres mois de recherche et de développement, le UK-92480, rebaptisé Viagra, a fait une irruption remarquée sur le marché et dans les chambres à coucher…

C'est la raison pour laquelle le souci du détail est indissociable de toute solution lente. Souvenez-vous que la prison de Halden a interdit les haltères pour que les détenus ne deviennent pas des montagnes de muscles. Et que le personnel des cuisines d'ExxonMobil surveille la température des vinaigrettes. Conscient que les bousculades dans les cages d'escalier de Locke pouvaient engendrer des bagarres, Green Dot a fait installer des rampes en acier au milieu de chaque volée de marches pour séparer les élèves qui montent de ceux qui descendent. Face au problème le plus trivial, le personnel de l'école adopte l'« approche de la vitre brisée » : « Tout carreau cassé est immédiatement remplacé, dit Marco Petruzzi, son président. L'idée sous-jacente est que le changement se loge dans le souci du détail.»

Nous pouvons tous apprendre à devenir plus méticuleux. Le recours aux check-lists constitue un bon point de départ. Si vous voulez régler un problème, commencez par noter chaque idée qui vous passe par la tête, même si elle vous semble sans intérêt. Inscrivez celles qui sont clairement de nature à favoriser votre objectif à long terme sur une «liste des tâches à faire» et les autres sur une «liste des tâches envisageables», au cas où elles se révéleraient importantes par la suite. Rangez cette seconde liste dans un tiroir et jetez-y un coup d'œil de temps en temps pour vous assurer que vous n'oubliez rien. À chaque étape, souvenez-vous des élèves de Burton : vérifiez et revérifiez, encore et encore.

Sachez cependant que même un perfectionnisme digne de Flaubert ne garantit pas le succès. Quand Steve Jobs a lancé l'iPhone 4 en 2010, il a fait les frais d'un cafouillage technique que redoutent tous ceux qui sont amenés à faire des présentations en direct devant un large public. La faiblesse de la connexion Internet ne lui a pas permis de télécharger des photos et d'engager une vidéoconférence aussi facilement que prévu. Pour pouvoir poursuivre son exposé, Steve Jobs a dû demander à son auditoire de bien vouloir cesser d'encombrer le réseau Wifi : un grand moment de solitude pour l'empereur du détail, à l'instar des ados de Burton… Mais, pour paraphraser un bloggeur : «Même les dieux se plantent parfois.»

Jobs n'a plus jamais subi ce genre de déconvenue par la suite. Parce qu'il a fait ce que tout bon adepte de la solution lente fait, quand il est passé une fois à côté d'un détail : il a tiré la leçon de son erreur et est arrivé parfaitement préparé la fois suivante.

Chapitre 7

Se préparer :
parer à toute éventualité

S'il faut exécuter avec rapidité ce qu'on a délibéré de faire,
la délibération elle-même doit être lente.

Aristote

Pour lui, la course semblait terminée. Au 69e tour du Grand Prix de Monaco 2011, Lewis Hamilton a été percuté par un autre concurrent qui a fracassé l'aile arrière droite de son bolide. Dans le monde de la Formule 1, il suffit de quelques secondes pour que les larmes de la défaite remplacent le champagne du podium et, en règle générale, ce type de mésaventures renvoie définitivement un coureur au stand. Bien qu'elles soient capables de changer quatre pneus en trois secondes et demie, il est rare que les équipes techniques aient le temps d'effectuer des réparations plus complexes durant la course. Mais cet après-midi-là, Hamilton, « l'enfant terrible de la Formule 1 », a eu de la chance. La voiture d'un concurrent venait d'être réduite à un amas de tôles froissées et les organisateurs ont pris la décision de suspendre la course pour dégager le circuit. Cet interlude a donné aux mécaniciens de l'écurie McLaren l'opportunité de remettre en état la carrosserie de leur champion.

Reste que leur temps était compté. Vêtus de leurs combinaisons aux couleurs de la marque, les mécaniciens se précipitent vers la voiture et se mettent au travail au moment précis où le pilote stoppe son moteur, évaluant d'abord les dommages, puis élaborant la solution optimale, pour enfin effectuer les réparations. Alors qu'ils serrent les derniers écrous, les organisateurs leur crient de dégager le circuit afin que la course puisse reprendre. Avec sa nouvelle aile arrière droite, Hamilton a pu à nouveau faire fumer le bitume et, même s'il a fini en huitième position, la performance inouïe de ses mécaniciens est entrée dans la légende automobile. Gageons qu'elle alimentera, pendant quelques années encore, bien des conversations. « La perspective de devoir réparer une aile arrière au milieu d'une course n'enchante personne, mais ils ont réussi, s'étonne encore Peter Hodgman, ingénieur de liaison pour le département technologie automobile de McLaren. C'est hallucinant si on songe au peu de temps dont ils disposaient. »

De telles péripéties sont de véritables mythes dans le monde de la Formule 1 et Hodgman, un chaleureux barbu de 57 ans, a contribué à nombre d'entre elles. Lors du Grand Prix européen de Donington Park, en 1993, l'un des mécaniciens de McLaren a remarqué que des flaques d'eau s'étaient formées sous la voiture dans laquelle Michael Andretti s'apprêtait à monter. L'équipe technique est aussitôt passée à l'action et a remplacé en moins de 10 minutes le radiateur défectueux. « En Formule 1, c'est toujours le temps qui est votre pire ennemi », soupire Hodgman.

Savoir agir dans l'urgence...

Paradoxalement, traiter des problèmes en un temps record n'est pas forcément incompatible avec la solution lente : la vraie vie laisse généralement peu de place pour les *mea culpa*, la réflexion sereine ou l'analyse au microscope. Dans ce domaine, la rapidité est parfois une question de survie. Lorsque nos ancêtres croisaient un prédateur affamé, ils n'avaient guère d'alternatives : soit ils trouvaient immédiatement une stratégie de fuite, soit ils finissaient dans l'estomac de l'animal. L'impatience et le niveau d'exigence qui caractérisent le XXIe siècle nous obligent à improviser constamment des solutions. Comme nous l'avons vu précédemment, cette pression peut engendrer des solutions hâtives totalement inefficaces. Mais ce n'est pas toujours le cas. Dans certaines circonstances, la nécessité de traiter un problème dans l'urgence peut même constituer un atout.

Les mécaniciens de Formule 1 n'en sont qu'un exemple parmi d'autres. Dans n'importe quel domaine, qu'il s'agisse de médecins, d'hommes d'affaires, de pompiers ou de footballeurs, la caractéristique principale de ceux qui sortent du lot tient à leur aptitude à réagir. Dans *La Force de l'intuition*, Malcolm Gladwell a démontré à quel point nous pouvons nous montrer malins quand nous savons « prendre en main dans les deux premières secondes ». Pour les besoins de son livre, il a étudié différentes personnes dont les jugements « à chaud » se révèlent par la suite étrangement pertinents. Y figurent des experts de l'art capables de déterminer au premier regard si une sculpture de 10 millions de dollars est ou non un faux, ou encore un psychologue qui parvient à identifier les couples voués au divorce en se contentant de les observer discuter. Ce mode de réflexion procède du système 1 et il n'est pas réservé aux érudits. Chacun de nous peut s'y essayer. Lorsque je joue au hockey, mon esprit devient une machine à solutions qui calcule, en quelques fractions de secondes, comment contourner la défense adverse ou réussir une passe décisive. Or, dans la vie quotidienne, la plupart de nos actions – depuis l'épluchage de légumes jusqu'à la conduite d'une voiture – mettent en jeu ce genre de pensée-réflexe.

D'ailleurs, ces solutions qui s'imposent à nous dans un battement de cils sont si courantes que beaucoup de disciplines ont un terme précis pour décrire ce phénomène. Lorsqu'un joueur de basket réussit parfaitement une passe à l'aveugle dans le feu d'une contre-attaque éclair, on parle de *court sense*[1]. Et les Anglo-Saxons recourent au terme français « coup d'œil » pour qualifier l'aptitude d'un général à jauger d'un regard le champ de bataille. Souvent, nous expliquons ce tour de force par l'intuition et l'attribuons à un don des dieux. Napoléon, qui ne manquait pas d'habileté militaire, était convaincu qu'une telle qualité était innée chez les plus grands généraux. Mais la vérité est beaucoup plus prosaïque. Comme nous l'avons déjà vu, notre esprit oscille constamment entre le mode de pensée du système 1 et celui du système 2. Quand nous nous formons un avis immédiat sur une situation, nous continuons à mettre en œuvre toutes les actions que commande le système 2 (évaluer le contexte, en extraire les éléments intéressants, les relier entre eux, identifier la stratégie optimale), mais nous les exécutons beaucoup plus rapidement. Les psychologues parlent à ce sujet de « balayage superficiel », parce que nous pouvons décrypter une situation à partir d'indices captés en surface.

Comment cela fonctionne-t-il ? Sous la pression du chronomètre, les « balayeurs » les plus émérites puisent dans une base de données d'expériences personnelles qui leur permet de repérer les schémas récurrents, les écueils et les opportunités associés à un problème donné. Alors que les novices perdent du temps à réunir et à trier des informations sans intérêt, à explorer des voies sans issue et à analyser des scénarios sans avenir, les experts vont droit au but et se concentrent sur les paramètres essentiels avant d'opter pour la meilleure solution.

---

1. Littéralement « sens du terrain », pour désigner une sorte de sixième sens.

La durée de l'exercice dépend du problème soumis. Certains « balayages » peuvent ne prendre que quelques secondes, voire des millièmes de seconde, mais il nous faut parfois un peu plus de temps – quelques minutes – pour tirer le meilleur parti de nos archives personnelles. Dans tous les cas, cette aptitude au « balayage superficiel » est transposable à n'importe quelle discipline. Ainsi, habitués à devoir réagir en une fraction de seconde dans la fosse aux lions des marchés financiers, les traders de Wall Street sont plutôt doués pour les jeux de guerre qui exigent des prises de décisions ultrarapides. Mais les « balayeurs » les plus performants n'excellent généralement que dans un seul domaine, car leur compétence s'est bâtie sur leurs expériences passées. Les résultats d'une recherche portant sur des secteurs très variés suggèrent que 10 000 heures de pratique sont nécessaires avant de maîtriser suffisamment un sujet pour développer l'intuition qui fait la différence entre un maître et un disciple. Comme l'a observé Esther Dyson, grande prêtresse du high-tech et investisseur actif dans les nouvelles technologies : « Ce que nous qualifions d'intuitif n'est bien souvent que familier. »

... à condition de s'être préparé longtemps

Et c'est là que la lenteur entre en jeu. La plupart des exemples cités dans ce livre – depuis la réforme opérée dans la *high school* de Locke au nouveau programme de sécurité instauré par la RAF – supposent que du temps soit investi pour traiter un problème. Ce principe reste vrai en matière de « balayage superficiel », mais avec une nuance : l'investissement a été consenti *avant* que la difficulté surgisse, dans l'optique de construire un socle d'expériences pouvant permettre d'intervenir dès qu'une situation dérape. En d'autres termes, quand le chronomètre tourne, c'est toujours le mélange de pratique, d'organisation et d'anticipation qui autorise une solution rapide – ce qui n'a rien à voir avec un recours fébrile au premier remède de fortune venu.

La démarche n'est pas réservée à des individus isolés, le « balayage superficiel » pouvant également être mis à profit dans le cadre d'un groupe. Nombre de recherches nous ont déjà appris que les équipes expérimentées avaient plus de chances de se dépêtrer d'un problème que celles composées de novices. D'après une enquête réalisée aux États-Unis, près des trois quarts des accidents d'avions de ligne se produisent quand le pilote et son copilote volent ensemble pour la première fois. À cet égard, on dénombre très peu d'erreurs attribuables à l'inexpérience dans le domaine de la Formule 1, où la règle des sept P (*Prior Planning and Preparation Prevents Piss-Poor Performance*[2]) tient lieu de religion. Les écuries automobiles recrutent des gens brillants (issus de l'ingénierie ou des mathématiques), capables d'accumuler progressivement une expérience qui fera d'eux des « balayeurs » de tout premier ordre. Sans doute la ferveur monacale que partagent ces grosses têtes pour le sport automobile facilite-t-elle les choses.

Les trente années qu'Hodgman a passées dans ce milieu n'ont pas anéanti son enthousiasme pour la magie de la mécanique. Lors de notre rendez-vous, il brandit son iPhone pour me montrer les photos de l'Austin A35 de 1957 qu'il restaure à ses heures perdues : « La majorité des gens qui évoluent dans la Formule 1 sont des fous de voitures, me dit-il. Tous imaginent en permanence de meilleures façons de les concevoir ou de les réparer. » Chez McLaren, près de 300 individus travaillent jour et nuit pour régler les moindres détails des véhicules. Grâce aux informations que leur fournissent les ordinateurs de bord et les pilotes, ces passionnés traquent les plus subtils changements qui affectent la vitesse de rotation d'une roue, le bruit d'un moteur, la boîte de vitesse et l'accélérateur, la consommation de carburant et l'échappement des gaz. Entre deux courses, ils ajustent les plans, testent les pièces, essaient de nouvelles solutions, décortiquent les erreurs, s'entraînent à la réparation – chacune de ces activités enrichissant leurs bases de données collectives et personnelles. Pour un simple changement de pneus au stand, 28 personnes s'agitent autour de la voiture, entre ceux qui sont chargés du serrage et du desserrage des boulons, ceux qui maintiennent la voiture en place, ceux qui doivent retirer les pneus abîmés et ceux qui ont la responsabilité d'installer les nouveaux. Contrairement aux adolescents du collège Burton, les mécaniciens de chez McLaren enchaînent les répétitions jusqu'à la dernière minute avant le départ. « Tout le monde sait très précisément ce qu'il doit faire, explique Hodgman. On dirait de la natation synchronisée. Les gars accomplissent leurs tâches presque sans réfléchir. » Les meilleures équipes techniques finissent par développer un sixième sens, chacun de leurs membres devinant intuitivement ce que ses collègues feront : « Les gars passent énormément de temps ensemble, probablement plus qu'avec leur femme ou leur petite amie. Du coup, chacun finit

---

2. « Planification et préparation évitent les interventions foireuses. »

par connaître les forces et les faiblesses des autres, ajoute Hodgman. Au bout du compte, ils n'ont même plus besoin de se parler, ils se contentent de tendre la clef anglaise parce qu'ils savent que c'est le prochain outil dont leur collègue aura besoin. »

Les écuries de Formule 1 et leurs ingénieurs connaissent si bien leurs engins et sont si parfaitement rôdés qu'ils sont souvent capables de repérer les signes avant-coureurs de défaillance (une légère déformation du châssis, un couinement du moteur, l'odeur inhabituelle des gaz d'échappement), avant même que l'ordinateur la traduise en schémas et en équations. Ceux d'entre nous qui n'ont jamais mis les pieds dans un stand de Formule 1 peuvent en prendre de la graine. Plus vous manipulerez les ingrédients de la solution lente (reconnaître vos erreurs, faire une pause pour réfléchir, relier les points, soigner les détails, prendre de la hauteur), mieux vous comprendrez ce que vous faites et plus vous serez susceptible de développer l'instinct requis pour gérer les problèmes. « Quand vous avez accumulé des années de pratique et de savoir, vous êtes capable d'identifier le problème et de trouver une façon d'y remédier quelle que soit l'urgence », affirme Hodgman.

Ce principe se vérifie bien au-delà du monde très minuté de la course automobile. Gary Klein a étudié pendant une trentaine d'années la manière dont les gens gèrent les problèmes sous la contrainte. Il est devenu au fil du temps l'un des principaux chantres du pouvoir de l'intuition. Dans son livre *Sources of Power*, il montre comment l'expertise fondée sur la pratique, l'entraînement et l'expérience est la recette la plus fiable quand le temps presse. Klein s'est aperçu que, contrairement aux joueurs d'échecs débutants, qui s'effondrent lorsqu'ils sont contraints de jouer rapidement, les grands maîtres continuent à faire les bons choix sur l'échiquier. De même, les capitaines des pompiers expérimentés prennent 80 % de leurs décisions en moins de 1 minute.

Beaucoup de praticiens de la solution lente ont cette aptitude. Geir Berthelsen a retiré un excellent « coup d'œil » des longues années qu'il a passées à observer ses clients dans leurs bureaux ou leurs usines : « Quand je rentre dans une société, c'est comme si j'écoutais un orchestre, confie-t-il. Si l'un des musiciens joue faux, je l'entends tout de suite. » De même, l'expérience a appris au colonel Simon Brailsford à flairer ce qui se cache derrière les erreurs et les cafouillages que connaît la RAF Coningsby : « Je peux sentir des trucs rien qu'en grimpant sur un avion, affirme-t-il. Sans même avoir besoin d'ouvrir une enquête, je sais que, si le type avait fait ceci ou cela, la mission aurait été un plus grand succès. » Quant à

Are Hoeidal, une seule visite dans une prison lui suffit pour déterminer ce qui ne fonctionne pas.

Les meilleurs «balayeurs superficiels» ne cessent jamais d'enrichir leurs connaissances. Quel que soit votre niveau de compétence, vous pouvez toujours l'améliorer. «Dès que vous commencez à penser que vous savez tout, que vous avez tout vu, vous vous mettez dans une situation délicate, estime Hodgman. Il y a forcément quelque chose que vous ne savez pas et il faut travailler d'arrache-pied pour rester dans le coup.» Les hommes d'affaires japonais appellent ça l'art de l'amélioration continue. C'est cette qualité qui incite les plus grands chanteurs d'opéra à recourir à des répétiteurs durant toute leur carrière et les athlètes d'exception à s'imposer des heures d'entraînement, de visualisation et d'exercices répétitifs. En matière d'improvisation, les bons acteurs parviennent à renverser une situation en transformant un scénario improbable en comédie mémorable. Il est vrai que certains ont un don, mais les véritables vedettes ne cessent jamais de répéter, de suivre des cours et d'enseigner, d'écouter les critiques, d'analyser d'autres spectacles et de s'aventurer en territoires inconnus. Odyssey of the Mind cultive également cette capacité de réagir à la volée. Outre les solutions qu'elles doivent élaborer sur une période de neuf mois, les équipes en lisse doivent, en 5 minutes, trouver la clé d'un autre problème qualifié de «spontané», qu'elles n'ont encore jamais traité. «Dans la vie, quand vous rencontrez une difficulté, il faut savoir quand il faut aller vite et quand il faut prendre son temps, dit Sam Micklus. C'est un peu comme un marathon et un sprint: les meilleurs apporteurs de solutions sont capables de faire les deux.»

Compétents mais faillibles

À ce stade, il convient toutefois d'introduire une mise en garde capitale. Quel que soit le zèle déployé pour construire leur base de données, les experts ne sont jamais aussi intelligents ni infaillibles qu'ils aiment (ou que nous aimons) à le croire. Beaucoup de recherches confirment que, dans presque tous les domaines – droit, médecine, finance, etc. –, les spécialistes surestiment leur niveau de compétence et minimisent l'ampleur de leurs erreurs. Une étude portant sur les rapports d'autopsie a ainsi pu conclure que 40 % des diagnostics – pourtant catégoriques – établis du vivant du patient sont erronés. Le monde des affaires n'est, lui non plus, pas à l'abri de tels errements : trois fusions d'envergure sur quatre finissent par ruiner la valeur actionnariale du groupe au lieu de la doper, contrairement à ce qu'ont pu claironner au préalable des légions de P.-D.G., de consultants et d'analystes. Et l'examen approfondi des prévisions publiées par 284 spécialistes de questions politiques et économiques a débouché sur une conclusion tout aussi accablante. Interrogés sur les risques de guerre au Moyen-Orient, l'avenir des marchés émergents et les perspectives politiques de divers chefs d'État, ces oracles ont offert des réponses plus décevantes que les algorithmes d'un ordinateur de base, l'ampleur de la méprise et la puissance de l'assertion étant à la mesure du prestige de son auteur.

Il arrive même que les mécaniciens de Formule 1 se trompent eux aussi : deux mois après avoir réparé le bolide d'Hamilton dans les conditions incroyables que l'on sait, l'écurie McLaren a laissé l'un de ses pilotes – Jenson Button – reprendre la course avec un boulon mal serré au niveau de la jante avant droite.

Comme nous, les experts peuvent subir l'influence de paramètres qui ne devraient pourtant pas entrer en ligne de compte. Rappelez-vous la manière dont les chefs d'orchestre écartaient systématiquement les musiciennes avant que les auditions deviennent anonymes. Dans le même esprit, des chercheurs ont découvert que les examinateurs des facultés de médecine validaient moins de dossiers de candidatures les jours de pluie et que les juges accordaient plus de remises en liberté conditionnelle après les repas.

Pourtant, même lorsqu'on leur démontre, preuve à l'appui, que leur sixième sens n'est pas infaillible, les experts ont du mal à se remettre en question. En 2009, Amanda Knox, une étudiante américaine qui séjournait à Pérouse, en Italie, a été condamnée pour avoir participé à l'assassinat de sa colocataire anglaise. La police n'a jamais pu apporter de preuve tangible de la complicité de la jeune fille dans ce crime, mais les enquêteurs ont vite bâti une théorie qui n'a jamais varié par la suite : le visage d'ange de Knox dissimulait en réalité une dangereuse sociopathe obsédée par le sexe et douée d'un talent machiavélique pour la duperie. Ce portrait a été esquissé quelques heures à peine après le meurtre, quand le responsable de l'enquête, Edgardo Giobbi, a vu Amanda Knox enfiler des couvre-chaussures d'une façon qui lui a semblé provocante : « Nous avons été en mesure d'établir la culpabilité en observant de près les réactions physiques et psychologiques du suspect durant l'interrogatoire, déclara-t-il par la suite. Nous n'avons pas besoin de recourir à d'autres types d'investigations. » En clair : la collecte et l'analyse minutieuse des preuves matérielles, ça marche peut-être pour les mauviettes des *Experts*, mais les vrais flics fonctionnent à l'instinct. Ce n'est que quatre ans plus tard qu'Amanda Knox a été remise en liberté, après qu'une cour d'appel a débouté l'accusation pour manque de preuves.

De tout ce qui précède, on retiendra donc que l'intuition est une arme à double tranchant. Elle peut faire des miracles quand elle est bonne, mais elle peut aussi se trouver perturbée par des émotions et des biais dont nous n'avons pas conscience. Une réflexion trop approfondie peut également la court-circuiter. Plusieurs recherches montrent en effet que, lors d'une séance d'identification, les témoins indiquent plus souvent le véritable criminel quand ils doivent se prononcer rapidement. Et, au tennis, les balles qui décrivent une longue courbe au-dessus du filet peuvent s'avérer sacrément plus difficiles à renvoyer, parce que la lenteur de leur course nous donne le temps de réfléchir au coup que nous préparons. « Nous avons tout intérêt à écouter notre intuition, mais pas nécessairement à nous fier uniquement à elle pour sauter sur la conclusion », met en garde Jane Fulton Suri d'Ideo.

Plusieurs étapes pourront être suivies pour parvenir à un tel équilibre et optimiser notre « balayage ». La première consiste à continuer à mettre à l'épreuve et à enrichir notre base de données personnelle. Même s'il n'y a aucun problème en vue, exercez-vous, entraînez-vous et multipliez les lectures sur votre domaine de compétence. Imaginez des scénarios dans lesquels cette approche ne fonctionne pas et analysez les raisons d'un possible échec. Pour préserver autant que possible la pureté et la finesse de votre instinct, laissez de côté les informations que vous savez hors sujet et déconnectez dès que vous commencez à douter de vous-même. Mais, avant tout, restez calme et détendu : selon certaines études, il semble que, lorsque notre cœur s'emballe, nous retombons dans nos biais et prenons de mauvaises décisions.

Le meilleur rempart contre les pannes d'intuition reste encore l'humilité. Dans la mesure où le « balayage » ne sera jamais une méthode infaillible, il nous faut accepter que, quelle que soit la qualité de notre CV, nos jugements intuitifs doivent être vérifiés et parfois retouchés par d'autres que nous. Cela impose de solliciter un, deux, trois voire quatre avis différents pour chaque problème délicat. Malgré ses années de carrière dans la Formule 1, Hodgman n'en démord pas : « Même si on est très fort, on l'est forcément encore plus avec quelqu'un d'autre. Personne ne peut tout faire tout seul. »

Chapitre 8

Collaborer :

deux cerveaux valent mieux qu'un

Dans la longue histoire du genre humain,
ce sont ceux qui ont appris à collaborer
et à improviser le plus efficacement qui l'ont emporté.

Charles Darwin

Si vous deviez esquisser le profil d'un homme éclairé en ce début de XXIe siècle, les qualités de David Edwards, professeur à Harvard, qui vit la majeure partie de l'année à Paris, pourraient certainement vous inspirer. Ingénieur chimiste, il a écrit plusieurs manuels sur les mathématiques appliquées et fondé un laboratoire pharmaceutique. Ses romans et essais lui ont aussi valu d'être nommé chevalier des arts et lettres par le ministère de la Culture. À cinquante ans à peine… Votre CV vous semble soudain un peu léger ? Le mien l'est, assurément.

Avec un tel pedigree, Edwards aurait facilement pu devenir un intello snob dans sa tour d'ivoire, mais c'est exactement le contraire qui se produit. Ses boucles noires en bataille et ses bottines lui donnent un petit air de dandy. Volubile, curieux et modeste, son instinct le pousse à enchaîner les questions, à sonder les limites de ses analyses et à absorber la sagesse et le savoir de tous ceux qui l'entourent. Cet esprit omnivore l'aide à accomplir une mission : celle de réinventer l'art de la résolution de problèmes au XXIe siècle. Comme tous les esprits cultivés, Edwards n'ignore pas que la capacité à passer d'une discipline à l'autre, à faire des allers et retours entre les arts et les sciences, est une ressource incroyable pour traiter de nombreuses questions.

La Renaissance apparaît comme la grande époque de la résolution de problèmes[1]. Entre le XVe et le XVIIe siècle, l'humanité a produit un nombre incroyable d'inventions qui ont structuré le monde moderne, entre autres la comptabilité en partie double, la presse d'imprimerie, le roulement à billes, les logarithmes, la montre de poche et le calcul. À l'instar d'Edwards, beaucoup de grands penseurs de la Renaissance étaient aussi des érudits. Quand il ne révolutionnait pas l'astronomie, Copernic exerçait la médecine et le droit. Kepler a élaboré sa théorie sur le mouvement des planètes en s'inspirant des lois harmoniques de la musique. Alors plus connu pour ses activités de juriste, d'homme d'État, d'écrivain et de courtisan, Francis Bacon est l'un des pionniers de la méthode scientifique. C'est un théologien du nom de Robert Boyle qui a posé les bases de la chimie moderne. Et Léonard de Vinci, archétype du polymathe[2] s'il en est, pratiquait avec le même talent la peinture, la sculpture, la musique, l'anatomie et l'écriture, tout en étant un inventeur extraordinairement prolifique.

Cette polyvalence ne cessa pas avec la fin de la Renaissance. Samuel Morse, inventeur du télégraphe, fut aussi un peintre reconnu avant de se tourner vers la science. Pianiste émérite, Alexander Graham Bell imagina son téléphone à partir d'un simple jeu musical. D'après une étude récente, presque tous les lauréats du prix Nobel de physique pratiquent une activité artistique. Comparée au scientifique moyen, la probabilité que ces génies chantent, dansent ou s'adonnent à l'art dramatique est 25 fois supérieure aux autres – 17 fois en matière d'arts visuels. À cet égard, Max Planck, qui remporta le Nobel en 1918, préfigurait Edwards dans sa dévotion pour l'assouplissement des frontières entre les disciplines quand il affirma que « pour être créatif, tout scientifique a besoin d'une imagination *artistique* ».

De nos jours, notre obsession pour la spécialisation nous interdit malheureusement d'aller plus souvent musarder sur d'autres terrains. Même dans leur

---

1. En anglais, le terme *solving problem* désigne un processus en quatre étapes (identification, analyse, solution, mise en œuvre) pour comprendre et résoudre un problème. Cette démarche est élevée au rang de discipline à part entière et bénéficie d'un enseignement spécifique, théorique, dans les pays anglo-saxons. Dans ce chapitre plus spécifiquement, l'expression « résolution de problème » renvoie à la terminologie anglaise.
2. Du grec *polys* (nombreux) et *mathêma* (connaissance), le polymathe bénéficie de connaissances approfondies dans des domaines très variés.

discipline, les plus éminents cerveaux s'emmurent à l'intérieur de spécialités de plus en plus exiguës. L'économie, la biologie, la chimie – entre autres – se sont divisées en tellement de branches et de sous-matières que certains spécialistes ont parfois du mal à comprendre les travaux d'un collègue qui occupe le bureau voisin.

Une seule personne ne peut pas tout

Il est vrai que les temps ont changé. La polymathie du savant du XXIe siècle ne peut plus être la même que celle de l'esprit éclairé de la Renaissance. Cinq ou six siècles plus tôt, une personne ayant une tête bien faite et pas mal de temps libre pouvait devenir expert dans presque n'importe quel domaine – médecine, astronomie, littérature, philosophie –, parce que la somme des connaissances était encore modeste. Pourtant, le danger de la dispersion existait déjà. Dans l'un de ses cahiers, Léonard de Vinci a ainsi noté : « De même que tout royaume divisé est bientôt défait, toute intelligence qui se divise en plusieurs études différentes s'embrouille et s'affaiblit. » De nos jours, une seule personne ne peut tout simplement pas tout savoir. Rappelons quand même que le nombre de livres publiés depuis l'invention de l'imprimerie s'établit aujourd'hui à 130 millions…

Pourtant, l'idéal de la Renaissance n'a rien d'un rêve impossible. Il faut juste qu'il évolue pour se mettre à la page. Dans un monde hyperspécialisé et extrêmement complexe, la meilleure façon de reproduire l'enchevêtrement de savoirs qui caractérisait l'homme éclairé du XVIe siècle consiste à réunir plusieurs individus. Voilà pourquoi la collaboration est un des ingrédients clés de la solution lente.

Cette approche n'a rien de nouveau. Dans son livre *The Rational Optimist*, Matt Ridley démontre que l'humanité n'a jamais été aussi inventive que lorsqu'elle a eu accès à des réseaux vastes et diversifiés. Si l'*Homo sapiens* a évincé l'homme de Néandertal, c'est notamment parce que, en s'aventurant loin de ses bases pour pratiquer l'échange, il a pu affiner ses idées grâce à un phénomène de pollinisation croisée, de fécondation mutuelle. Les sociétés méditerranéennes ont prospéré au moment où les navires marchands – phéniciens, grecs, arabes, vénitiens – étaient libres d'aller de port en port, répandant ainsi des idées nouvelles et transformant la région en un immense réseau social. Quand les pirates ont mis un terme à ces mouvements – à la fin du IIe millénaire avant Jésus-Christ ou durant le haut

Moyen Âge –, l'innovation s'est tarie. Quelles que soient les périodes historiques et les civilisations considérées, les sociétés qui se sont isolées du monde extérieur ont eu tendance à stagner. Voyez ce qui est arrivé à la Chine des Ming ou au Japon des Shogun, à l'Albanie ou à la Corée du Nord. Lorsque la montée des eaux a coupé leur petite île du continent, il y a 10 000 ans, les Tasmaniens ont même amorcé un mouvement de régression. « Les avancées technologiques ne dépendent pas de l'intelligence individuelle, mais de la mise en commun d'idées, et c'est ce qui se passe depuis des dizaines de milliers d'années, écrit Ridley. L'ampleur des progrès de l'humanité est corrélée à l'intensité des relations et des échanges entre les gens. »

Cet état de fait est partiellement attribuable à la bonne vieille concurrence. Le fait de côtoyer des étrangers peut, surtout s'ils ont d'excellentes idées, nous amener à élever notre propre niveau. Mais, en matière de résolution de problèmes, ce qui semble vraiment payer, c'est de travailler *avec* plutôt que *contre* les autres. Les toutes dernières recherches sur le cerveau identifient une raison possible à cette situation. Penchons-nous sur les travaux de deux experts en comportement organisationnel : Kyle Emich de l'université de Cornell et Evan Polman de l'université de New York. Pour l'une de leurs expériences, ils ont soumis à 137 sujets l'énigme suivante : un prisonnier désireux de se faire la belle trouve une corde dans sa cellule ; la longueur de cette corde équivaut à la moitié de celle qu'il lui faudrait pour atterrir au sol sans dommage ; ne se laissant pas décourager, le prisonnier divise la corde en deux, relie les deux brins obtenus et s'échappe de sa tour. Comment a-t-il fait ?

Avant d'attaquer le problème, il a été demandé à la moitié des participants de s'imaginer à la place du prisonnier, tandis que l'autre moitié devait le considérer comme un tiers. Somme toute, la réponse à cette devinette n'exigeait pas de compétences extraordinaires : le prisonnier divise la corde dans le sens de la longueur avant d'en nouer les deux moitiés ensemble pour obtenir une longueur suffisante, lui permettant d'atteindre le plancher des vaches sans risque. Mais elle faisait néanmoins appel à un peu de créativité et d'originalité.

Et c'est là que l'affaire devient intéressante. Parmi les personnes qui devaient se mettre dans la peau du prisonnier, seules 48 % ont résolu le problème, contre 66 % pour le second groupe. Ce qui montre que nous sommes plus créatifs quand il s'agit de résoudre les problèmes des autres.

Notez que ce résultat n'a rien d'exceptionnel. À l'occasion d'expériences similaires, Emich et Polman se sont aperçus que les gens trouvaient des idées de cadeaux plus originales pour les autres que pour eux-mêmes. Ils faisaient également preuve de plus d'imagination pour illustrer une histoire écrite par un autre que pour leur propre production. Comment expliquer ce phénomène ? De nombreuses recherches en psychologie ont démontré que nous avons deux façons d'envisager les gens et les scénarios : soit ils sont proches de nous – physiquement, émotionnellement ou temporellement – et nous y pensons en termes concrets ; soit ils sont loin de nous et nous adoptons un mode de pensée abstraite qui tend à être plus créatif. « L'enfer, c'est les autres », a écrit Jean-Paul Sartre. Mais si les autres étaient ce dont nous avons le plus besoin pour résoudre des problèmes complexes ?

Nous avons besoin des autres

Dans le domaine des sciences, travailler ensemble ou, du moins, s'inspirer du travail accompli par d'autres est devenu la règle depuis la publication par la Royal Society de ses premières *Philosophical Transactions*, en 1665. Les découvertes capitales s'appuient généralement sur une multitude de progrès accomplis par des chercheurs ayant eux-mêmes travaillé à partir d'avancées antérieures, tiré parti des erreurs de leurs confrères, éprouvé des théories concurrentes et ajouté leur pierre à l'édifice. Les *Philosophical Transactions* avaient pour objectif de répandre le savoir scientifique afin qu'intuitions, théories et éclairs de génie puissent essaimer et se féconder mutuellement. L'un des premiers contributeurs de la revue, Sir Isaac Newton, a résumé l'importance qu'il y avait à s'appuyer sur ses pairs et ses prédécesseurs dans une lettre de 1676 à l'un de ses rivaux : « Si j'ai vu plus loin, écrivit-il, c'est en montant sur les épaules des géants. » Cela reste vrai aujourd'hui. Nombre d'études suggèrent que les scientifiques résolvent mieux les problèmes lorsqu'ils travaillent ensemble. Les lauréats du prix Nobel collaborent d'ailleurs plus que leurs collègues moins décorés. Les travaux de Paula Stephan, professeur d'économie à l'université de l'État de Géorgie et spécialiste des avancées scientifiques, confirment que les fondateurs des *Philosophical Transactions* avaient vu juste : « Les chercheurs qui collaborent entre eux ont tendance à obtenir de meilleurs résultats scientifiques que ceux qui travaillent seuls. »

Prenons un exemple. Tous les six mois, la société MathWorks pose un problème en MATLAB, un langage qu'elle a inventé pour aider ingénieurs et mathématiciens à venir à bout de calculs extraordinairement complexes. Des centaines de concurrents soumettent leur solution en ligne sous forme de code informatique. Chaque proposition est analysée, évaluée puis publiée, afin que tout le monde puisse en prendre connaissance. Chacun peut alors cannibaliser les meilleures portions de code pour élaborer une solution plus ingénieuse en profitant des travaux antérieurs. Si vous parvenez à proposer un algorithme plus efficace, même si votre contribution se résume à un changement mineur, vous êtes propulsé en haut du tableau d'honneur. On pourrait craindre qu'en instaurant une relation simultanée de concurrence et de collaboration, une telle organisation ne favorise l'anarchie, mais elle produit le résultat inverse.

Bien sûr, certains participants sont plus brillants que les autres, mais le fait qu'ils travaillent tous ensemble abouti à un résultat supérieur à celui que donnerait la simple somme des différents travaux. Dix années de compétition MATLAB semblent indiquer que la résolution collaborative de problèmes suit toujours plus ou moins le même schéma : de longues périodes d'améliorations mineures, ponctuées de grandes avancées ponctuelles. « Les gens flairent le point faible d'un algorithme comme des hyènes une charogne. Ensuite, ils se fatiguent jusqu'à ce qu'un autre débarque et bouscule cette carcasse. Alors l'excitation renaît, confie Ned Gulley, responsable conception pour les produits et services électroniques chez MathWorks. On nous enseigne une version de l'histoire qui ne s'intéresse qu'aux grands acteurs, comme Napoléon. Mais la réalité est plus désordonnée et met en jeu des interactions complexes entre ceux qui font des pas de géants et ceux qui font des sauts de puce. »

Cela me rappelle quelque chose... Les puzzles de plus de mille pièces que l'ont fait en famille. À la maison, on s'y met parfois tous les quatre et à d'autres moments on y travaille tout seul ou par deux. Tout comme un algorithme en MATLAB, le puzzle évolue par à-coups. Avec mon fils, je vais compléter un coin, puis tout va s'arrêter jusqu'à ce que ma femme ou ma fille débarquent et bougent une pièce qui subitement permet de réunir deux îlots et donne un nouvel élan à l'entreprise. Il arrive qu'un ami de passage débloque la situation en accolant deux parties que ni moi ni les miens n'aurions songé à rapprocher. Chacun de nous pourrait réussir à faire ce puzzle tout seul, mais jamais aussi efficacement que lorsque nous agissons de concert.

Selon Gulley, à la fin des sept jours que dure chaque compétition MATLAB, l'algorithme gagnant est généralement mille fois supérieur à la meilleure des propositions soumises au départ : « Nos participants sont vraiment brillants. Il y en a toujours un qui parvient à trouver une amélioration fabuleuse et qui, dans une compétition classique, remporterait la palme. Tout simplement parce qu'ils sont brillants, dit-il. Mais, dans le cadre de MATLAB, tout le monde est en mesure d'intervenir pour proposer des ajustements. Aucun individu ne pourrait faire ça tout seul dans son coin. C'est le nombre qui le permet, ce grand cerveau collectif auquel nous avons accès. »

Reste que toute collaboration au sein d'un même domaine a ses limites. Les petits groupes dont les membres ont des parcours similaires ont tendance à avoir des œillères. On claironne que « les grands esprits se rencontrent », comme s'il fallait s'en réjouir, mais une telle uniformité peut générer une pensée de groupe – un pseudo-consensus. Le problème existait bien avant que l'administration Kennedy se persuade, contre toute évidence, que l'invasion de la baie des Cochons, à Cuba, était une bonne idée. D'ailleurs, il y a plus de 2 000 ans, les auteurs du Talmud ont décrété que, à chaque fois que des autorités décideraient à l'unanimité de condamner à mort un accusé, ce dernier devrait être remis en liberté. Pourquoi une telle indulgence ? Parce que l'absence de la moindre dissonance est le signe caractéristique de la pensée de groupe.

Mélanger les savoirs

La magie de la résolution de problèmes se produit lorsque s'amorce le brassage des disciplines, comme il se pratiquait pendant la Renaissance. Le fait de devoir se frotter à des gens ayant des parcours différents nous oblige à revoir nos hypothèses et à envisager les problèmes avec un regard neuf. Cela explique pourquoi les *brainstormings* donnent de meilleurs résultats lorsque leurs participants sont encouragés à débattre et à critiquer mutuellement leurs idées. Qui plus est, il se produit une forme d'alchimie au point de rencontre et de chevauchement de deux matières. Au XVIIIe siècle, en Europe, les penseurs de tout poil se réunissaient dans des cafés pour élaborer, affiner et se quereller à propos des inventions et idées qui ont marqué le siècle des Lumières. Les hommes de science et les philosophes qui ferraillaient tous les mercredis dans le salon viennois de Sigmund Freud ont permis de poser les fondations de la psychanalyse. Le légendaire bâtiment 20 du Massachussetts Institute of Technology (MIT), qui abrite un mélange hétéroclite d'ingénieurs, de biologistes, de chimistes, de linguistes, d'informaticiens, de psychologues, de mécaniciens et de sergents recruteurs, a été le témoin d'un nombre si extraordinaire d'inventions – depuis la photo haute vitesse jusqu'aux théories linguistiques de Noam Chomsky en passant par les célèbres écouteurs Bose – qu'on a fini par le surnommer l'« incubateur magique ». Quant à la révolution de l'ordinateur personnel, son épicentre se trouvait en Californie, au Homebrew Computer Club, où hackers, chercheurs, intellectuels et entrepreneurs venaient échanger des idées dans les années 1970. « Les participants affluent vers des lieux de ce type pour échanger avec des gens qui partagent leurs passions. Il ne fait aucun doute que ce type de réseaux accroît le niveau d'engagement et de productivité du groupe, note Steven Johnson dans *Where Good Ideas Come From*. Mais les encouragements ne mènent pas nécessairement à la créativité. Ce sont les *collisions* qui y conduisent – les collisions qui se produisent lorsque différents domaines d'expertise convergent au sein d'un espace partagé, à la fois matériel et intellectuel. C'est là que jaillissent les vraies étincelles. »

Je suis quotidiennement le témoin de telles collisions. Je loue l'un des 99 bureaux qui meublent un espace de travail collectif situé à proximité de mon domicile, à Londres. Avec ses murs blancs immaculés, ses statues bouddhiques et ses salles de réunion design, l'endroit est un cliché de la branchitude citadine. Mais le mélange de compétences qu'il héberge en fait aussi un lieu très fécond pour travailler. À quelques mètres de l'emplacement qui m'est réservé se trouvent un courtier en métaux, le propriétaire d'un réseau d'écoles de langue anglaise en Asie, une équipe d'architectes, une association humanitaire, une agence de comédiens et un concepteur d'applications. Les rencontres fructueuses y sont monnaie courante. Dans la cuisine, un ingénieur informatique échangera des idées avec un architecte d'intérieur, tandis qu'un conseiller en recrutement discutera de présentation client avec un agent de casting près de l'imprimante.

Comme tous les autres composants de la solution lente, le travail collaboratif demande aussi du temps. Il faut dénicher les bonnes personnes, puis les fédérer, avant de gérer les chocs créatifs qui en découlent. Mais ça marche, même dans le secteur de l'économie, en perpétuel mouvement. Pour Steve Jobs, si le Macintosh a si bien marché, « c'est parce que les gens qui ont bossé dessus étaient des musiciens, des artistes, des poètes et des historiens qui se trouvaient être, dans le même temps, d'excellents chercheurs en informatique». Près de trente ans plus tard, la société à la pomme arc-en-ciel continue de bousculer ses concurrents avec la même recette. «Il est inscrit dans l'ADN d'Apple que la technologie ne suffit pas à elle seule, a déclaré Steve Jobs à l'occasion du lancement de l'iPad qui a conquis le monde. C'est le mariage de la technologie avec les arts et les humanités qui nous offre ces résultats qui font chaud à nos cœurs.» En clair: plus vous attirerez de gens pour une séance de résolution de problème, plus leurs profils seront divers, plus il est probable que les idées s'entrechoqueront et se mélangeront pour donner naissance à ces éclairs de génie qui pavent le chemin des meilleures solutions lentes.

En dépit de tous ses atouts, nous continuons à nous méfier du travail en groupe, surtout lorsqu'il implique de collaborer avec des individus issus d'autres disciplines. Nous valorisons avant toute chose la spécialisation et consacrons énormément de temps et d'argent à l'acquérir et à la préserver. Nous faisons étalage du prestige qu'elle confère en brandissant nos titres avant même de donner nos patronymes. Nous nous gargarisons d'un vocabulaire jargonnant, de diplômes et de notre appartenance à des cercles professionnels dans le but de maintenir les non-initiés à distance, en taxant avec mépris de touche-à-tout et de bon à rien quiconque aurait la témérité de s'éloigner de sa spécialité d'origine. Dans tous les bureaux du monde, diplômes et prix fièrement encadrés et exposés adressent un message identique: vous avez sonné à la bonne porte, je connais la musique, inutile d'aller voir ailleurs. Et puis, soyons honnêtes: dans les moments de crise, nous cherchons tous l'expert infaillible. Après un accident, alors que nous luttons contre la mort, étendus sur la chaussée, nous voulons désespérément croire que cet infirmier qui s'occupe de nous sera capable de nous remettre sur pied tout seul.

Même lorsque nous prétendons vanter la magie du travail d'équipe, nous continuons, dans notre for intérieur, à ne valoriser que l'accomplissement individuel. Les prix – Nobel, Pulitzer, Oscar ou autre – ne sont généralement décernés qu'à un seul vainqueur. Même chose en sport où les super-vedettes croulent sous les médailles et les louanges. Toutes les études démontrent que, pour expliquer une situation, nous avons tendance à surestimer le rôle joué par l'initiative individuelle et à sous-estimer celui des circonstances – ce que les psychologues appellent l'«erreur fondamentale d'attribution». Ainsi, nous avons tendance à accorder aux dirigeants d'une entreprise une responsabilité plus grande dans le succès de leur société qu'il ne leur incombe en réalité – ce que confirment nombre de travaux sur la question. Indubitablement, nous adorons l'idée du génie solitaire, de l'expert qui œuvre dans sa tour d'ivoire avant de s'écrier « Euréka ! », puis de sortir de sa retraite en brandissant une solution toute ficelée. Simple, romantique, excitant… mais généralement très éloigné de la réalité. Dans les temps anciens déjà, les idées les plus brillantes mûrissaient rarement dans le cerveau d'un seul homme, mais elles étaient le fruit d'une pollinisation réciproque entre plusieurs esprits. Qui a inventé l'ampoule électrique ? Thomas Edison, me direz-vous. Erreur ! Car Edison a seulement été le membre le plus malin d'une communauté de chercheurs qui ont appris et progressé au contact des autres. Convaincu que les petites équipes dotées d'un éventail de compétences étaient les plus inventives, il en a dirigé plus d'une vingtaine. Michel-Ange lui-même a eu recours à des assistants pour peindre certaines parties de la chapelle Sixtine.

Le fait que la plupart des institutions en charge de problèmes complexes soient organisées selon un modèle interdisant toute collaboration ne facilite pas les choses. Nombre de départements universitaires fonctionnent comme des fiefs retranchés. De même, les ministères, avec leur budget, leur culture et leur ordre du jour bien particuliers, sont plus enclins à se faire concurrence qu'à collaborer. Une méfiance identique pour le travail d'équipe est profondément enracinée dans les milieux d'affaires, où le système des brevets fait souvent barrage aux recherches. L'ego est un autre obstacle. Parmi les chercheurs qui chantent les louanges de la cogitation collective, certains se hérissent dès que leurs plates-bandes sont menacées et ils sont nombreux à préférer garder leurs travaux pour eux. S'il paraît évident que le partage des connaissances et des intuitions sert le bien commun, il complique l'attribution des honneurs, des chaires et des bourses. En 1994, 450 physiciens se sont vus félicités pour avoir découvert la particule quantique appelée quark top. Comment récompenser autant de personnes ? Le forum MATLAB accueille d'innombrables débats sur ce thème.

Malgré ces difficultés, les apporteurs de solutions les plus créatifs s'aventurent de plus en plus fréquemment en dehors de leurs forteresses intellectuelles pour puiser dans la sagesse d'autres citadelles. « Dans notre monde hyperspécialisé, nous restons trop souvent bloqués dans des niches de compétences qui nous empêchent de communiquer avec d'autres, limitant de ce fait notre créativité, déclare David Edwards. Les grands créateurs rêvent de sortir de leur trou, parce qu'ils savent que le partage du savoir et des idées est la meilleure façon de résoudre les problèmes. »

Un café des Lumières

Pour faire tomber ces barrières, Edwards a ouvert en 2007, à Paris, le Laboratoire. Installé dans un immeuble coquet du XVIIIe siècle, à deux pas du Louvre, écrin de nombreux chefs-d'œuvre de la Renaissance, il est difficile de définir son objet. Le Laboratoire n'est ni une école, ni un *think tank*, ni un laboratoire de recherche scientifique, ni une agence de marketing, ni une cuisine industrielle, ni une galerie d'art, ni un studio ni une boutique de design. Même s'il est tout cela à la fois et bien plus encore. Il faut le considérer comme un café des Lumières transplanté au XXIe siècle, un terrain de jeu pour les idées, un espace où des experts du monde des arts et des sciences, qui n'avaient en principe aucune chance de se croiser, se retrouvent pour résoudre des problèmes. Vous y rencontrerez peut-être un chef cuisinier présentant sa dernière création à un biologiste dans la cuisine rutilante du sous-sol, un artiste discutant de mécanique quantique avec un physicien dans une salle de réunion ou un architecte débattant avec un chimiste de développement de produits. À moins que tous ne soient en train de travailler ensemble sur un même sujet. « Chacun aborde le problème avec sa façon de penser, puis les idées se mettent à fuser et la magie opère, s'enthousiasme Edwards. Quand j'ai l'impression qu'une chose est impossible du point de vue médical, un designer peut tout à fait y voir quelque chose qui fonctionne. Ensemble, nous profitons d'une vision élargie du problème qui nous permet de trouver de meilleures solutions. »

Pour observer le Laboratoire en action, j'ai suivi l'un de ses projets récents. Il s'agissait d'inventer un réceptacle capable de transporter de l'eau en s'inspirant d'une cellule biologique. Cette idée a germé lors d'un cours dispensé par Edwards à Harvard, auquel assistaient des étudiants issus de disciplines multiples, de l'économie et de la biologie à l'architecture et aux arts visuels et narratifs. L'une des premières propositions consistait à assembler un dôme géodésique maintenu par 270 chevilles, mais elle s'est révélée trop délicate, et elle a été supplantée par celle d'un sac, comparable à une cellule, réalisé sur le modèle d'un lampion chinois.

Dans le cadre du Laboratoire, Edwards a réuni un groupe composé de cuisiniers, de chimistes, de designers et d'un carrousel d'étudiants issus de ces trois domaines. Ils ont décidé d'inventer une bouteille comestible. Cinq mois plus tard, neuf membres de cette équipe se retrouvent devant les plans de travail en inox impeccables de la cuisine *high-tech*, sous les miroirs qui tapissent le plafond.

Raphaël Haumont, le chimiste en chef, présente les premiers prototypes de la membrane censée accueillir le liquide. Un cahier en lambeaux, recouvert de notes manuscrites sur les temps de cuisson, les températures et les proportions de sel et de sucre, est ouvert sur la paillasse. Haumont indique une poche jaune et visqueuse de la taille d'une balle de tennis, dans laquelle a été injectée de l'eau, deux semaines auparavant. La matière s'est avérée perméable et une tache s'est formée sur la nappe où elle a été déposée. « Clairement, ce n'est pas la bouteille de demain, déclare le chimiste. Il faudra encore beaucoup de travail pour en ajuster la composition et encore plus de tests pour renforcer la membrane. » Mais la vision de cette cellule souple attise l'imagination du reste de l'équipe et les idées commencent à fuser.

François Azambourg, responsable du design, suggère de fixer un fil qui pourrait permettre d'ouvrir la membrane ou de la munir d'un bouchon d'une autre couleur. Il suggère que l'épaisseur puisse varier pour que la membrane soit tantôt rigide et tantôt souple. Un de ses collègues se demande si le récipient ne pourrait pas avoir une forme conique pour en faciliter le stockage et le transport. Un chef cuisinier propose alors de créer une large pellicule composée de sphères plus petites, chacune contenant l'ingrédient d'un repas. « Magnifique ! » s'exclame Edwards. Haumont réagit calmement à ce feu croisé : « Le design va devoir patienter parce que mon boulot de chimiste consiste à élaborer un emballage stable, et je suis encore loin du compte », répond-il avec un brin d'impatience dans la voix. Par la suite, il me confie qu'une membrane multicolore à angles droits, pourvue d'un bouchon amovible, est une aberration scientifique.

Edwards observe avec une indulgence amusée cette joute entre membres de la même équipe. Il assume un rôle central pour la plupart des projets du Laboratoire en lançant des idées, en distribuant les bons points et les blâmes, en encourageant et en pressant ses troupes. Il rappelle à Haumont qu'il reste moins d'un an avant la présentation au public d'un premier prototype utilisable : « Pour le moment, votre démarche est artisanale, ce qui ne pose pas de problème, mais il nous faut envisager l'échelle industrielle dès le départ », souligne-t-il.

Quintessence de l'intellectuel français avec son veston et son chapeau noir, Azambourg a ruminé en silence le camouflet du chimiste et il revient à la charge, en espérant orienter son collègue dans une nouvelle direction : « Je vous accorde que cette idée d'aménager une ouverture dans la poche a quelque chose d'un peu primitif, concède-t-il. Nous finirons peut-être par aboutir à quelque chose qui se consomme entièrement, sans avoir besoin de l'ouvrir.»

Au cours des sept mois qui suivent, l'équipe se réunit régulièrement pour explorer les idées encore et encore, et progressivement affiner le produit. Le jour de la première présentation publique, on découvre un réceptacle-cellule inspiré de la structure d'un œuf, dont les parois externes (coquille) et internes (peau) sont comestibles et biodégradables. Deux échantillons sont exposés. L'un d'eux consiste en une enveloppe de chocolat dissimulant un coulis de fraise. Je mords dedans. Son goût est délicieux, mais la pellicule est trop caoutchouteuse et son arôme artificiel déconcertant. La texture du second est plus appétissante. Sa membrane a été réalisée à partir d'oranges et sa saveur est fraîche et acidulée. Je me surprends en train de l'engloutir et d'en laper le jus acide. Chaque cellule peut rester imperméable durant plusieurs mois.

Ces petites capsules nécessitent encore un peu de travail, mais l'accueil du public est favorable. Au cours des dix-huit mois suivants, le Laboratoire, financé par des dons, du mécénat et les profits qu'il tire de la commercialisation de ses inventions, fait appel à d'autres designers, ingénieurs et chimistes alimentaires pour améliorer la formule et la rendre susceptible d'être utilisée dans des recettes. Les nouveaux contenants sont appelés WikiCells et les premiers exemplaires ont débarqué sur le marché en 2012, accompagnés des débats enflammés sur les avantages de ces emballages consommables qui évitent d'avoir à les jeter une fois qu'on a utilisé leur contenu. «Il y aura peut-être bientôt des bars et des supermarchés où vous pourrez acheter des yaourts dans des récipients comestibles, dont l'emballage sera composé de céréales ou de baies, avance Edwards. Ou peut-être que de tels emballages incorporeront les vitamines et minéraux absents de nos régimes alimentaires.»

Malgré quelques frictions, les membres du projet sont excités par le résultat de leurs efforts combinés: «La science, le design et la cuisine sont des univers complètement différents et nous avons eu beaucoup de... disons... débats, convient Haumont avec un sourire avisé. Mais lorsque des univers se croisent, c'est terriblement enrichissant, et quand tout le monde s'assoit autour de la table, vous obtenez cette incroyable collision d'idées qui vous emmène dans des endroits que vous n'auriez jamais pu explorer tout seul.» Azambourg renchérit: «Les plus grands intellectuels s'entourent toujours d'une bonne équipe, qu'ils en conviennent ou non après coup.» Julien Benayoun, également designer, apprécie pour sa part la manière dont les étincelles, nées de l'émulation au sein du groupe, ont été canalisées pour aboutir à un objectif commun plutôt qu'à une victoire ou à une récompense individuelle. À cet égard, de nombreuses études montrent que la créativité chute lorsque les entreprises encouragent trop la compétition interne, parce que les employés cessent de partager leurs informations pour se concentrer sur la façon de doubler le collègue du bureau voisin. Ce n'est jamais le cas au Laboratoire : « À la fin, on ne sait plus qui a eu quelle idée, s'enthousiasme Benayoun. Vous ne pouvez pas dire : "Celle-là est de moi", du fait de la multiplicité des influences et des contributions de tous, chacun enrichissant les autres. »

Le triomphe du collectif

C'est souvent ainsi que fonctionne la collaboration dans le cadre d'une solution lente. Mettez votre ego entre parenthèses, préparez-vous à partager les honneurs et laissez le fluide créatif envahir l'arène. C'est de cette façon que les Monthy Python ont mis au point certains de leurs plus fameux sketches. John Cleese, l'un des membres de la troupe, en résume ainsi la genèse : « Il faut remonter assez loin pour trouver l'origine d'une vraie bonne idée, souvent jusqu'à une idée pas très bonne qui en a fait jaillir une autre à peine meilleure, qui, sur un malentendu, a suscité un commentaire vraiment plus intéressant. »

Dans le même esprit, il est rarissime qu'Ideo n'assigne qu'une seule personne à un projet : « Les débats de groupe sont fondamentaux, car c'est en soumettant au plus tôt vos idées aux autres qu'elles s'affineront, estime Jane Fulton Suri. Le fait de réunir des gens issus de différentes disciplines donne des résultats très intéressants et nous avons donc développé une tendance naturelle à favoriser ce type de confrontations et à recourir à des équipes. »

Avec autant de disciplines convergentes, une telle approche prend tout son sens. À mesure que progressent leurs connaissances sur l'univers, les physiciens se surprennent à faire des incursions sur le terrain de la philosophie et de la théologie. Les grandes découvertes à venir, comme la séquence du génome humain, dépendront donc du concours conjoint de la biologie, de la chimie, de l'ingénierie, des technologies de l'information, du design… entre autres. Un livre blanc publié en 2011 par le MIT prédit que la « véritable convergence » et la pollinisation croisée pourraient déclencher une « troisième révolution » dans le domaine de la science.

Grâce aux technologies modernes, il n'a jamais été aussi facile de travailler ensemble. Il n'y a pas si longtemps, savoir ce qui se tramait dans les autres disciplines était si compliqué qu'il fallait parfois des mois avant de déterminer si une idée était bonne ou mauvaise ou si elle avait déjà été explorée antérieurement. Aujourd'hui, il suffit souvent de quelques minutes sur Google pour avoir la réponse. Sans compter qu'il est de plus en plus aisé de partager des données et de participer à des forums internationaux en un seul clic.

Une étude récente portant sur les brevets et les articles écrits par des universitaires, puis révisés par leurs pairs, a montré que, au cours des cinquante dernières années, le travail d'équipe s'est répandu comme une traînée de poudre dans presque toutes les matières scientifiques et que la taille moyenne des équipes de recherche a quasiment triplé. La médecine, pour sa part, est en passe de devenir un sport d'équipe. Afin d'offrir de meilleurs soins, les systèmes de santé encouragent désormais les praticiens à travailler ensemble de façon transdisciplinaire. Sur toute la planète, les facultés de médecine se sont mises à sélectionner leurs candidats en fonction de leur aptitude à collaborer et ont ajouté à leurs cursus des formations au travail en équipe. Même le héros de la série américaine *Dr House*, ce génie incontrôlable joué par Hugh Laurie, résout ses charades et énigmes médicales à faire bouillir un cerveau en soumettant ses théories à ses collègues. « À l'époque où j'ai intégré la faculté de médecine, il fallait être un expert individuel, se souvient le Dr Darell G. Kirch, directeur de l'Association of American Medical College. Aujourd'hui, il faut avant tout savoir employer cette expertise dans le cadre de soins dispensés en équipe. »

La collaboration peut prendre des formes très diverses : une remarque en passant lors d'une conversation téléphonique, un croquis sur une serviette en papier à l'occasion d'un déjeuner ou une session formelle de *brainstorming* à grand renfort de tableaux et de marqueurs. Elle peut également se produire dans le cadre de plateformes en ligne, entre des individus qui ne se sont jamais ni vus ni parlé dans la vraie vie. Prenons l'exemple du Polymath Project, qui permet à des mathématiciens de partager des problèmes sur un site Internet commun. Son premier défi a consisté à découvrir une nouvelle preuve du théorème de Hales-Jewett. Six semaines de collaboration à distance ont suffi à 40 mathématiciens pour en venir à bout en six semaines, chacun vérifiant, questionnant et améliorant les travaux des autres.

Autre exemple : l'Idea Jam[3], durant lequel des experts triturent un problème en ligne. En 2010, 3 800 universitaires, politiciens et officiers supérieurs de l'armée ont passé cinq jours à débattre de 26 sujets sur la sécurité mondiale. Des modérateurs en ligne ont encadré leurs échanges avant de recourir au traitement informatique des données et au bon vieux raisonnement humain pour en tirer une liste des dix meilleures idées. L'une d'entre elles consistait à placer 5 % de tous les dons consentis à l'occasion d'une catastrophe naturelle dans un fond d'anticipation des situations de crises internationales. Une autre suggérait que l'Otan se dote d'une branche civile pour gérer les questions non militaires afférentes à ses missions. Morale de l'histoire : le fait de mélanger un éventail d'intellectuels peut donner des résultats plus intéressants que les réunions traditionnelles et permet de se prémunir contre ce que les organisateurs de l'Idea Jam appellent la « pensée de groupe » ou les « cloisonnements bureaucratiques ».

La fin de la spécialisation ?

Mais les collaborations les plus fructueuses restent encore celles qui se déroulent dans le monde non virtuel. Elles peuvent donner lieu à un beau désordre et prendre du temps, mais elles créent un climat de confiance qui facilite l'ouverture aux autres, la reconnaissance des erreurs, la prise de risques et la stimulation réciproque – autant de composants de la solution lente.

Après avoir analysé plus de 35 000 articles publiés par des équipes de scientifiques, les chercheurs de la faculté de médecine de Harvard ont découvert que plus les relations entre collaborateurs étaient étroites dans la vraie vie, meilleure était la qualité de leurs recherches. Les grosses têtes hébergées dans un même bâtiment ont tendance à produire le meilleur boulot. L'un des analystes, Isaac Kohane, en a conclu que, « à l'ère des grands projets scientifiques, à l'heure où

3. Littéralement « bœuf à idées » (en jazz ou en reggae, le jam, ou le bœuf, désigne une séquence d'improvisation).

les chercheurs passent un temps considérable sur Internet, il reste important de ménager des cercles intimes ».

Pour favoriser cette proximité, les universités commencent à restructurer leurs campus pour encourager la collaboration, les collisions d'idées et les rencontres entre disciplines. À Columbia et à Princeton, au MIT et à la New York University, des biologistes, des physiciens, des chimistes, des généticiens, des ingénieurs et des informaticiens travaillent désormais ensemble au sein de laboratoires ouverts et se mélangent entre eux dans les cafétérias, les bibliothèques et les espaces collectifs. Dans le même esprit, des creusets mélangeant arts et sciences, comme le Laboratoire, fleurissent dans les villes du monde entier. En vue de former des équipes aux compétences multiples, les institutions universitaires se sont mises à recruter par grands thèmes de recherche, par l'exemple le « vieillissement » ou l'« énergie », au lieu de poursuivre une approche plus traditionnelle en embauchant par département. À l'heure où les gouvernements attendent des scientifiques qu'ils partagent plus de données et travaillent plus étroitement ensemble, où les demandes se multiplient pour que les revues académiques rendent leurs publications accessibles au grand public, la pression monte pour reconnaître les contributions individuelles aux avancées collectives.

Les étudiants sont incités à suivre un chemin similaire. L'université de Californie à Berkeley organise tous les ans un concours de « grandes idées », au cours duquel des groupes interdisciplinaires d'étudiants rivalisent pour inventer de nouvelles façons d'éliminer l'analphabétisme, de purifier l'eau ou d'aider les scientifiques à construire du matériel médical pour les pays en développement à partir des ressources locales. Par ailleurs, les formations diplômantes s'éloignent progressivement des spécialisations poussées et l'on peut voir, par exemple, des étudiants en biologie suivre des cours de technologie, de gestion, de psychologie, d'innovation et de culture générale. Certains appellent ce modèle l'apprentissage en T, car il invite à approfondir une ou deux matières tout en en découvrant beaucoup d'autres. L'objectif est de parvenir à l'équilibre entre l'omniscience de l'érudit et la vision pointue de l'hyperspécialiste. « Il ne s'agit pas de croire qu'une même personne peut tout faire, dit Alan Guttmacher, directeur de l'US National Institute of Child Health and Human Development. Il s'agit d'habituer les gens à côtoyer de nouvelles formes de pensée. »

À une époque où nul ne peut plus se permettre de vivre sur une île déserte ni d'être monotâche, même le plus spécialisé des apporteurs de solutions cherche des façons de collaborer avec les autres et d'apprendre d'eux. En 2012, l'écurie de Formule 1 Williams a engagé Michael Johnson, ancien médaillé olympique en sprint, pour qu'il l'aide à fluidifier les procédures de changement de pneus et améliorer les entraînements. Même les cracks de la Nasa ont aujourd'hui recours à des experts qui n'appartiennent pas à leurs propres laboratoires ou centres de recherches. Les réductions de budgets expliquent en partie ce changement, mais il est surtout le fruit d'une prise de conscience : le monde a changé. « Nous sommes le reflet de ce qui se passe dans les institutions académiques, l'industrie de la haute technologie et partout ailleurs, explique Jeff Davis, directeur des sciences de la vie de l'espace à la Nasa. Au vu des problèmes auxquels nous devons faire face aujourd'hui dans le monde, aucune organisation ne dispose des ressources et de l'expertise suffisante pour assumer à elle seule la série de défis qui pourraient se présenter. Il est donc logique de puiser dans une expérience plus vaste, extérieure au groupe avec lequel nous entretenons habituellement des relations. »

Les progrès de la collaboration sont plus aléatoires dans le monde des affaires. Beaucoup d'entreprises ne la pratiquent qu'au sein de leur propre jardin et celui-ci est bien gardé… De ce point de vue, la très secrète Apple est une version californienne du Kremlin et travaille en interne à son grand œuvre transdisciplinaire, sans envisager une seconde de partager ses recherches, comme le fait la Nasa. Inversement, d'autres groupes ont fait le grand saut. Ainsi, Procter & Gamble, grand fabricant de produits de consommation courante, a conclu plus de 1 000 accords de partenariats avec des innovateurs venant des quatre coins du monde et pratique un mode de recherche et développement inenvisageable il n'y a pas si longtemps. Plus de la moitié de ses nouveaux produits sont le fruit d'interactions avec des gens qui ne font pas partie de son personnel : « Nous désirons établir des partenariats avec les meilleurs innovateurs, où qu'ils se trouvent », affirme Bob McDonald, le P.-D.G.

Même sans avoir le pouvoir d'attraction de Procter & Gamble, nous pouvons tous améliorer nos capacités de collaboration. Commencez par mettre en valeur vos qualifications dignes des polymathes de la Renaissance. Lancez-vous dans des activités qui vous obligent à explorer des terres inconnues. Si vous êtes informaticien ou comptable, inscrivez-vous à un cours de peinture, apprenez à jouer d'un instrument ou cultivez un jardin sur le toit de votre immeuble. Si votre travail vous amène à rencontrer des gens toute la journée, allez faire un tour dans un salon scientifique, jouez au Sudoku ou prenez des leçons de cuisine moléculaire.

Faites l'effort d'explorer les sites Internet qui remettent en question votre vision du monde au lieu de la conforter et lisez des ouvrages portant sur des domaines différents du vôtre.

Pour maximiser les échanges fructueux avec des collaborateurs potentiels, sortez de votre coquille. Tirez parti des réseaux sociaux – les clubs, les chorales, les groupes de joggeurs – qui vous confrontent à des gens ayant des profils variés. Trouvez-vous un coach ou un mentor qui puisse vous offrir un point de vue extérieur. Persuadez votre employeur d'organiser un « bœuf à idées ». Et si vous devez faire face à un problème délicat, commencez par vous poser cette première question : qui pourrait me donner un coup de main là-dessus ?

Parfois, vous trouverez la réponse en parcourant la pièce des yeux, en consultant votre compte Twitter ou en publiant un message sur Facebook. Alternativement, vous pourrez engager l'un de ces nouveaux gourous du management dont la spécialité est de trouver les bonnes personnes pour un problème donné. Mais il se peut que la collaboration classique ne suffise pas. Il y a autour de nous beaucoup de sagesse et d'ingéniosité qu'il est difficile d'organiser en équipe.

Parfois, pour trouver la bonne solution, il faut lancer un appel au peuple.

Chapitre 9

Sonder les masses :
la sagesse des foules

Beaucoup de mains rendent les travaux légers.
John Heywood

L'expression « thetta reddast » est de plus en plus courante en Islande depuis quelque temps. Elle signifie à peu près : « Pas d'inquiétude, tout va s'arranger. » Pour quelques Islandais, elle évoque un dangereux fatalisme ; pour d'autres, elle est le reflet d'un optimisme inscrit dans leurs gènes. Quoi qu'il en soit, cette minuscule île battue par les vents de l'Atlantique Nord avait indubitablement besoin d'une remise en état après la crise financière mondiale de 2008.

Avant cela, l'Islande avait enchaîné les succès sur tous les fronts. Ses banques et ses entreprises dévoraient leurs concurrents outre-Atlantique. Ses millionnaires proliféraient et dépensaient des fortunes en yachts, jets privés, voitures de sport et appartements de luxe. Reykjavik, sa capitale, avait entamé la construction de l'opéra le plus cher du monde. Et l'Islandais moyen, happé par ce tourbillon, empruntait et dépensait à tour de bras, sans se soucier du lendemain. Mais ce miracle économique universellement loué n'était qu'un mirage, une hallucination aux proportions proprement titanesques. Aux grandes heures de cet emballement, les établissements bancaires d'Islande ont accumulé des dettes neuf fois supérieures au PIB national et, lorsque la bulle a explosé, le pays s'est trouvé à deux doigts du dépôt de bilan.

Après la catastrophe de 2008, il a bien fallu que la planète s'observe longuement – et non sans douleur – dans un miroir. Pour beaucoup de nations, cette introspection a engendré des initiatives visant à équilibrer les comptes et à museler le secteur financier. En Islande, l'examen de conscience est allé encore plus loin. Avec une population de 320 000 personnes, les liens entre les habitants sont presque familiaux et le sentiment de trahison a été d'autant plus terrible : comment tous ces puissants, d'anciens camarades de classe pour la plupart, ont-ils pu laisser les banques s'écarter aussi spectaculairement du droit chemin ? se sont demandés tous les Islandais. Comment le pays a-t-il pu se fourvoyer à ce point ? Bientôt, un consensus s'est formé pour élire un nouveau gouvernement, réformer le secteur bancaire et équilibrer le budget. Mais ce n'était qu'un début : l'Islande avait surtout besoin de se reconstruire de fond en comble.

En tête des priorités figurait la refonte d'un système politique qui avait perdu le contact avec son électorat. Le problème n'est pas nouveau et il n'est pas limité au territoire islandais, lieu de naissance du plus ancien parlement du monde. Dans tous les pays, les électeurs ont toujours critiqué leurs dirigeants, mais il semble que la jeunesse actuelle se méfie encore plus que ses aînés de ses élus. Selon les sondages, comparé aux années 1980 il y a aujourd'hui quatre fois plus de Britanniques convaincus que les politiciens placent leur intérêt personnel avant celui de la nation. Même dans les États dont l'économie n'a pas trop souffert de la crise, comme l'Allemagne, la relation entre le peuple et la classe politique s'est dégradée. En 2010, la Gesellschaft für deutsche Sprache (Société pour la langue allemande) a ainsi choisi le terme *Wutbürger* (littéralement « citoyen enragé ») comme mot de l'année, en citant à titre d'exemple la fureur des électeurs à l'encontre de « décisions politiques prises en dépit de leurs moyens ».

Mobiliser les masses

Pour attaquer le problème à sa racine, un groupe d'Islandais a proposé une solution radicale qui va nous aider à comprendre le prochain ingrédient de la solution lente : il a invité l'électorat à s'impliquer dans la définition de la politique gouvernementale et la rédaction d'une nouvelle constitution.

Une telle démarche peut sembler délirante. Après tout, que savent la majorité des citoyens de l'élaboration des lois, sans parler des subtilités du droit constitutionnel et de la philosophie politique ? Pourtant, cette expérience islandaise n'est pas aussi folle qu'il y paraît. Au chapitre 8, nous avons vu comment des experts pouvaient collaborer avec profit au sein d'une même discipline ou avec leurs homologues d'autres spécialités. Cette collaboration peut se révéler tout aussi fertile quand elle met en jeu une population plus vaste, sans discrimination. Car un groupe, correctement géré, peut faire preuve d'une remarquable intelligence malgré la peur primale que suscite tout effet de masse. Certes, au XIXe siècle, l'historien écossais Thomas Carlyle nous a mis en garde contre une croyance futile « en la sagesse collective de l'ignorance individuelle ». Pareillement, Henry David Thoreau, un de ses contemporains, aurait lui aussi répugné à faire participer la plèbe à la rédaction d'une constitution : « La masse n'atteint jamais le niveau du meilleur de ses membres, mais se met au contraire au niveau du dernier. »

Pourtant, cette offensive contre la sagesse populaire fait fausse route. Certes, les foules peuvent se montrer barbares. Les émeutes qui ont éclaté près de chez moi, à Londres, au cours de l'été 2011, en sont la preuve édifiante. Mais il en existe une tout autre version. Dans *La Sagesse des foules*, James Surowiecki avance d'imparables arguments en faveur de la mobilisation des masses pour traiter les situations complexes. Son livre est truffé d'exemples d'assemblées anonymes surpassant les experts, qu'il s'agisse d'estimer le poids d'un bœuf lors d'une foire agricole ou de localiser un vaisseau naufragé. Quand la Nasa a fait appel au grand public pour identifier et classer les cratères à la surface de Mars, des participants lambda sont parvenus, avec un entraînement minimal, à formuler des analyses collectives qui, du point de vue des spécialistes, étaient « virtuellement impossibles à distinguer » de celles de « géologues ayant consacré des années à répertorier les cratères de Mars ».

Il a même été démontré que le fait de mélanger, dans un laboratoire, experts et néophytes était de nature à stimuler l'intelligence collective. Professeur de sciences politiques et d'économie à l'université du Michigan, Scott Page a eu recours à la simulation par ordinateur pour concevoir une série d'agents virtuels de résolution de problèmes. Chaque agent a reçu un lot de compétences particulier, certains étant programmés pour être plus intelligents que d'autres. Au bout du compte, la performance des groupes hétéroclites s'est presque systématiquement révélée supérieure à celle des équipes composées uniquement d'agents intelligents. Comment est-ce possible ? S'il est vrai que les spécialistes nous surpassent dans l'exécution de certaines missions très pointues, leurs profils et leurs points de vue ont tendance, comme nous l'avons vu précédemment, à être trop convergents pour engendrer ce regard nouveau qu'exigent de nombreux problèmes. Page a mouliné ces résultats pour en tirer ce qu'il a appelé le théorème de la diversité : « Ce théorème n'est pas une simple métaphore, ni une anecdote sympathique tirée d'une expérience qui pourrait éventuellement rester vraie dans dix ans, dit-il. Il s'agit d'une vérité logique : dans des conditions favorables, un groupe hétérogène d'individus sélectionnés au hasard obtient de meilleurs résultats qu'un éventail d'experts reconnus pour leur excellence à titre individuel. » En d'autres termes, il n'est pas inutile d'écouter ce que le peuple a à dire.

Quand le bon type de population s'attaque au bon type de problèmes, il en résulte une étonnante alchimie. Pensez à une œuvre pointilliste. Par exemple, *Un dimanche après-midi à l'île de la Grande-Jatte*, de Georges Seurat, qui se compose de centaines de milliers de petits points. On les distingue parfaitement quand on observe la toile de près mais, dès qu'on s'éloigne, les points fusionnent pour former une scène parfaitement nette de gens qui se détendent sur les berges de la Seine. Pour comprendre ce qui est désormais connu sous le nom *crowdsourcing*[1], il faut, mentalement, prendre ce même recul. Quand vous agrégez les décisions d'une foule, même si certaines sont sans intérêt, vous obtenez une décision collective qui s'avère souvent aussi bonne, sinon meilleure, que celle qu'aurait prise, individuellement, la personne la plus intelligente de cette assemblée. Cette perspicacité des masses est la pierre angulaire de l'empire Google. Pour canaliser l'océan des informations qui circulent sur la Toile, cette société utilise un algorithme qui attribue une valeur aux milliards de décisions que nous prenons chaque jour en ligne afin de les faire tenir en un unique classement de pages Web. « C'est un peu comme si nous avions été programmés pour être intelligents collectivement », conclut Surowiecki. Le fonctionnement participatif est donc l'ingrédient suivant de la solution lente.

Les ressources du *crowdsourcing*

Au chapitre précédent, nous avons constaté l'intérêt du travail d'équipe au sein d'une même discipline ou de manière transdisciplinaire. Mais, dans sa forme traditionnelle, la collaboration a tendance à recourir à des groupes composés d'un nombre restreint de membres et, qui plus est, spécialistes d'un sujet pointu. Seule

1. En français, on parle aussi d'externalisation ouverte, ou de collaborat, mais le terme anglais est beaucoup plus courant.

une poignée d'élus sont invités à contribuer aux projets du Laboratoire ou à mener des recherches dans les unités ouvertes de Columbia ou de Princeton.

Par contraste, le *crowdsourcing* revient à s'emparer d'un problème ayant vocation à être résolu par une élite pour le soumettre à des individus lambda. Dans de mauvaises mains, une telle démarche peut n'offrir qu'un coup de pub éphémère ou déboucher sur une étude de marché sans grand intérêt. Mais un groupe correctement sollicité peut représenter un allié très puissant dans les batailles à mener pour résoudre des problèmes complexes. Vous pouvez lui demander de réunir ou d'analyser des données. Vous pouvez lui proposer de tester et d'évaluer vos solutions. Parfois, il est même préférable de limiter les interactions pour éviter la pensée de groupe. À cet égard, je vous renvoie aux bulles catastrophiques qui commencent à se former quand tout le monde se met à chanter d'une seule voix la même partition sur les marchés financiers. Il arrive néanmoins que la masse offre une excellente prestation quand ses membres communiquent et collaborent.

L'un des chefs de file de l'expérience de *crowdsourcing* conduite en Islande se nomme Gudjon Mar Gudjonsson. C'est un quadragénaire décontracté alignant sur son CV une liste impressionnante de sociétés *high-tech* et de création de brevets. Après avoir recensé les dégâts de la crise de 2008, il a conclu que les experts ne pourraient jamais, à eux seuls, remettre sa patrie sur pied et que les citoyens ordinaires avaient un rôle central à jouer dans la reconstruction : « Nous avons chacun notre vision de l'avenir et un certain nombre d'idées sur la manière de reconstruire notre pays. C'est une ressource de choix qui vaut la peine d'être exploitée, déclare-t-il. Notre objectif est d'utiliser la sagesse des masses pour capter le pouls de la créativité d'une nation. »

En travaillant avec des réformateurs du même avis, Gudjonsson a convoqué en 2009 une « Assemblée nationale », basée sur le *crowdsourcing* et les techniques d'innovation ouverte issues du secteur privé. L'initiative impliquait 1 500 individus, soit près de 0,5 % de la population de l'Islande – un échantillon de 1 200 électeurs et de 300 politiciens, dirigeants d'entreprise et autres « faiseurs de changements ». En d'autres termes, un mélange d'amateurs et de spécialistes. Durant toute une journée, ces personnes, réparties en petits groupes, ont réfléchi et échangé sur la vision que chacun d'eux avait de son pays, en essayant de répondre à cette question : quel genre de pays l'Islande doit-elle devenir et que faire pour y parvenir ? Un facilitateur encadrait chaque groupe et toutes les suggestions étaient filtrées, classées, ordonnées et diffusées sur un écran géant. L'événement a connu un tel succès auprès de la population que de plus modestes assemblées ont été convoquées sur tout le territoire. En 2010, le Parlement en a ainsi organisé une pour recueillir des avis sur la nouvelle Constitution, en y mêlant des sondages d'opinion par le biais de Twitter, YouTube et Facebook.

Désireux de voir comment fonctionnait le *crowdsourcing* à l'état sauvage, je me suis joint à une assemblée organisée dans un gymnase des faubourgs de Reykjavik. Sa mission consiste à identifier les « compétences de base » sur lesquelles l'Islande doit construire son avenir. Quelque 150 personnes se sont ainsi réunies un samedi matin humide et gris. Fidèle à l'esprit du *crowdsourcing*, le groupe inclut un échantillon de la société islandaise ainsi qu'une poignée de députés, un ancien maire et le chef de la police locale. La plupart des participants portent des tenues décontractées, beaucoup d'hommes arborant une fort belle paire de moustaches en signe de soutien à une récente campagne de lutte contre le cancer. Les gens s'interpellent par leur prénom et l'atmosphère est détendue, même s'il semble évident que tous attendent beaucoup de cette réunion.

Le lieu retenu, un gymnase, rappelle que l'Assemblée a été convoquée pour le peuple et par le peuple. Au mur, quelques affiches interdisent de fumer, de laisser traîner ses ordures et de déambuler en rollers. Une boule à facettes est suspendue au plafond, attendant la prochaine fiesta. Dehors, on perçoit les encouragements d'un entraîneur et les cris des jeunes joueurs d'un match de basket-ball. Des pichets d'eau et des piles de feuilles pour les prises de notes ont été disposés sur des tables, sur les côtés de la salle. Je suis assis à la table K, à côté d'un informaticien, d'un ouvrier au chômage, d'une comptable, d'un architecte stagiaire, d'un étudiant en musique, d'un cadre du marketing, d'un décorateur d'intérieur et de Katrin Jakobsdottir, la jeune ministre de l'Éducation, des Sciences et de la Culture.

Après les présentations, Sigrun, notre modérateur, nous demande de faire la liste des points forts de l'Islande. L'ingénieur informaticien avance que le pays profite d'une image écologique qui le distingue des autres. Quand Sigrun l'invite à préciser sa pensée, la comptable se lance : « Nous avons énormément de points d'eau claire et pure en comparaison des autres pays ! s'écrie-t-elle. Y aurait-il un moyen de les valoriser ? » L'architecte fait alors remarquer que l'Islande a aussi la chance de posséder de nombreuses sources chaudes. L'ouvrier opine vigoureusement : « Nous pourrions peut-être creuser le sous-sol pour nous chauffer grâce à elles », suggère-t-il. Sa remarque déclenche un débat : cette eau est-elle un atout spécifiquement islandais et l'énergie qu'elle pourrait produire serait-elle exportable ? Sur la base de ces discussions, la ministre Jakobsdottir ajoute sa contribution : « Nous pourrions peut-être développer une technologie géothermique que nous exporterions. »

Toute la matinée, les idées fusent : bâtir des fermes éoliennes pour tirer parti du climat local ; labelliser les spécialités culinaires pour les exporter ; faire de l'Islande une destination chic pour voyageurs fortunés ; profiter de l'excellent niveau d'instruction et du savoir-faire technologique pour fonder la nouvelle Silicon Valley de l'Atlantique Nord ; proposer à des grands groupes d'affaires ou des laboratoires de recherche d'exploiter la forte homogénéité de la population afin d'en faire un immense groupe témoin. La conversation glisse progressivement vers le tourisme et la possibilité d'attirer des visiteurs grâce aux paysages sidérants de geysers, de roches volcaniques et de torrents. Resté silencieux jusque-là, l'étudiant en musique jette un froid : « Qu'y a-t-il de si spécial dans notre gastronomie et nos produits agricoles ? Quel plaisir peut-on prendre à la contemplation d'un torrent ? lance-t-il d'un ton légèrement bougon. Pourquoi des touristes viendraient-ils visiter nos musées quand nous n'y mettons jamais les pieds ? » Son intervention pétrifie les autres. Pour détendre l'atmosphère, j'avance que la situation géographique de l'Islande, à mi-chemin entre l'Europe et l'Amérique du Nord, en fait l'endroit idéal pour organiser des conférences internationales. « Très bien vu ! déclare l'ouvrier. Comme quoi, il faut parfois l'intervention d'un étranger pour qu'on prenne conscience de nos forces. » Tous ensemble, nous réfléchissons ensuite à ce qu'il faudrait faire pour que Reykjavik devienne le point névralgique des symposiums et autres conventions d'affaires de l'Occident.

Après un déjeuner composé de lentilles et de lasagnes à l'agneau, nous nous remettons au travail. Jakobsdottir lance la session en faisant observer que la musique islandaise est très appréciée au-delà des frontières et qu'une autre île minuscule, l'Irlande, a déjà su développer une industrie musicale internationalement reconnue. Son idée ne reçoit pas un accueil enthousiaste, certains faisant notamment remarquer que les membres du groupe irlandais le plus célèbre, U2, sont tous des exilés fiscaux. Le cadre en marketing ajoute que Bjork, la chanteuse elfique à la voix divine, n'a rien de spécifiquement islandais. Les propositions suivantes évoquent la réalisation de gélules vitaminées ou de nourriture pour animaux à partir de carcasses de poissons, ou la construction d'un parc d'attractions sur le thème des nains, des elfes et autres créatures de l'ombre, qui occupent une place de choix dans le folklore islandais. Il faut maintenant dresser la liste des meilleurs arguments en faveur du pays pour pouvoir la présenter à l'Assemblée. Nous en retenons cinq : l'eau ; la proximité des villes et des campagnes ; le point névralgique transatlantique ; les spas et la santé ; la nourriture naturelle et saine. Tous les participants se pressent autour de l'ordinateur afin de mettre la dernière main à leur exposé, les uns signalant les fautes de frappe, les autres s'amusant d'une expression à double sens, chacun y mettant son grain de sel. Chaque fois que le porte-parole d'une table va présenter devant l'Assemblée le fruit des cogitations de son équipe, toute la salle applaudit. Quand le nôtre – le cadre marketing – revient de l'estrade, nous l'accueillons par des accolades et des félicitations. Apparemment, tourisme, pêche, géothermie et agriculture ont remporté la palme des points forts spécifiquement islandais.

Cette réunion populaire a-t-elle rempli sa mission ? L'expérience insulaire de *crowdsourcing* a-t-elle suscité un flot de solutions originales aux problèmes du pays ? Les discussions auxquelles j'ai participé à la table K ne m'ont pas donné l'impression d'un *brainstorming* prométhéen. Certes, il en est ressorti une liste de propositions très intéressantes, mais une conversation à plusieurs dans un bar aurait pu donner le même résultat. Pourtant, quelque chose me dit que ce n'est pas la bonne manière d'appréhender cet épisode. Peut-être suis-je en train d'observer de trop près une œuvre pointilliste.

En prenant un peu de recul, il apparaît que cette initiative de *crowdsourcing* a donné lieu à un bouillonnement d'idées ingénieuses qui finiront peut-être un jour dans un programme gouvernemental. À cet égard, Jakobsdottir confie : « Dans toute Assemblée nationale, il y a une part de bavardage, mais il suffit qu'il en ressorte deux ou trois bonnes idées nouvelles pour que ce soit une énorme réussite. Et nous pouvons d'ores et déjà en témoigner. » Ces forums nationaux ont permis d'identifier combien la population était inquiète de la situation du service public, notamment dans le domaine de l'éducation, et très mécontente des transports en commun à Reykjavik. Une précédente Assemblée, dédiée au système scolaire et universitaire, avait déjà abouti à une proposition concrète : faire une plus grande place aux valeurs fondamentales et au débat philosophique. « Ces questions ont manqué à mon éducation, alors que les enfants devraient plancher sur des sujets comme "Quelles sont les valeurs morales ?" et "Pourquoi la société est-elle ce qu'elle est ?", estime la ministre. Je suis d'ailleurs en train d'examiner comment intégrer cette idée dans les programmes scolaires. »

Beaucoup de gens quittent l'Assemblée à laquelle je viens d'assister avec un sentiment d'optimisme, estimant que le *crowdsourcing* peut les aider à reconstruire leur pays. Certains parlent de poser les bases d'une nouvelle forme de politique : « Ce que vous voyez ici, c'est de la super-démocratie, s'enthousiasme un universitaire. Les discussions sont incroyablement intéressantes, créatives et innovantes, mais il faudra du temps pour faire bouger le gouvernement et le restructurer. » Même les participants dotés d'un bagage académique moins important semblent ravis des idées qui ont émergé : « Honnêtement, je m'attendais à une journée ennuyeuse, mais elle s'est révélée plutôt revigorante, me confie le cadre du marketing. Quand on réunit un éventail d'individus autour d'une table, on génère de nouvelles idées et de nouvelles manières d'aborder de vieilles idées. »

Détecter les génies anonymes

Une collaboration d'une telle ampleur n'est pas toujours nécessaire. Parfois, il suffit juste de dénicher la pépite qui se cache au milieu des cailloux, l'individu anonyme perdu dans la foule et qui possède l'outil décisif. Au début du XVIIIe siècle, la Royal Navy britannique perdait beaucoup de navires, parce que ses équipages n'avaient aucun moyen de déterminer leur longitude en pleine mer. Certains esprits scientifiques parmi les plus brillants de l'époque, dont Isaac Newton, ont essayé en vain de résoudre ce problème. Désespérant d'y apporter une solution, l'Angleterre a remisé ses préjugés de classe pour s'en remettre au peuple. En 1714, un décret du Parlement promettait 20 000 livres – une somme énorme pour l'époque – à quiconque inventerait un moyen « commode et utile » de calculer la longitude au beau milieu de l'océan. Cinquante ans plus tard, quelqu'un a fini par remporter la prime grâce à la mise au point d'une horloge d'une précision extrême, capable de faire des relevés dans les mers les plus agitées. Mais le plus étonnant reste encore le pedigree du vainqueur : John Harrison n'était ni marin ni constructeur de bateaux. Il n'appartenait pas à l'éminent corps professoral d'Oxford ou de Cambridge, ni même à la très prestigieuse Royal Society. Il avait même bénéficié d'une éducation tout à fait modeste. Fils d'un charpentier du Yorkshire, il avait appris tout seul à fabriquer des horloges. Par excellence, la pépite dans le lit de la rivière…

Comme le prouve cet exemple, le fonctionnement participatif n'est pas un phénomène nouveau. Ce qui a changé, c'est que la technologie permet aujourd'hui d'organiser et de gérer des groupes plus vastes et d'aller déterrer des idées enfouies dans les coins les plus reculés du globe. De nos jours, le progrès technologique fait du monde entier une simple Assemblée, chaque Terrien étant devenu un apporteur de solution en puissance. Les communautés d'experts et d'amateurs ont accès en un seul clic à des plateformes en ligne telles qu'Ideaken et Whinot. InnoCentive parvient à résoudre des problèmes sur lesquels ont séché les cerveaux des plus brillants laboratoires privés en recherche et développement, des gouvernements et des associations humanitaires, en les soumettant à un réseau de plus de 250 000 *problem solvers* originaires de quelque 200 pays. De tels sondages sur une aussi vaste échelle n'auraient pas été envisageables il y a une vingtaine d'années – et encore moins au XVIIIe siècle. Dans le cadre d'InnoCentive, les clients en quête de solutions sont appelés *seekers* et vont des géants pharmaceutiques aux conglomérats de la grande distribution, en passant par la Nasa ou des magazines comme *The Economist*. Parmi les offres en ligne les plus récentes : 100 000 dollars pour créer une forme d'insuline pouvant répondre aux besoins individuels des diabétiques ; 50 000 dollars pour le développement d'une technique augmentant la valeur nutritionnelle de cellules végétales ; 30 000 dollars pour l'invention d'une scie capable de trancher un os sans endommager les tissus qui l'entourent ; 8 000 dollars pour la mise au point d'un système de détection de la corruption au sein des organisations ; et 5 000 dollars pour la conception d'un nouvel emballage pour bières. Face à eux, des *solvers*, c'est-à-dire des apporteurs de solutions. Tout le monde peut participer, depuis l'expert ayant un peu de temps libre au bricoleur du dimanche, et gagner de l'argent en contrepartie d'une solution exploitable, faisant ainsi d'InnoCentive le plus grand marché mondial de la résolution de problèmes.

La première étape consiste à aider les *seekers* à actionner le signal *andon* pour déterminer très exactement la nature du problème et pouvoir ainsi travailler efficacement à une solution. C'est exactement ce qu'a fait Geir Berthelsen au sein de Norsafe. « La majorité des organisations ne savent absolument pas en quoi consiste leur problème et, même quand elles en ont une vague idée, elles ont beaucoup de mal à la formuler, explique Dwayne Spradlin, P-.D.G. d'InnoCentive, qui organise des ateliers pour expliquer aux *seekers* pourquoi et comment recourir au savoir des masses. Lorsque vous êtes face à un problème complexe, vous ne pouvez pas vous contenter de publier une petite annonce sur Craigslist en supposant que le monde entier va y répondre. Cela n'a rien à voir avec la rubrique questions/réponses de Yahoo ! Nous aidons nos *seekers* à mieux formuler leurs questions et à structurer leur problème pour obtenir de meilleures réponses.» C'est exactement ce que fait Ideo.

On pourrait craindre que cette approche – jeter un problème en pâture à une communauté de quelque 250 000 personnes – ne soit le plus court chemin vers le chaos, mais InnoCentive s'en sort plutôt bien. Ses *solvers* apportent une réponse adéquate à plus de la moitié des défis mis en ligne, dont beaucoup ont laissé KO les laboratoires en recherche et développement les plus réputés de la planète. Ils ont ainsi inventé des moyens moins coûteux et plus simples de fabriquer des médicaments contre la tuberculose et réussi à rendre potable l'eau puisée dans le lac Victoria, en Afrique. Vous vous souvenez de la lampe Bogo ? Alors qu'il mettait au point son prototype, Mark Bent est tombé sur un os : sa lanterne ne permettait pas d'éclairer une pièce aussi bien qu'une lampe au kérosène. Il s'est alors tourné vers InnoCentive afin que la grande fourmilière des *solvers* lui ponde une manière de maximiser la luminosité. Dans les trois mois, un ingénieur de Nouvelle-Zélande soumettait les plans d'un dispositif permettant de doubler les capacités de la torche tout en sollicitant moins ses batteries. Et l'appel au peuple que favorise InnoCentive débouche souvent sur des partenariats qui n'auraient pas été envisageables par le passé. Ainsi, lorsque la Nasa a demandé de l'aide pour améliorer l'emballage de la nourriture emportée en mission, la solution retenue – l'utilisation de feuilles de graphite – lui a été apportée par un scientifique… russe.

Ratisser large

Au-delà de ces succès, la leçon la plus frappante de l'initiative d'InnoCentive réside dans le profil de ses petites mains. Une étude conduite par l'université de Harvard a dévoilé que les meilleures réponses provenaient fréquemment de personnes exerçant « aux frontières ou en dehors de leurs domaines de compétence spécifique ». Globalement, les *solvers* font mouche en s'appuyant sur des disciplines très éloignées de celles que l'on aurait plus naturellement associées au défi. Un inventeur a ainsi puisé dans ses connaissances sur le béton pour mettre au point une technique de décantation de l'huile contenue dans l'eau ; un avocat de Caroline du Nord spécialisé en brevets a découvert un procédé inédit pour mélanger de larges quantités de composés chimiques ; quatre étudiants en chimie et bioingénierie de l'université de Washington ont conçu un dispositif électronique qui émet un signal lumineux dès que de l'eau, purifiée au moyen d'une technique utilisant l'énergie solaire, devient potable – notez qu'en l'occurrence nous parlons d'une invention qui pourrait sauver des millions de vies dans les pays en développement. La morale de l'histoire, c'est qu'il est payant de solliciter une communauté aussi vaste et diversifiée que possible.

C'est la raison pour laquelle InnoCentive s'efforce de formuler chaque problème de manière à ne dissuader personne de tenter sa chance. Ainsi, l'énoncé d'un défi proposé par une société de forage n'inclura aucune référence au secteur gazier ou pétrolier. « La plupart des gens cessent de s'intéresser au problème dès qu'ils voient les mots “pétrole” et “gaz”, parce qu'ils se disent : “Je n'évolue pas dans ce domaine-là”, explique Spradlin. Notre modèle consiste à ratisser large pour ne pas se limiter aux experts habituels. »

Voilà comment votre problème finit entre les mains d'un type comme John Lucas. Cet homme de 45 ans habite Maidenhead, à l'ouest de Londres. Durant son temps libre, il a déjà résolu quatre problèmes soumis par InnoCentive et gagné au passage la coquette somme de 62 000 livres. En modifiant la forme d'une bouteille, il est parvenu à altérer les sensations en bouche que procurent les boissons gazeuses. Il a aussi identifié un additif permettant de préserver l'homogénéité des préparations à base de fromage avant d'élaborer une substance formant une pellicule qui empêche le fourrage stocké sur les exploitations agricoles de pourrir. Plus récemment, il a dessiné pour l'armée un gant qui évite les brûlures quand les militaires doivent rapidement descendre une corde en rappel.

Avec de tels états de service, on pourrait imaginer que Lucas est un chimiste exerçant en laboratoire. En fait, il s'agit d'un biologiste moléculaire diplômé en droit qui a grandi dans une ferme de l'Ohio. « Je n'ai ni laboratoire ni garage où je pourrais créer mes inventions et tester mes composés. Par conséquent, mes activités au travers d'InnoCentive ne sont que des expériences de pensée », explique-t-il. D'ailleurs, il met un point d'honneur à ne pas s'attaquer à des problèmes touchant à sa spécialité : « Classiquement, quand des entreprises calent sur un problème, c'est que les gens qui bossent dans ce secteur sont incapables de le résoudre. C'est le moment propice pour que quelqu'un d'autre l'examine d'un point de vue différent, l'aborde sous un autre angle. » À l'instar de nombreux acteurs de la solution lente, Lucas aborde chaque énigme avec de grandes réserves de patience.

Il n'espère jamais trouver du premier coup la combinaison du coffre-fort : « Au début, vous vous dites que vous n'allez pas y arriver, mais vous laissez le problème faire son bonhomme de chemin dans votre tête, vous n'arrêtez pas d'y réfléchir, de le triturer, puis vous avez une idée et vous faites quelques recherches qui vous conduisent généralement dans une autre direction. La plupart du temps, j'atterris assez loin de mon point de départ. »

Nous avons déjà vu que cette forme de réflexion lente et sinueuse est la sève de la créativité et qu'il vaut mieux ne pas la bousculer. Il est tout aussi déconseillé de cantonner vos recherches à quelques disciplines dans l'espoir de repérer plus vite la personne qui vous apportera la solution idéale. Si vous saviez où chercher votre sauveur, vous auriez déjà obtenu la réponse à votre problème. Pensez-vous qu'au XVIIIe siècle quelqu'un aurait pu prédire qu'un horloger autodidacte du Yorkshire parviendrait à résoudre le casse-tête du calcul de la longitude ? Dans le même esprit, en 2012, personne n'imaginait qu'un gamin de 15 ans, originaire du Maryland, remporterait une compétition scientifique internationale en découvrant le moyen de détecter les cancers du pancréas. « La meilleure solution consiste évidemment à confronter vos problèmes aux matières connexes, dit Spradlin, mais encore faut-il pouvoir les déterminer. Il n'est pas question d'essayer de trouver les 1 500 personnes qui seraient éventuellement en mesure de résoudre le problème ; il s'agit de laisser faire en se disant : "Je n'ai pas la moindre idée d'où viendra la solution, alors j'ai besoin de tout le monde". »

Transparence et respect

Malgré les efforts d'InnoCentive, beaucoup de *seekers* ont encore du mal à lâcher prise. Alors que les administrations et les fondations sont généralement très contentes de laisser des tiers jeter un œil en coulisses, beaucoup d'entreprises redoutent de divulguer leurs secrets à des concurrents. La majorité des défis proposés par InnoCentive pour le compte du secteur privé adoptent une formulation anonyme et quelque peu elliptique, au grand dam de la communauté des *solvers* : « À plusieurs reprises, j'ai cru avoir résolu un problème de façon satisfaisante, jusqu'à ce que la société revienne vers moi pour m'avouer qu'elle connaissait déjà ma solution ou qu'elle l'avait déjà testée, ce qui revenait à me dire que le temps et les efforts que j'y avais consacrés n'avaient servi à rien, se souvient Lucas. Quand on fait appel à des gens pour obtenir de l'aide, il faut se montrer plus transparent et expliquer en détail en quoi consiste le problème, pourquoi on cherche à le résoudre et quelle solution pourrait marcher, en faisant la liste de tout ce qui a déjà été tenté.»

Tous ceux qui envisagent de solliciter le public doivent tirer une leçon capitale de tels exemples : il faut respecter les règles du jeu. La multitude ne vous révélera sa sagesse que si vous la traitez correctement. La foule exige le respect. Elle a horreur de se sentir exploitée. En contrepartie des éclairages qu'elle peut vous apporter, elle attend de vous franchise et enthousiasme. Si elle vous soupçonne de vouloir la manipuler, elle se révoltera, se dispersera dans la nature ou ira voir ailleurs. Personne ne possède la foule.

Les sociétés qui se montrent transparentes vis-à-vis de la communauté ne tardent pas à récolter les fruits de leur honnêteté. Parfois, cette communauté se résume au personnel. Depuis 2001, IBM a recours à des « bœufs à idées » en ligne pour sonder ses 300 000 salariés répartis à la surface du globe. Ce *brainstorming* interne lui a permis de réformer ses méthodes de travail et de lancer dix nouvelles entreprises avec un capital initial de 100 millions de dollars.

Mais il peut s'avérer tout aussi profitable de faire appel à des personnes extérieures à l'entreprise. En 2006, la société de location de vidéos en ligne Netflix a offert 1 million de dollars à quiconque créerait un algorithme capable d'anticiper l'audience des films plus efficacement que ne le permettait la technologie employée par l'entreprise. Trois ans plus tard, une équipe de statisticiens et d'ingénieurs dispersés entre les États-Unis, le Canada, l'Autriche et Israël a remporté la mise. La même année, dans son usine phare de Betim, au Brésil, Fiat a débuté la construction de la première automobile entièrement issue du *crowdsourcing*. Le constructeur a établi un portail Internet où chacun pouvait déposer ses propositions sur le design et l'ingénierie du véhicule. L'initiative a suscité plus de 10 000 suggestions provenant de 160 pays. À chaque étape, le public – du cadre de chez Fiat à l'adolescent passionné de voitures – a critiqué, discuté et affiné les idées déjà publiées. Le constructeur a favorisé une grande liberté d'expression et expliqué, systématiquement, pourquoi telle suggestion avait finalement prévalu sur telle autre. « Cette façon de procéder n'a rien à voir avec un processus de conception habituel, qui est toujours confidentiel et secret », précise Peter Fassbender, responsable de Centro Estilo, le bureau de design de la firme. Fiat est même allé plus loin que d'autres partisans du *crowdsourcing*, puisqu'il est passé du monde virtuel au monde réel en invitant les contributeurs les plus brillants – dont un fonctionnaire, un spécialiste de nouvelles technologies et un enseignant – à venir inspecter les prototypes ainsi réalisés et à échanger avec les designers et les ingénieurs de l'usine de Betim. Cette expérience a donné naissance à la Mio, une voiture adorable qui a suscité des commentaires délirants au Salon international de l'automobile organisé à São Paulo en 2010. La démarche a, en outre, fait évoluer pour de bon les méthodes de travail de Fiat. Certains concurrents du secteur ont d'ailleurs suivi son exemple. Grâce à la mise en commun d'idées issues d'une communauté Internet de quelque 12 000 inconnus, designers professionnels et amateurs enthousiastes, l'entreprise américaine Local Motors a réalisé un prototype de véhicule militaire destiné à des missions de reconnaissance, de transport et d'évacuation dans les zones de combats.

Le *crowdsourcing* peut aussi aider à traiter des problèmes de société. Sur OpenIdeo, la plateforme en ligne d'Ideo, 34 000 personnes demeurant dans 160 pays différents planchent sur des questions telles que : « Comment améliorer l'hygiène et optimiser la gestion des déchets dans les communautés urbaines défavorisées ? », ou : « Comment la technologie pourrait-elle favoriser le respect des droits de l'homme en cas de détention abusive ? » Dans ce cadre, des animateurs sont chargés de faire le tri entre des centaines d'idées pour tirer une liste plus réduite, soumise, pour réflexion, aux participants. Les propositions gagnantes sont mises en œuvre sous forme de projets pilotes et de prototypes. Grâce aux idées d'OpenIdeo, l'université de Stanford a réussi à obtenir plus de signatures au soutien de sa campagne de don de moelle osseuse. Et Sony est en train de développer un magazine interactif permettant de mettre en contact des responsables de projets avec des bénévoles situés dans une même région.

D'autres organisations font appel à l'imagination du public pour mener à terme toutes sortes de projets, depuis l'amélioration de l'environnement urbain jusqu'à l'éradication des maladies sexuellement transmissibles. Dans beaucoup de domaines, les universitaires sollicitent la population pour analyser des données, tablant sur son intérêt et son incroyable aptitude à détecter les schémas récurrents. En passant en revue des images prises par le télescope Kepler et publiées sur la Toile, des amateurs ont repéré deux planètes que les astronomes avaient omises malgré leur équipement dernier cri. Ces mêmes foules anonymes contribuent à identifier des cellules cancéreuses, à déceler puis à classer de nouvelles galaxies, à traduire des manuscrits en grec ancien apparemment illisibles.

Certains problèmes quotidiens peuvent être résolus grâce à cette vaste fourmilière. Que faites-vous donc quand votre ordinateur commence à faire des siennes ? Pour ma part, je me précipite sur les forums en ligne, où des milliers d'inconnus partagent leurs tuyaux. Contrairement aux services d'assistance téléphonique mis en place par vos fournisseurs, ceux-là ne vous coûtent rien et ne vous obligent pas à écouter la *Symphonie du Nouveau Monde* en boucle pendant qu'on planche sur votre problème. Et ces espaces de discussion offrent souvent des conseils plus judicieux. La dernière fois que mon disque dur est tombé en panne, j'ai passé près d'une heure au téléphone avec un technicien de chez Apple qui n'a pas pu me proposer de solution. J'ai alors tenté ma chance sur la Toile. En dix minutes, j'ai trouvé la réponse à mon énigme, publiée par un adolescent du Wisconsin – sait-il qu'il est l'un des John Harrison du XXIe siècle ? Et ces histoires d'ordinateurs ne sont que la partie immergée de l'iceberg : le Web est truffé de forums en tous genres où chacun peut donner son avis sur d'innombrables sujets – couple, santé, plomberie, etc.

Les limites du travail de groupe

À ce stade, une mise en garde s'impose toutefois : la collaboration et le *crowdsourcing* ont leurs limites. Le travail d'équipe n'est pas l'*unique* réponse à *tous* les problèmes. Même les groupes qui affichent d'excellents états de service peuvent, avec le temps, s'installer dans la routine et réduire leur angle de vue, se tromper ou être minés par de mauvais éléments. Forte d'environ 100 000 contributeurs qui revoient en permanence son contenu, Wikipédia en illustre parfaitement les dangers. Si elle constitue une source fabuleuse d'informations, cette encyclopédie en ligne n'est pas exempte d'inexactitudes. De même, les bulles financières et les faillites de ces dernières années ont démontré que les marchés – autre exemple très médiatisé d'intelligence collective – ne sont pas toujours très avisés. Parfois, comme l'a formulé l'un des acteurs de ma saga islandaise, « ce n'est pas en réunissant plus d'abrutis que les solutions proposées s'améliorent ».

Enfin, la résolution de problèmes complexes fait souvent intervenir une avancée conceptuelle, un éclair de génie, une aptitude presque divinatoire à distinguer où va le monde. Or, ces fulgurances procèdent rarement d'une action collective. Henry T. Ford n'a pas eu l'idée de construire des voitures en se basant sur des études de marché ou des analyses de groupes témoins : « Si j'avais interrogé mes clients sur ce qu'ils voulaient, a-t-il dit un jour, ils m'auraient répondu : "Un cheval plus rapide". » Steve Jobs avait lui aussi cette capacité à voir ce qui reste invisible à d'autres. Quand le premier iPad fut lancé, il suscita le plus grand scepticisme de la part des experts et des consommateurs. Les gens allaient-ils vraiment casser leur tirelire pour un compromis bâtard entre le smartphone et l'ordinateur portable ? Et, d'ailleurs, existait-il même un marché pour les tablettes ?

Comme nous l'avons appris depuis, la réponse à ces questions était un oui retentissant. « Pour des choses aussi compliquées, il est vraiment difficile de recourir à des groupes témoins, confiera Jobs un peu plus tard. Bien souvent, les gens ne savent pas ce qu'ils veulent avant que vous le leur montriez. »

Il peut également être contre-productif de travailler à plusieurs. Pensez à toutes ces heures perdues dans des réunions inutiles. Sans compter que la collaboration et le travail d'équipe ne doivent pas être poussés trop loin. Backbone Entertainment avait choisi de construire son siège d'Emeryville, en Californie, sur le modèle d'un grand *open space* où chacun pouvait voir et entendre tous les autres. La société produit des jeux vidéo et espérait qu'en mélangeant ainsi ses salariés dans un grand chaudron, il en sortirait une riche potion de magie collaborative. Mais cette initiative n'a réussi qu'à engendrer des légions de développeurs désenchantés, n'aspirant qu'à un peu d'intimité. Finalement, l'entreprise a réorganisé ses bureaux en boxes séparés, ces symboles d'un labeur ingrat tournés en dérision par Dilbert. « On aurait pu penser que, dans un environnement créatif, les gens auraient détesté ça, s'étonne Mike Mika, l'ancien directeur artistique de la société. Mais il est apparu qu'ils préféraient avoir un petit coin à eux pour pouvoir s'isoler. »

C'est ainsi depuis la nuit des temps. Même si, dans son atelier d'Amsterdam, Rembrandt pratiquait son art au contact étroit d'autres peintres, chaque artiste disposait d'un espace intime où il pouvait travailler seul. Lorsque des consultants ont comparé 600 programmeurs informatiques issus de 92 entreprises différentes, pour déterminer ce qui faisait la différence entre les champions et les traînards, ils ont découvert que le secret de la performance ne résidait pas dans le niveau de salaire ou d'expérience, mais dans le fait de disposer d'un lieu séparé, minimisant les interférences. L'être humain est un animal profondément social, mais il a aussi terriblement besoin d'intimité et de liberté individuelle. Des recherches ont montré que les bureaux en *open space* pouvaient rendre anxieux, agressif, sujet à la fatigue et à la maladie. Dans ce type d'environnement, l'attention est captée par d'innombrables distractions qui font obstacle à une réflexion profonde. Pour profiter d'un peu de solitude dans le centre d'affaires où je travaille, je trouve refuge dans l'un des bureaux privatifs mis à la disposition des locataires. Certains ont été conçus pour une personne seule et leurs parois capitonnées vous isolent du reste du monde comme un placenta. « Il y a des limites à ce qu'un homme peut supporter des autres, me dit Peter Spencer, qui a dessiné ces espaces. Les réflexions les plus riches se produisent en général quand on laisse les gens ruminer tranquillement leurs pensées. »

C'est sans doute la raison pour laquelle, au fil du temps et dans tous les domaines, les meilleurs apporteurs de solutions, les monstres de créativité capables de concocter des solutions révolutionnaires, ont toujours chéri la solitude. Dans son bureau de l'université de Princeton, Einstein passait des heures les yeux dans le vague. William Wordsworth a décrit Newton comme un « esprit voyageant pour toujours sur les étranges mers de la pensée, seul ». Toutes les grandes religions ont leurs prophètes – Bouddha, Mahomet, Moïse –, qui tous ont pris la route en solitaire pour trouver la réponse aux grandes questions qui les taraudaient. Picasso a dit un jour : « Sans grande solitude, aucun travail sérieux n'est possible. » Ce constat reste vrai dans notre monde *high-tech*. Dans ses mémoires, Steve Wozniak a expliqué comment il a construit les deux premiers ordinateurs Apple, en travaillant tout seul, tard dans la nuit : « La plupart des inventeurs et des ingénieurs que j'ai rencontrés sont comme moi. Ils sont timides et vivent dans leur tête. Ils ressemblent beaucoup aux artistes. Et les artistes travaillent mieux seuls. »

C'est pourquoi nous devons avancer avec prudence quand nous avons recours au *crowdsourcing*. Commencez par vous demander si votre problème profitera d'une telle publicité. Si vous pensez que c'est le cas, prenez le temps de définir très précisément la bonne question à poser et la façon de gérer le public, puis de le récompenser. Surtout, ne fondez jamais tous vos espoirs sur lui.

Ce n'est pas un hasard si tous les praticiens de la solution lente que nous avons rencontrés jusqu'à présent – Ideo, le Laboratoire, la Nasa... – déconseillent de fétichiser le groupe. Ils préfèrent établir une relation de symbiose entre efforts collectifs et individuels, en laissant à chacun la liberté de développer ses idées dans le plus splendide isolement, avant de les soumettre au crible d'une équipe ou d'une communauté. L'introverti Newton éprouvait pour sa part la qualité de ses idées en adressant des lettres à ses pairs et en écrivant des articles dans les *Philosophical Transactions*. Après ses longues nuits de méditation solitaire, Wozniak allait tester ses idées auprès d'autres forts en thème du Homebrew Computer Club. Même Einstein appréciait le travail d'équipe. « Le secret consiste à trouver le juste équilibre, confie Davis Edward. Le groupe est essentiel au développement et à l'amélioration des idées, mais souvent les meilleures intuitions naissent dans l'esprit d'une seule personne. L'individu est prodigieusement important. »

Chapitre 10

Être un catalyseur : l'importance du *leadership*

Toute grande institution est l'ombre portée d'un seul homme.
Son caractère détermine celui de l'organisation.

Ralph Waldo Emerson

À Bogota, la frénésie des heures de pointe n'est plus ce qu'elle était. Du moins pour des gens comme Manuel Ortega. Ce banquier de 42 ans se rend à son bureau dans un bus qui a fait de la capitale colombienne l'enfant chéri des écologistes et le cas d'école du renouveau urbain.

Le TransMilenio n'est pas un réseau de transport ordinaire. Au milieu de ses plus larges artères, Bogota a aménagé neuf couloirs de bus qui quadrillent l'agglomération aussi efficacement que le réseau souterrain d'un métro. Chaque ligne est séparée de la voie publique par des murets qui permettent à une flottille de bus rouges d'éviter sans encombre les embouteillages. Au lieu des traditionnels arrêts de bus à ciel ouvert, les usagers disposent de cartes magnétiques qui leur donnent accès à des espaces clos de métal et de verre. Comme dans un train ou un métro, les portes du TransMilenio s'ouvrent automatiquement, quand il arrive à une station, pour permettre à ses passagers – qui comptent des personnes âgées, des handicapés, des parents avec poussette – de monter ou de descendre rapidement et facilement. Ce système a été baptisé Bus Rapid Transit, ou BRT.

Ortega emprunte tous les matins la ligne H13. Quand je l'y rejoins, je constate qu'il pourrait faire l'affiche d'une publicité pour les transports publics. Dans son costume anthracite impeccable et bien coupé, il est plongé dans la lecture d'un rapport trimestriel affiché sur l'écran de son ordinateur portable. Un collègue l'appelle sur son Blackberry pour programmer une réunion : «Je serai au bureau dans… 17 minutes, lui répond-il après un bref coup d'œil à sa montre. Tu peux déjà me préparer un café.»

Une telle ponctualité fait rêver la grande majorité des banlieusards de la planète. À Londres, Boston ou Taipei, même si vous habitez à trois ou quatre arrêts de bus de votre bureau, vous n'êtes jamais certain qu'il n'y aura pas un camion en panne ou un énorme bouchon au coin de la rue.

Tandis que la ligne H13 traverse sereinement les faubourgs de Bogota, la pagaille est à son comble autour du TransMilenio. Toutes les voies sont bloquées par des taxis décrépis et des mini-vans antédiluviens laissant échapper des nuages de fumée, quand il ne s'agit pas de carrioles tractées par des chevaux, croulant sous des tonnes de ferraille. Les mobylettes zigzaguent entre les voitures à l'arrêt, en évitant les mendiants venus quémander quelques pièces de monnaie et les vendeurs à la sauvette proposant toutes sortes de bonnes affaires, depuis les pastilles mentholées aux DVD piratés. Un mélange de klaxons, de ronflement de moteurs et de salsa agrémente la scène, dans une cacophonie teribble.

Assis près d'une fenêtre du TransMilenio, Ortega frémit devant cette vision d'apocalypse: «On dirait un autre monde. Dieu merci, je suis dans ce bus.»

En Amérique latine, comme dans beaucoup de pays émergents, les riches évoluent dans un univers à part et se déplacent dans des véhicules privés pour aller de leurs résidences entourées de murs à leurs clubs, leurs bureaux ou à quelques boutiques surveillées par des hommes en armes. Le TransMilenio a porté un coup à cette forme d'apartheid en attirant dans ses rames de nombreux *Bogotanos* aisés. Désormais, les quartiers chics entretiennent leur propre système de bus pour rejoindre les stations voisines du TransMilenio et les promoteurs immobiliers se sont mis à construire des centres commerciaux et des immeubles de luxe à proximité de ses lignes. À toute heure de la journée, vous pouvez y croiser de jeunes cadres dynamiques, l'iPhone vissé sur l'oreille, assis à côté de femmes de ménage et d'ouvriers issus des *barrios* les plus pauvres de la ville.

Beaucoup de collègues d'Ortega viennent travailler en TransMilenio eux aussi. De l'autre côté du couloir, j'aperçois trois jeunes hommes dont les ongles terreux semblent indiquer qu'ils sont employés dans l'une des plantations qui entourent Bogota. Deux rangées plus loin, une jeune avocate admire l'effet de sa toute récente manucure. Juste derrière elle, Victoria Delgado, une étudiante en biologie qui se rend à l'université, envoie un texto à son petit ami. «Du point de vue social, c'est un heureux mélange de genres, se réjouit-elle. Dans ces bus, nous sommes tous égaux.»

Mais les *Bogotanos* ne font pas près de deux millions de trajets quotidiens en TransMilenio juste pour stimuler la mixité sociale. S'ils ont adopté le BRT, c'est parce qu'il leur offre quelque chose qui leur faisait auparavant défaut: un moyen confortable et efficace de se déplacer dans cette mégalopole anarchique de 8 millions d'habitants. Le trajet de Delgado jusqu'à son université dure 25 minutes en bus et trois fois plus en voiture. Grâce au TransMilenio, Ortega a gagné jusqu'à 1 h 20 sur ses trajets quotidiens entre son domicile et son bureau. Sans compter qu'il est aujourd'hui en mesure de programmer des réunions à la volée puisqu'il sait qu'il arrivera à l'heure.

Et les jeunes femmes comme Victoria Delgado se sentent en sécurité dans les nouveaux bus, ce qui apparaissait comme une gageure dans une capitale qui était, il y a encore peu de temps, synonyme de violences urbaines. À Bogota, la prudence semble rester de mise puisqu'énormément de résidences et de sièges d'entreprise sont encore protégés par des gardes armés accompagnés de chiens, mais le nouveau système de transport en commun laisse présager un avenir plus décontracté. Il n'y a aucun agent de sécurité dans les bus et la surveillance des stations est assurée par des jeunes gens souriants en uniforme jaune et rouge portant l'inscription « Le visage amical de la ville ».

Cela dit, le TransMilenio n'est pas encore terminé. Bogota continue d'aménager de nouvelles voies et des souterrains pour permettre à ses bus de traverser certains carrefours difficiles sans avoir à attendre que les feux passent au vert ou que les embouteillages se dispersent. Et le système n'est pas sans défaut. Les trajets sont parfois chaotiques faute d'un drainage adéquat des eaux pluviales qui finissent par endommager la chaussée. Malgré le climat tempéré dont profite la capitale, les usagers déplorent aussi l'absence de climatisation durant les canicules que réserve l'été. Les femmes se plaignent parfois de passagers masculins un peu trop entreprenants et tout le monde se méfie des pickpockets. Mais le principal reproche reste l'insuffisance de places assises aux heures de pointe. En d'autres termes, le TransMilenio est victime de son succès.

Au vu de ce plébiscite global, le BRT est aujourd'hui considéré comme la solution à l'une des plus sérieuses questions que se pose la planète: comment concevoir un transport urbain confortable et propre ? Partout en Asie, en Afrique et en Amérique latine, l'amélioration du niveau de vie conduit à l'encombrement des villes par un flot de voitures, de motos, de camions, de scooters, de jeeps, de bus et autres engins motorisés variés. Les piétons sont relégués à la périphérie des lieux publics, dans des nuages de pollution. Alors que les émissions industrielles de CO^2 sont en baisse, il est prévu que les gaz toxiques rejetés dans l'atmosphère par le trafic automobile augmentent de 50 % d'ici 2030 – dont une bonne partie sera issue des pays émergents.

Le TransMilenio n'a pas une empreinte écologique neutre. Pour réduire les coûts, ses bus articulés fonctionnent au diesel, moins onéreux que d'autres carburants, certes plus propres, mais moins adaptés à l'altitude de Bogota, perchée à plus de 2 600 m au-dessus du niveau de la mer. Reste que les moteurs utilisés sont si bien conçus qu'ils polluent moitié moins que ceux des minibus classiques. De plus, l'adoption du BRT a permis à la capitale colombienne d'éliminer du réseau routier plus de 9 000 mini-vans privés, diminuant ainsi drastiquement la consommation moyenne des transports collectifs depuis l'ouverture de la première ligne en 2001. Quelques véhicules particuliers ont aussi disparu dans le mouvement. Ortega a ainsi revendu son Audi et se déplace aujourd'hui en TransMilenio ou en taxi – un progrès énorme pour une société qui assimile la voiture à la réussite sociale. « Je ne vois tout bonnement plus l'intérêt de posséder un véhicule, déclare-t-il. Aujourd'hui, on peut vivre différemment dans cette ville. »

En 2009, le TransMilenio est devenu le premier grand système de transport du monde à obtenir le droit de générer et de vendre des unités de crédit carbone dans le cadre du protocole de Kyoto. Cela signifie qu'États et entreprises qui dépassent leurs quotas d'émissions de gaz à effet de serre ou désirent améliorer leur note environnementale peuvent lui acheter des unités de crédit carbone, ce qui permet accessoirement à la ville de Bogota d'engranger quelques millions supplémentaires.

Par rapport aux moyens de transport concurrents, le BRT profite d'un excellent classement. Il est notamment beaucoup moins cher à fabriquer et à entretenir qu'un métro, tout en accueillant autant de passagers. Il n'est donc pas surprenant que des mégalopoles telles que Cape Down, Jakarta ou Los Angeles aient décidé d'en construire leur propre version. Plus d'une douzaine de municipalités mexicaines ou chinoises vendent d'ores et déjà des unités de crédit carbone issues d'un réseau équivalent au BRT – ou sont en passe de le faire. Des délégations du monde entier affluent à Bogota pour étudier le TransMilenio, et l'urbanisme est devenu la matière à la mode dans les universités colombiennes.

Bien entendu, le TransMilenio n'est pas né de rien. Au début des années 1990, Bogota semblait un cas désespéré, minée par les kidnappings, les attaques terroristes et l'un des plus forts taux de criminalité au monde. Même selon des standards latino-américains, ses infrastructures se trouvaient dans un état lamentable après des années de sous-investissements et d'exode rural débridé. Dans ce contexte, le parachutage d'un système de transport collectif rutilant et performant aurait constitué la pire des solutions de facilité. Dans d'autres pays émergents, des municipalités l'ont appris à leurs dépens : New Delhi a ainsi lancé son propre réseau, sans prendre le soin de rééduquer au préalable ses citoyens motorisés, lesquels ont rapidement perverti l'initiative en envahissant les couloirs dédiés aux autobus. À Johannesburg, les chauffeurs de taxis ont bloqué les voies réservées aux transports en commun et vandalisé les bus, parce qu'ils y voyaient une menace pour leur gagne-pain.

La métamorphose de Bogota

Pour que le TransMilenio fonctionne, il a fallu que Bogota engage une réforme de plus grande ampleur, faisant intervenir certains des ingrédients caractéristiques de la solution lente évoqués précédemment. La ville a commencé par se fixer un objectif à long terme : créer une agglomération dans laquelle personne ne craindrait de fréquenter des lieux publics. La diminution de la pauvreté ayant été identifiée comme l'un des principaux moyens d'y parvenir, la capitale a raccordé la quasi-totalité de sa population aux réseaux d'eau courante et de tout-à-l'égout ; des écoles, des piscines et des bibliothèques flambant neuves ont, en outre, été bâties dans les quartiers les plus défavorisés. Pour infléchir le taux de criminalité, Bogota a par ailleurs modernisé sa police grâce à de plus gros budgets, des formations plus efficaces et une plus forte responsabilisation. Par le biais d'amnisties et de fouilles obligatoires, elle a pu saisir et faire fondre des milliers d'armes à feu. Toutes ces mesures ont été facilitées par le tour de force qu'a réussi la Colombie en repoussant ses *guerilleros* dans la jungle et en réinstaurant la stabilité économique.

Les efforts de la ville pour retrouver un équilibre entre automobilistes et piétons ont été au cœur de sa transformation. Au début des années 1990, Bogota était esclave de la voiture. Les conducteurs grillaient les feux, ignoraient les passages piétonniers et se garaient sur les trottoirs, l'unique sanction de leurs méfaits consistant dans le versement d'un bakchich modique à des policiers corrompus. Pour regagner les territoires colonisés par les automobiles et remettre celles-ci à leur place, la municipalité a créé un nouveau corps d'agents de la circulation qui ont fait respecter les lois sur le stationnement. La ville a par ailleurs réduit de 40 % la circulation aux heures de pointe et fait installer des centaines de plots en béton sur les trottoirs pour éviter les stationnements illégaux. Puis elle a supprimé un tiers des places de parking afin de ménager de l'espace pour son TransMilenio, profitant de l'occasion pour élargir et refaire bon nombre de trottoirs.

Bogota a également entrepris de se réapproprier les parcs et les squares qu'elle avait abandonnés aux dealers et aux prostituées. Elle a aménagé de nouveaux espaces verts et réhabilité les anciens en y plantant des milliers d'arbres et en y accueillant des concerts en plein air de rock, de jazz ou de salsa, ainsi que des spectacles d'opéra, de théâtre ou de poésie.

Toutes ces réalisations ont été associées à une campagne visant à promouvoir une « culture de la citoyenneté ». Pour attirer l'attention sur les dangers de la circulation, des étoiles ont été peintes sur le bitume, aux endroits où des piétons avaient trouvé la mort. Bogota a aussi lâché 420 artistes dans les rues pour encourager – à travers l'art, la musique, la danse et la comédie – les *Bogotanos* à se comporter avec civisme, c'est-à-dire à jeter leurs ordures dans les poubelles prévues à cet effet, à aider les personnes âgées à traverser et à respecter le code de la route. Tout piéton qui dédaignait les passages cloutés pouvait être pris en chasse par un mime agitant un doigt désapprobateur ou se moquant gentiment de sa démarche. De même, un conducteur indélicat obstruant un carrefour ou une voie piétonne risquait de se voir apostrophé par un comédien feignant l'indignation et brandissant un chiffon rouge clamant : « Incorrecto ! » La municipalité a en outre fait distribuer 350 000 cartes avec un pouce vert au recto et un pouce rouge au verso pour que les piétons puissent instantanément indiquer aux automobilistes ce qu'ils pensaient de leur comportement. Pour renforcer son message, la ville s'est appuyée sur des publicités télévisées qui visaient à remettre en cause la suprématie des voitures.

Désormais, tous les dimanches, l'équilibre des forces penche clairement du côté des piétons, puisque la capitale ferme ses 120 km de voies publiques à la circulation. Des gens de toutes origines sociales envahissent les artères normalement encombrées par les véhicules en tous genres pour courir, faire du vélo, se promener, jouer au foot ou au frisbee. Dans les parcs, des groupes de musique et des cours à ciel ouvert de yoga ou d'aérobics entretiennent cette atmosphère de fête, donnant l'impression diffuse que l'ordre naturel des choses a été renversé… ou restauré.

Comme beaucoup de *Bogotanos*, Victoria Delgado, l'étudiante en biologie qui se rend sur son campus en TransMilenio, adore les dimanches. Elle en profite pour aller courir au milieu du boulevard situé au pied de chez elle, à moins qu'elle n'aille faire du vélo avec son petit ami : « Dans ces moments-là, chacun peut goûter à ce que serait la vie dans une ville conçue pour les gens plutôt que pour les voitures, s'enthousiasme-t-elle. Et quand vous avez goûté à quelque chose, dans votre tête, il devient possible. C'est très fort. »

Bogota a aménagé plus de 300 km de pistes cyclables dans le labyrinthe de ses faubourgs. Il est désormais possible de traverser la ville à vélo sans jamais avoir à frôler un véhicule à moteur. Dans la plupart des villes d'Amérique latine, circuler en vélo s'apparente à la roulette russe, tandis que certaines zones de la capitale colombienne ressemblent aujourd'hui aux Pays-Bas. En plein milieu de semaine, par un après-midi ensoleillé, le quartier de Tintal m'offre un aperçu du *melting-pot* de Bogota : juché sur son vélo, un retraité revient du marché, les sacoches débordant de légumes ; un ouvrier du bâtiment, coiffé de son casque de chantier jaune, dépasse une jeune femme en tailleur de bureau et lui adresse un sourire sympathique ; quelques enfants rentrent de l'école avec un camarade sur leur porte-bagages…

Bogota est aujourd'hui une ville plus sûre, plus propre et plus agréable, chose inenvisageable au début des années 1990. Depuis le lancement du TransMilenio, l'usage du vélo s'est incroyablement répandu, tandis que les blessures et les décès attribuables aux accidents de la circulation chutaient de façon vertigineuse. La qualité de l'air, le long des couloirs du BRT, s'est remarquablement améliorée. En 2007, l'office du tourisme colombien a ainsi pu imaginer ce nouveau slogan : « Le seul risque, c'est d'avoir envie de rester. »

Le poids d'un seul homme

La métamorphose de Bogota doit nous rappeler que le souci des petites choses, la pensée globale et la réflexion à long terme sont des composants essentiels de toute solution lente. Elle nous enseigne également une leçon tout aussi importante.

Vous aurez peut-être noté que j'ai attribué les changements réalisés dans la capitale colombienne à la «ville» elle-même ou à des édiles anonymes. La vérité est plus nuancée. Il se trouve que Bogota est un exemple saisissant du prochain ingrédient de la solution lente: disposer d'une personnalité forte pour piloter la recherche d'une solution.

À la lecture de ce livre, beaucoup de réponses à des problèmes semblent être le fruit de multiples acteurs, qui sont prompts à saluer l'effort collectif qui les a rendues possibles. Nous avons découvert ensemble la réponse au problème, clament-ils. Nous n'aurions jamais pu la trouver tout seuls. Tous applaudissent la réussite d'une collaboration, d'une équipe ou d'un réseau. Mais n'oubliez pas la mise en garde que nous avons énoncée au chapitre 9 : la plus intelligente des équipes et la plus sage des foules ne peuvent pas tout. La réussite combine généralement le génie individuel et collectif. Au minimum, quelqu'un doit encadrer le groupe, comme le font les modérateurs qui organisent les débats et les *brainstormings* d'OpenIdeo ou des Assemblées nationales en Islande.

En examinant de plus près n'importe quelle solution lente, vous pourrez constater fréquemment que, la vision dont elle procède a pris forme dans la tête d'une seule personne qui a su cimenter le groupe, agir en qualité de pivot ou de paratonnerre et dont l'exemple a incité les autres à se dépasser, à accepter des sacrifices et à vaincre les résistances et l'inertie que doit affronter tout projet un peu ambitieux.

Ce constat n'étonne pas Tony Silard, fondateur du Global Leadership Institute, établi à Washington. Il a passé vingt ans à encadrer des milliers de dirigeants issus du secteur privé ou des milieux associatifs, y compris les responsables d'une centaine d'entreprises citées par le magazine *Fortune*. Il est convaincu que toute solution lente s'appuie nécessairement sur un personnage central: «Trouver une solution à des situations complexes implique un changement, et la première chose à laquelle les gens aspirent en cas de changement, c'est la sécurité, affirme-t-il. Parce que les idées changent, les circonstances changent et les équipes changent, les gens sont à la recherche d'une personnalité qui a une vision claire de leur destination, qui sera responsable de ce qui se passe et qui saura les rassurer. Ils veulent un leader.»

Toutes les solutions lentes que nous avons évoquées jusqu'à présent ont profité d'une telle figure emblématique. Malgré sa douceur et sa courtoisie, c'est bien

Are Hoeidal qui donne le *la* dans la prison de Halden. Et c'est le colonel Simon Brailsford qui a joué le rôle de catalyseur dans la révolution conduite par la RAF en matière de sécurité. Dans le cas de la *high shool* de Locke, où les personnages clé se comptent par dizaines, le personnel attribue unanimement la réussite de la réforme de l'établissement à Kelly Hurley, l'ancien directeur aujourd'hui vice-président chez Green Dot : « C'est le genre de type qui bosse depuis l'aube jusque tard dans la nuit pour rencontrer tous les élèves, les profs, les parents, les administratifs, les agents de sécurité, et tout passe par lui, confie Phil Wolfson, responsable des études spécialisées au sein de Locke. Kelly, c'est la colle qui fait tenir tous les morceaux ensemble. » Quant à David Edwards, chantre de la collaboration, il reste le moteur invisible de très nombreux projets pour le Laboratoire. À ses yeux, « la vision et la passion d'un noyau créateur sont essentielles ».

Apple s'appuie sur la collaboration et le travail d'équipe pour concevoir ses gadgets révolutionnaires, mais elle encourage aussi ses responsables de projets à agir en qualité d'« auteurs », c'est-à-dire en meneurs d'équipe capables d'imprimer leur personnalité au produit final. À cet égard, Jonathan Ive est une figure tellement centrale de la conception de l'iMac, de l'iPod et de l'iPad, qu'il est souvent crédité de l'invention de ces appareils. Et que dire de Steve Jobs, l'auteur par excellence. Fans ou détracteurs, tous comparent son pouvoir inégalable de conviction à un « champ de distorsion de la réalité[1] ». Ses discours de présentation des produits phares ont été salués comme d'exceptionnelles leçons sur l'art de la persuasion. De son vivant, Jobs a réussi à atteindre un niveau de vedettariat que l'on associe plus généralement aux rock stars et dont bénéficient rarement les dirigeants d'entreprise, si l'on en juge par les gerbes de fleurs, les messages et même les kilos de pommes, croquées ou non, reçus par les boutiques Apple à l'annonce de son décès, en 2011.

De même, lorsqu'il a fallu imaginer une solution lente pour la ville de Bogota, la municipalité s'est largement appuyée sur deux maires visionnaires qui ont enchaîné les mandats à compter de 1995. Le premier, Antanas Mockus, est un mathématicien et un philosophe quelque peu excentrique qui se montre volontiers théâtral. Il n'a pas hésité à endosser un costume de super-héros et à s'autopro-

1. Ce terme du jargon informatique désigne l'effet Steve Jobs sur tous les collaborateurs d'Apple, qui finissaient par voir la réalité à travers les yeux de leur manageur.

clamer « super-citoyen » pour promouvoir la « culture de citoyenneté » qui faisait partie de la transformation de la capitale. Enrique Peñalosa, son successeur, est un économiste pétillant et cosmopolite, doté d'un passé marxiste. Moins exubérant que son prédécesseur (qui a dû démissionner de son poste de recteur de l'université après avoir dévoilé son postérieur lors d'un cours magistral dispensé à des étudiants chahuteurs), il est à l'origine de la plupart des réformes qui ont transformé le paysage de Bogota, comme le TransMilenio.

Défendre un rêve

Pour mieux cerner le rôle de catalyseur que peut jouer une personne dans l'émergence d'une solution lente, je prends rendez-vous avec Peñalosa. Nous nous retrouvons par une douce soirée de printemps dans la zone T, un quartier piétonnier qu'il a créé en 2000. Bordée de cafés et de restaurants chics, la rue est bondée de gens de tous âges venus pour s'y promener, y boire une bière ou dîner en terrasse. Une allégorie de la vie urbaine branchée.

Peñalosa arrive en vélo – il écoute Sarah Brightman sur son iPad. Grand, mince et barbu, il évoque un Don Quichotte médiatique. Dix ans se sont écoulés depuis son dernier mandat, mais plusieurs passants lui adressent un salut amical. Nous nous installons pour dîner à la terrasse d'un restaurant italien et, dans la seconde, le patron se précipite pour prendre l'ancien maire dans ses bras. « Quand j'ai pris les commandes de la ville, la Colombie était en pleine récession et la guérilla était devenue incontrôlable, se souvient Peñalosa. D'une certaine manière, c'était un avantage parce que les gens étaient prêts pour le changement, quitte à tenter quelque chose d'un peu fou. »

Son rêve ne se limitait pas à la construction du TransMilenio. Il comportait aussi la transformation de Bogota en une cité appartenant à tous et à l'aise dans ses baskets : « Une belle ville, c'est une ville où riches et pauvres se côtoient dans les parcs, dans les bus, sur les trottoirs et lors de manifestations culturelles, me dit-il en reposant ses couverts pour permettre à ses mains de se joindre à la conversation. Les êtres humains sont des piétons dans l'âme, nous sommes des animaux qui ont besoin de marcher, non seulement pour survivre, mais pour être heureux. Un oiseau enfermé dans une cathédrale est plus heureux que dans une petite cage, mais le plus heureux des oiseaux, c'est encore celui qui vole librement. »

Il s'interrompt pour observer autour de lui. Une jeune famille se promène en dégustant des glaces et en poussant des vélos. Un sourire illumine le visage de Peñalosa et il enfourche son cheval de bataille.

« Pouvoir se prélasser à la terrasse d'un café sans être accablé par les voitures, lire un journal en silence, écouter le chant des oiseaux, voir des enfants jouer sans crainte dans la rue et entendre leur rire, apercevoir un couple s'embrasser sur le trottoir, se sentir suffisamment en sécurité pour aller travailler en vélo ou retrouver un ami dans un parc, remplir la ville de papillons et de fleurs – toutes ces choses agrémentent plus votre vie que le doublement de votre salaire. Pour Bogota, je voulais créer une ville où les gens auraient envie d'être dehors, où ils pourraient vivre leur vie comme elle doit être vécue. »

Son discours est émouvant et je n'y suis pas insensible. Or, cela a son importance, car une solution lente exige que quelqu'un fédère les troupes. Vous pourriez remplir tout un Kindle avec les livres, les articles et les essais consacrés à l'art du leadership, mais tous se résument plus ou moins à un point : insuffler aux autres l'envie de vous suivre au combat. « Si les gens sentent que vous manquez de passion ou que vous ne songez qu'à votre carrière, ils n'investiront pas sur vous, estime Tony Silard du Global Leadership Institute. Mais quand vous vous passionnez vraiment pour une idée, les gens vous suivent. »

Beaucoup de nos pourvoyeurs de solutions lentes sont mus par un feu intérieur similaire. Julien Benayoun, le designer qui a contribué au projet WikiCells, décrit David Edwards comme le catalyseur en chef du Laboratoire : « Il a assez de foi pour une, deux, trois, quatre ou cinq personnes, confie-t-il. Quand vous avez une baisse de moral, quand la complexité du problème vous déprime, il réussit à vous remettre en selle. Certaines personnes ont ce talent. »

C'est clairement le cas de Peñalosa. Bien que trois défaites consécutives aux élections municipales semblent indiquer des faiblesses de campagnes, il est facile de l'imaginer haranguer ses troupes à la mairie de Bogota. Nombreux sont les membres de son ancienne équipe qui continuent à lui vouer une grande admiration : « Enrique a une manière de s'adresser aux gens qui leur donne l'impression qu'ils sont les personnes les plus importantes au monde, dit l'un de ses anciens conseillers. C'est un maître dans l'art de vous inciter à creuser encore un peu plus profond, quand le sol devient dur. »

En arrivant à la mairie de Bogota, Peñalosa avait déjà une puissante intuition visionnaire pour sa ville. Or, pour que les gens vous suivent, la maîtrise des détails ne suffit pas. Il faut voir grand et à long terme. Ce n'est pas en leur promettant des pistes cyclables et des bus plus confortables que vous galvaniserez un électorat. Vous y parviendrez en vous engageant à révolutionner son univers. « Même le plus humble balayeur de rues a compris que sa tâche ne se résumait pas à nettoyer les trottoirs, mais consistait à transformer Bogota, martèle Peñalosa. Il savait ce que nous faisions et il en connaissait les raisons parce que nous avions une vision et que celle-ci s'est répandue. »

Aujourd'hui, la plupart des *Bogotanos* concèdent que leur ville a fait des pas de géant depuis les années 1990, mais pour changer les mentalités, la bataille a été rude. Au début, les automobilistes refusaient de céder du terrain : « Ce fut un interminable combat, d'abord pour enlever les voitures des trottoirs, puis pour élargir ceux-ci, se souvient Peñalosa. Les propriétaires de véhicules étaient ceux qui détenaient le pouvoir dans la ville, ils étaient riches et nul n'avait encore osé toucher à leurs privilèges. Ils avaient l'impression d'avoir le droit de rouler et de se garer où bon leur semblait. Ils méprisaient les bus qu'ils considéraient comme le mode de transport des pauvres. C'était une lutte à mort. »

Peñalosa a payé le prix fort pour son audace. Un an après avoir débuté son mandat, les opposants à ses projets de rénovation urbaine sont devenus si virulents qu'il a dû envoyer sa fille de douze ans vivre à Toronto : « J'étais devenu l'ennemi public numéro un ; la seule personne plus détestée que moi était le chef de la guérilla, dit-il. Je me souviens de mes prières du matin : "Dieu, s'il vous plaît, laissez-moi juste finir cette journée." Je ne pensais même pas à la semaine, au mois ou à l'année à venir. Je voulais juste survivre une journée de plus. »

Une telle offensive aurait conduit beaucoup d'hommes politiques à baisser les bras. Le fait que Peñalosa ait tenu bon en dit long sur son caractère. Cela suggère également que les praticiens de la solution lente ne doivent pas seulement inspirer leur entourage : il faut aussi qu'ils croient fermement en eux. Cet aspect de Peñalosa a sans aucun doute également pesé dans la balance : « Si j'ai été capable de persévérer, c'est que je savais que j'avais raison, déclare-t-il. Même si les gens s'opposaient à ma vision pour la ville, je savais que c'était la bonne chose à faire. Quand vous avez une vision à long terme aussi claire, vous vous sentez suffisamment confiant pour affronter le monde entier et défier l'opinion publique, parce que vous possédez la sérénité que vous apporte la certitude que, d'ici quinze ou vingt ans, l'histoire vous donnera raison.» Voilà, une fois encore, un exemple du calme que peut apporter une vision à long terme.

Souvent, c'est le temps que l'on passe à se faire une idée détaillée du problème qui permet de forger une conviction indestructible. Pour s'en convaincre, penchons-nous sur le CV de quatre figures de la solution lente; Hoeidal a travaillé près de vingt ans au sein du système carcéral norvégien, en particulier dans une administration pénitentiaire, avant d'être muté à Halden; Hurley a très longtemps dirigé quelques-unes des écoles les plus difficiles de la région de Los Angeles avant de prendre les commandes de Locke; Edwards a testé pendant de longues années les interactions possibles entre les arts et les sciences avant de créer le Laboratoire. Peñalosa, enfin, a vu suffisamment de solutions de fortune tourner à la catastrophe à Bogota pour ne pas souhaiter déclencher sa révolution urbaine dans la précipitation. Il savait qu'il lui faudrait commencer par un travail ingrat pour accumuler les connaissances et l'expertise qui lui permettraient, un jour, de remettre sa ville en état. C'est en étudiant à Paris, dans les années 1970, qu'il a commencé à réfléchir à la façon dont le paysage urbain pouvait influencer le comportement des gens: «Paris m'a appris que, dans une ville qui vous offre la sécurité, la vie culturelle, l'opportunité de marcher, de faire du sport, d'aller dans des parcs, le fait d'être riche ou pauvre devient moins important, dit-il. C'est ce qui m'a aidé à réfléchir à Bogota en termes différents.» À peu près à la même époque, la participation de son père à la conférence sur l'habitat organisée par les Nations unies a exposé Peñalosa aux dernières tendances en matière de développement urbain.

Après avoir étudié comment les Néerlandais et les Danois avaient réussi à canaliser leurs automobilistes pour rendre leurs villes aux piétons et aux cyclistes, il a lancé un débat sur les pistes cyclables dans les journaux colombiens. Il a fait des recherches pour comprendre comment Lima, la capitale du Pérou, avait chassé les délinquants de ses parcs et de ses squares, puis a analysé les avantages et les inconvénients du système de BRT que Curitiba, une ville au sud du Brésil, avait mis en place dans les années 1970. «J'avais un peu peur parce que personne d'autre dans le monde n'avait suivi leur exemple. Du coup, je me disais qu'il devait y avoir un problème que je ne voyais pas, quelque chose qu'il fallait que je clarifie avant de mettre ma théorie en pratique, se remémore Peñalosa. Le fait de visiter d'autres endroits m'a donné des idées et m'a aidé à progresser dans ma réflexion, mais le plus important, peut-être, c'est que cela m'a encouragé à considérer que tous les problèmes avaient une solution.»

Une fois ces travaux d'approche terminés, Peñalosa était prêt à se lancer dans la bataille: «J'ai passé vingt-cinq ans à étudier, lire, réfléchir pour déterminer comment restructurer cette ville, dit-il. Au moment où j'ai entamé mon mandat, j'étais prêt à opérer des changements radicaux et à le faire rapidement.» En clair: sa base de données personnelles était gonflée à bloc et parée pour l'action.

Impliquer tout le monde

Mais, à l'instar d'autres figures emblématiques de la solution lente, Peñalosa n'est pas un produit de la tyrannique école du leadership. Au contraire, c'est un fervent partisan du travail d'équipe et du recours aux masses. Pour qu'idées et commentaires puissent s'exprimer librement, il a imaginé un système de messagerie permettant aux 1 500 membres que comptait son administration de laisser un message personnel à n'importe lequel de ses collègues, y compris le maire lui-même. Tous les trois mois, tout comme Yvon Chouinard de Patagonia, il emmenait des cadres importants de son équipe pour une retraite en dehors de la capitale afin de faire le point sur leurs progrès. Malgré une foi d'airain dans sa vision et une détermination féroce à la concrétiser, il a félicité ses collègues pour la qualité de leur travail et la pertinence constructive de leurs critiques: «Si vous voulez résoudre des problèmes, il vous faut être à la fois arrogant et humble. On ne peut pas s'autopersuader d'être un oracle ayant toutes les réponses, dit-il. Si les gens estimaient que j'avais tort, nous discutions, nous débattions et nous ajustions le tir. Oui, j'ai été sévère, parfois. Il le fallait. Mais je n'ai jamais obligé mon équipe à accepter ma vision, je l'en ai convaincue. L'important, c'était que tous participent et aient le sentiment de faire partie de cette vision, et c'est grâce à cela que nous avons réalisé ensemble des choses dont je n'aurais jamais osé rêver et que je n'aurais jamais pu faire tout seul.»

Voilà qui corrobore les meilleurs travaux universitaires sur le leadership. Les recherches montrent en effet que les débats collectifs sont plus productifs lorsqu'un leader accorde à chaque participant la possibilité de s'exprimer et que les dirigeants commencent à prendre de mauvaises décisions quand ils n'écoutent plus les conseils des autres. Quand Jim Collins a effectué ses recherches pour son ouvrage *Good to*

Great (De la performance à l'excellence[2]*)*, il a découvert avec surprise que les responsables qui propulsent au premier rang et durablement des entreprises solidement établies ne sont pas les rouleurs de mécanique qui retiennent l'attention lors des entretiens de *The Apprentice*[3]. Certes, ils possèdent une détermination farouche et absolue, mais ils savent également faire preuve d'une humilité suffisante pour écouter. Comme Peñalosa. « Effacés, discrets, réservés voire timides, ces leaders sont un mélange paradoxal de modestie personnelle et de volonté professionnelle, écrit Collins. Ils ressemblent plus à Lincoln et à Socrate qu'à Patton ou à César. »

Ce côté accessible convient parfaitement à notre époque. Dans un monde sans barrières, où stars et dirigeants s'adressent directement à leurs fans et à leurs clients *via* Twitter, où les grandeurs et misères des puissants reçoivent une publicité sans précédent, l'idée d'un leader infaillible et omniscient qui préfère faire cavalier seul apparaît totalement dépassée. Mais savoir tendre l'oreille aux conseils de son entourage ne fait pas tout. Les meilleurs chefs possèdent en général une bonne dose de ce que le psychologue Daniel Goleman appelle l'« intelligence émotionnelle », c'est-à-dire la capacité à comprendre les autres et à s'entendre avec eux. Après avoir étudié 188 entreprises internationales de renom, Goleman a en effet constaté que l'intelligence émotionnelle était la clé de la réussite : « Quand j'ai analysé ces données, j'ai obtenu des résultats spectaculaires, écrit-il. Certes, l'intellect était un levier de la performance de qualité. Les aptitudes cognitives, telles que la réflexion globale et la vision à long terme, étaient particulièrement importantes. Mais lorsque j'ai calculé le rapport existant entre compétences techniques, QI et intelligence émotionnelle comme composants de l'excellence, cette dernière s'est avérée deux fois plus importante que les autres facteurs, quel que soit le niveau de poste considéré. »

Google est arrivé à une conclusion similaire quand il a voulu vérifier la validité de cette hypothèse : les meilleurs managers seraient ceux qui disposeraient du plus grand bagage technique. Après avoir mouliné de très nombreuses données pendant plusieurs mois et analysé notamment des sondages d'opinion, des entretiens d'évaluation et des citations pour la remise de prix dans le domaine du management, Google a abouti au verdict suivant : les dirigeants qui prennent

---

2. Pearson, coll. « Village mondial », 2009.

3. Voir note 1, page 42.

le temps de discuter en tête à tête avec un collègue, qui abordent les problèmes en posant des questions au lieu d'imposer autoritairement des solutions et qui manifestent de l'intérêt pour la vie et la carrière de leurs subordonnés sont non seulement les plus appréciés, mais aussi ceux qui dirigent les équipes les plus performantes.

Le Viking au cœur de mère

Est-ce pour cette raison que tant de gourous du leadership font référence à Ernest Shackelton, marin britannique qui mena une expédition tragique dans l'Antarctique en 1914. Au cours de la mission, son bateau, l'*Endurance*, fut pris dans les glaces et dériva pendant dix mois avant d'être broyé comme une allumette. Shackelton a dû alors résoudre l'un des problèmes les plus difficiles des annales de l'exploration du pôle Sud : comment porter secours à 28 hommes retranchés sur un îlot glacé, à plus de 1 000 km de toute civilisation. Pour leur sauver la vie, il s'improvisa maître en leadership en formulant ses ordres tout en encourageant un fort esprit de corps. Il programma les repas à des intervalles réguliers, participa aux soins dispensés aux malades et mit un point d'honneur à ce que tous, sans exception, accomplissent les corvées les plus ingrates. Il encouragea ses hommes à s'exprimer à travers des jeux, des poèmes, qui étaient ensuite lus à l'équipage, et diverses activités pouvant les intéresser. Finalement, il s'embarqua avec six membres de l'équipage sur une minuscule baleinière pour parcourir 1 300 km d'océan glacial avant de toucher une terre inhospitalière. Le groupe dut traverser une chaîne de montagnes recouverte de neige avant d'atteindre les secours et de repartir chercher le reste de l'expédition. Après deux années d'enfer polaire, chacun des naufragés de l'*Endurance* put raconter son histoire.

« Quelqu'un a surnommé Shackelton "le Viking au cœur de mère". De fait, quelle meilleure épithète pour un leader : vous êtes un Viking, vous êtes fort, vous êtes sûr de vous, une cause vous tient à cœur et vous ne craignez pas de vous investir pour elle ; en même temps, vous prenez soin des autres et vous les soutenez, remarque Silard. Les leaders les plus efficaces parviennent à trouver cet équilibre entre empathie et authenticité. Les gens veulent voir que vous avez une vision claire de la manière d'aborder un problème, mais ils veulent aussi qu'on les écoute. »

Nombre de nos créateurs de solutions lentes combinent cette douceur et cette force – le velours et l'acier. Voyez comment Wolfson décrit Hurley, l'ancien principal du collège de Locke : « C'est quelqu'un qui a une très bonne écoute, mais s'il doit insister sur la direction qu'il veut prendre, il sait aussi le faire. Il réussit le tour de force de nous laisser librement proposer nos propres idées, tout en nous entraînant tous ensemble sur un unique chemin. »

Tous les leaders qui ont réussi n'ont pas un sens maternel aussi poussé. Steve Jobs en est un contre-exemple classique. Les gens bien informés d'Apple l'ont décrit comme un tyran qui voulait tout contrôler et se montrait parfois grossier envers ses employés, en les agressant verbalement, en s'appropriant leurs idées, en ne s'intéressant jamais à leur vie privée. Le succès d'Apple aurait-il été encore plus grand si l'intelligence émotionnelle de son patron avait été à la mesure de son QI ? Nous ne le saurons jamais. Mais Jobs appartenait peut-être à cette espèce extrêmement rare : celle des génies dont vous vous éloignez à vos risques et périls.

Le commun des mortels pourrait-il pratiquer un tel leadership ? Le débat est ouvert. En revanche il ne fait aucun doute que le traitement d'un problème complexe dépend fréquemment d'un personnage clé. Comment imaginer que Bogota aurait pu évoluer ou s'intéresser au TransMilenio sans des hommes comme Peñalosa aux commandes ? Quelle que soit la difficulté à résoudre, il est judicieux de placer une figure faisant office de catalyseur au cœur de votre dispositif. Pour cela, préférez un Viking doté d'un cœur de mère *et* d'un riche bagage sur le sujet. Si vous ne correspondez pas au profil, remisez votre ego et enrôlez quelqu'un qui y pourvoira. Et si cette personne part, remplacez-la sans attendre. Ne laissez jamais votre projet sans gouvernail, au risque de le voir dériver voire régresser.

Car l'engouement pour la métamorphose de Bogota est retombé ces dernières années. Les derniers édiles qui se sont succédé à la tête de la mairie ont déployé moins d'énergie pour la réalisation des travaux publics, la lutte contre la pauvreté et la réduction des embouteillages. La délinquance, ou du moins la peur qu'elle suscite, est de nouveau sur une courbe ascendante. En 2011, le maire a été contraint de démissionner pour une affaire de corruption qui a paralysé la construction de la nouvelle ligne du TransMilenio en direction de l'aéroport. Dans le même temps, l'amélioration du niveau de vie a conduit à une intensification de la circulation. Et l'équilibre s'est de nouveau rompu au profit des propriétaires de véhicules à moteur.

Après notre dîner dans la zone T, Peñalosa m'emmène pour une promenade dans le quartier. Il est fier de ce qu'il a accompli : « Nous voulions réformer les mentalités et c'est ce que nous avons réalisé à Bogota, me dit-il. Certes, il manque encore dix milles choses et il y a encore beaucoup à faire, mais l'essentiel est d'avoir changé la vision de la ville. Nous avons imposé l'idée que le progrès ne devait pas se mesurer à l'aune du nombre d'autoroutes, mais en fonction de la qualité de nos transports en commun et de nos espaces publics. Sans cela, le TransMilenio n'aurait jamais fonctionné. Rien de ce que nous avons réalisé n'aurait marché. Tout cela n'aurait été qu'un bricolage dépourvu de sens. »

Le glissement qui s'est opéré depuis qu'il a fini son mandat le met en colère. Et lorsque nous passons à côté de trois voitures garées sur le trottoir d'un restaurant de *ceviche*, il hoche vigoureusement la tête en signe de réprobation : « Ils n'ont rien à faire là ; c'est parfaitement illégal », s'énerve-t-il. Pas très loin, un agent de sécurité qui a entendu son commentaire détourne la tête d'un air penaud.

Avant qu'il reparte sur son vélo, je demande à Peñalosa ce qu'il changerait s'il pouvait reprendre à zéro la transformation de Bogota. Sa réponse est immédiate : « Nous investirions beaucoup plus pour nous rallier l'homme de la rue. Pour résoudre des problèmes difficiles, il faut vraiment impliquer au maximum les gens qui vivent avec tous les jours. »

Chapitre 11

Déléguer :
aide-toi, le ciel t'aidera

Les bonnes solutions n'existent que si elles font leurs preuves.
Les problèmes doivent être résolus en situation par des gens
qui subiront les conséquences de leurs erreurs.

Wendell Berry

Ricardo Perez se souvient encore de la première fois où il a goûté son propre café. C'était au début de l'année 2005, à San José, la capitale du Costa Rica, et cette expérience a changé sa vie. Comme tant de fermiers de ce petit État d'Amérique centrale, Perez est issu d'une famille qui fait pousser du café depuis des générations. Mais ni lui ni ses ancêtres n'avaient jamais dégusté un bon café produit à partir de leurs propres récoltes. Les quelques kilos de fèves qu'ils conservaient pour leur consommation personnelle étaient si maladroitement transformés que ce seul souvenir lui arrache une grimace : « Ce n'était vraiment pas quelque chose que vous aviez envie de boire, dit-il. C'était très mauvais, vraiment très mauvais. »

Par contraste, le breuvage qu'il a découvert ce matin de 2005 est un nectar pour les amateurs de café du monde entier : un produit bio, issu d'une seule propriété, séché, torréfié et préparé à la perfection. « Toute ma vie, j'ai vécu et travaillé au milieu des caféiers sans jamais avoir testé le fruit de mes récoltes. Cet instant a donc été magique, s'émerveille-t-il encore. Les arômes étaient stupéfiants – je me souviens de la surprise causée par sa délicieuse note acidulée – mais c'était aussi très émouvant. Je me suis dit : "Ça, c'est *mon* café, je suis en train de boire *mon* café, ce n'est pas un café qui vient d'ailleurs, c'est le *mien*, il est à *moi* et son goût est merveilleux." À partir de ce moment, tout a changé. »

Le café est une affaire très sérieuse au Costa Rica. Des grains d'arabica ont été importés d'Éthiopie et plantés dans le pays en 1779. Comprenant le potentiel de cet arbuste, l'État a distribué des petites parcelles de terrain à quiconque voudrait bien en faire pousser. L'essor fulgurant des exportations a donné naissance à une nouvelle caste de barons du café, suffisamment influents pour pouvoir renverser le premier président et prendre les rênes du pays durant une bonne partie du XXe siècle. Mais cet afflux d'argent a aussi permis de métamorphoser le Costa Rica en une nation moderne. Comme le poisson en Islande ou le blé au Canada, le café appartient à de la culture nationale. Par le passé, les vacances scolaires coïncidaient d'ailleurs avec la période de la récolte et l'année fiscale reste calquée sur sa commercialisation, qui débute en octobre. Le café est toujours, à ce jour, l'un des premiers produits d'exportation du Costa Rica.

Pour nombre d'entre nous, cette boisson est associée à l'image que nous en a donnée Hollywood à travers cinquante ans de publicités mettant en scène Juan Valdez, ce planteur créé de toutes pièces par la Fédération nationale des producteurs de café de Colombie. Avec sa moustache légendaire et sa fidèle mule, Conchita, il est l'archétype de l'honnête *cafetero*, menant une vie simple mais épanouissante, en harmonie avec la nature. Les campagnes publicitaires le présentaient en train de caresser et de humer ses grains de café avec un sourire béat, sur un fond sonore censé vous faire vibrer. « Juan Valdez a sans aucun doute un excellent outil de promotion, reconnaît Perez. Mais il a donné une image très idéalisée de la vie que mènent la plupart des producteurs de café. »

Quand la finance domine

Car le secteur est miné par les problèmes dont souffrent toutes les activités liées au commerce. Qu'il s'agisse de sucre, de cacao ou de café, les producteurs vivent et meurent au rythme de la fluctuation des cours des marchés de denrées internationaux. Et les petites unités ne sont pas les seules à en faire les frais. En 2011, le P.-D.G. de Starbucks, Howard Schultz, a accusé les spéculateurs de gonfler artificiellement le prix mondial du café. Cette volatilité est certes moins problématique pour les récoltants lorsque le marché est durablement à la hausse, comme ce fut le cas au Costa Rica dans les années 1970. Pendant cet « âge d'or », les parents de Perez ont pu s'acheter trois voitures et envoyer tous leurs enfants à l'université. Ricardo y a obtenu un diplôme de science politique et de relations internationales. Mais les années qui ont suivi ont été marquées par l'instabilité et les épreuves et, quand le cours du café s'est effondré en 2002, beaucoup de planteurs costaricains ont fait faillite. Propriétaire de 15 hectares de terres à 60 km de San José, Perez était prêt à abandonner la culture du café : « J'envisageais d'élever des vaches laitières ou de vendre mes parcelles pour faire quelque chose de complètement différent, confie-t-il. J'aurais mis fin à la tradition familiale, mais le café semblait alors une voie sans issue. »

Un tel pessimisme étonnera sans doute tous ceux qui ont déjà dû débourser 5 dollars pour un *macchiato* à New York ou à Londres. Certes, le marché du café brasse beaucoup d'argent, mais la somme qui finit dans les poches de ceux qui cultivent les caféiers est dérisoire. De ce fait, les petits producteurs comme Perez manquent généralement des fonds ou des incitations nécessaires pour transformer leurs modestes plantations en exploitations florissantes et durables.

Mais tout cela est en train de changer. Les planteurs du Costa Rica opèrent aujourd'hui une mutation qui semblait inconcevable il y a peu : transformer et commercialiser leur propre café sous leurs propres marques. Au lieu d'envoyer leurs récoltes par camions entiers aux moulins industriels qui dominent le marché local depuis plus d'un siècle, ils ont bâti leurs équipements et se sont mis à moudre leurs fèves eux-mêmes.

Cette « révolution du micromoulin » a été suscitée par l'évolution de l'industrie du café. Dans les années 1990, Starbucks, Illy et quelques autres acteurs importants du secteur se sont mis à parcourir le monde à la recherche de grains de meilleure qualité. Les mixtures anonymes déversées par les géants du Costa Rica n'étaient pas assez bonnes pour eux. À mesure que la mode du café s'est développée, de petits torréfacteurs spécialisés sont apparus et ont cherché des grains d'exception pour les vendre à des clients qui étaient prêts à y mettre le prix.

Comme souvent en matière de solutions lentes, une personne a joué un rôle essentiel dans l'essor des micromoulins du Costa Rica. Lui-même exportateur de café, Francisco Mena a très tôt compris leur potentiel. Il a fait découvrir leur café à Perez et à ses confrères planteurs. Il les a aidés à résister aux mesures de rétorsions prises par les méga-moulins et à gérer la paperasserie qu'impliquait le développement de leur entreprise. Il les a aussi conseillés pour organiser un concours de dégustation annuel, qui a énormément joué dans l'amélioration des normes et la réputation du café costaricain. Grâce à son anglais parfait et à son entregent, Mena est parvenu à mettre en contact récoltants locaux et torréfacteurs étrangers.

Mais beaucoup d'exploitants, dont Perez, continuent de passer par son intermédiaire pour exporter leur production. Je fais la connaissance de Francisco Mena à l'occasion d'un dîner qu'il a organisé pour les jurés du concours de la Coupe de l'excellence. Tandis que des connaisseurs d'Angleterre, de Norvège, d'Allemagne, de Singapour et des États-Unis discutent avec des planteurs et leurs femmes, Mena parcourt la salle comme un marathonien : « Francisco, c'est le visionnaire qui rend tout cela possible, me confie l'un des récoltants. Sans lui, je crois bien qu'on n'aurait jamais entendu parler de la révolution des micromoulins. »

La révolution des micromoulins

Le terme « révolution » est peut-être un peu fort, mais l'essor de ce mode de production a changé la vie des Costaricains. Par le passé, les planteurs de café comme Perez n'étaient guère plus que des fournisseurs de matières premières : « On travaillait un peu en transpirant un minimum, puis, vers 14-15 heures, on s'asseyait tranquillement parce qu'il n'y avait plus rien à faire, se souvient-il. On savait qu'en faisant plus d'efforts, ça ne nous rapporterait pas plus. »

Cette fatalité a disparu en 2005, quand Perez s'est allié à deux voisins pour installer un micromoulin sur sa plantation, qui s'étend sur les pentes d'une vallée luxuriante du Llano Bonito, dans la région de Naranjo. Depuis, il travaille de l'aube au coucher du soleil. Outre les soins qu'exigent leurs caféiers, Perez et ses partenaires doivent diriger les ouvriers qui font fonctionner le micromoulin de Helsar de Zarcero, où les fèves sont débarrassées de leur pulpe, puis mises en fermentation et séchées. Pendant ma visite, de petites mains sont en train d'enfourner des graines dans une machine qui les débarrasse de leur fine pellicule, dans un bruit assourdissant et un nuage de poussière. À l'autre bout de l'entrepôt, dissimulées par une montagne de sacs blancs en toile remplis de grains prêts pour l'exportation, sept femmes trient les fèves étalées sur un tapis roulant et éliminent celles qui n'ont pas la qualité requise. Dans un local neuf qui surplombe la vallée, Perez remplit des questionnaires venant du monde entier, sur un ordinateur Helwlett-Packard que sa fille cadette lui a appris à utiliser. C'est dans la pièce adjacente, une modeste cuisine, que lui et ses partenaires préparent et goûtent leur production. Pendant la saison de récolte, entre décembre et mars, ils reçoivent chaque semaine la visite de deux ou trois acheteurs internationaux qui se joignent alors à leur dégustation et passent leurs commandes pour l'année à venir. « L'évolution est inimaginable, me dit Perez. Nous ne sommes plus de simples livreurs qui balancent leur café au moulin d'un autre. Nous sommes devenus à la fois des experts, des entrepreneurs, des gestionnaires, des contrôleurs-qualité, des financiers, des commerciaux, des publicitaires et des agronomes. Nous sommes passés de fermes ronronnantes et sans avenir à des entreprises solidement implantées sur le marché mondial. »

Il est vrai que la vie a gâté Perez et ses collègues depuis qu'ils ont remporté la victoire de la prestigieuse Coupe de l'excellence, en 2007. Aujourd'hui, ils n'arrivent plus à produire assez de café pour satisfaire la demande et la plupart de leurs fèves sont vendues avant même d'avoir atteint leur maturité. Si vous tapez « Helsar de Zarcero » sur Google, vous obtiendrez quelque 20 000 citations, dont beaucoup très élogieuses. L'un de leurs fans y vante notamment « l'arôme de mûre fraîche et l'acidité veloutée » de leur café ; d'autres semblent intarissables sur « sa douceur miellée, ses notes vanillées et son parfum exotique de fruit sombre ».

Désormais, huit autres producteurs apportent leurs récoltes au moulin de Helsar de Zarcero, qui emploie à ce jour 35 personnes. Et les planteurs conservent aujourd'hui une part substantielle des bénéfices qu'ils devaient auparavant distribuer à des intermédiaires. Sur chaque dollar que lui paie un torréfacteur de Seattle ou de Séoul, Perez affirme que 85 cents vont directement dans sa poche, soit quatre fois plus qu'avant. Mais le plus important, c'est que les planteurs sont moins à la merci des fluctuations de cours. D'Osaka à Ottawa en passant par Oslo, les acheteurs sont prêts à payer le prix fort pour des grains produits et triés de manière artisanale par de petits producteurs qui concourent à la protection de l'environnement et à la revitalisation des communautés locales. Le prix du café moulu en micromoulins n'est pas à l'abri des soubresauts des marchés, mais les cours sont moins volatiles que ceux des denrées produites à grande échelle. Les micromeuniers arrivent souvent à forger des relations solides et durables avec leurs clients torréfacteurs étrangers, ce qui les protège dans une certaine mesure des baisses temporaires. De même qu'un négociant en vins reste attaché à un bon viticulteur, même quand une année a été mauvaise, ou qu'un éditeur peut accepter un ouvrage de moindre qualité de la part d'un auteur qu'il publie depuis longtemps, les torréfacteurs ne laissent pas tomber les planteurs après une récolte décevante. Lorsque les coûts de production se sont envolés à Helsar de Zarcero, il y a quelques années, les clients japonais de Perez lui ont tout bonnement proposé de réviser leurs contrats pour lui garantir un prix d'achat supérieur.

Grâce à la révolution des micromoulins, Perez peut vivre dans une maison confortable, conduire un mini-van rutilant et envisager d'envoyer ses deux filles à l'université. En bon latino, il semble surtout sensible à la fierté de sa maman: « C'est aussi très émouvant pour mes parents parce qu'ils auraient adoré faire la même chose avec notre café, dit-il. À l'idée que ses enfants poursuivent la tradition familiale et s'en sortent vraiment bien, ma mère a toujours la larme à l'œil: c'est comme un rêve qui serait devenu réalité grâce à ses enfants. »

Nous avons déjà vu que, pour traiter un problème, il pouvait être sage de solliciter le plus grand nombre d'avis possibles, qu'ils proviennent d'experts ou d'amateurs. Mais nous avons aussi souligné qu'une personne seule, si elle était bien déterminée dans son projet, pouvait stimuler la recherche de solutions. La révolution des micromoulins mêle ces deux approches en apparence opposées pour ajouter un nouvel ingrédient à la solution lente. En d'autres termes, il est souvent judicieux de soumettre le problème à ceux qui y sont confrontés tous les jours pour leur offrir la possibilité de diriger les opérations.

Les premiers concernés

L'idée n'est pas nouvelle. Dans la Grèce antique, l'assemblée athénienne attendaient des édiles et des magistrats qu'ils règlent eux-mêmes les difficultés de leur circonscription. Vers la fin du XIXe siècle, le Vatican s'est mis à promouvoir un principe de subsidiarité selon lequel les décisions devaient être prises au plus près de ceux qui les motivent. En 1931, dans son encyclique *Quadragesimo Anno*, le pape Pie XI a ainsi déclaré qu'il serait très grave d'« enlever aux particuliers, pour les transférer à la communauté, les attributions dont ils sont capables de s'acquitter de leur seule initiative et par leurs propres moyens ». En confiant à des bureaucrates et à des apparatchiks le soin de régler les moindres questions de la vie courante, l'Union soviétique a signé son arrêt de mort. De nos jours, le principe de subsidiarité est au cœur des actions de l'Union européenne – au moins sur le papier.

La révolution des micromoulins a réussi parce qu'elle a placé des planteurs comme Perez au volant. Le café est alors devenu une vocation plutôt qu'un simple moyen de subsistance: « Maintenant, j'adore mon café, s'émerveille-t-il. Auparavant, personne n'aurait jamais tenu ce genre de discours. C'était juste quelque chose qu'on vendait pour gagner notre vie. Mais, aujourd'hui, nous nous sentons pleinement responsables et propriétaires de nos terres. Notre café, c'est un peu un enfant auquel nous aurions donné naissance après beaucoup de travail, et que nous surveillons jusqu'au jour où nous pouvons lui dire "Tu es prêt à aller parcourir le monde, maintenant!"» En père fier et exigeant, Perez n'arrête pas de chercher des solutions à son problème principal: comment vivre décemment du café. «Maintenant, du lever au coucher, on n'arrête pas de penser à la façon d'améliorer son café – comment raffiner son triage et sa torréfaction, comment gérer la plantation pour qu'elle donne un meilleur grain.»

Le sentiment de propriété peut être un facteur pour traiter des situations difficiles dans bien d'autres cas que les exploitations caféières du Costa Rica. Ainsi, les entreprises qui octroient des stock-options à *l'ensemble* de leurs salariés voient généralement leurs bénéfices, leur productivité et leur cours en Bourse croître plus vite que celles qui en limitent l'attribution à leurs seuls dirigeants. Une étude publiée en 2010 par la Cass Business School a montré que les sociétés qui appartiennent à leurs salariés sont plus rentables et résistent mieux aux récessions. Des recherches ont également démontré que les gens travaillent plus efficacement et montrent plus d'empressement à identifier les problèmes et leur apporter des solutions, lorsqu'ils ont le sentiment que l'entreprise dans laquelle ils évoluent est un peu la leur.

Le groupe britannique John Lewis, qui exploite notamment plusieurs grands magasins et la chaîne de supermarchés Waitrose, en est un excellent exemple. Les économistes saluent son «modèle de partenariat», qui est selon eux la pierre angulaire de sa réussite. Chacun de ses 76 500 salariés détient une part de la société par le biais d'un fonds indépendant et cinq d'entre eux siègent à son conseil d'administration. Tous les employés du groupe, depuis le P.-D.G. jusqu'à l'homme de ménage, reçoivent, en pourcentage, la même prime. Nombre d'entre eux font partie de la société depuis plus de vingt ans. «Dans toutes les autres entreprises où j'ai travaillé, dès que la situation s'envenimait, les gens s'effaçaient pour laisser les autres prendre les rênes ou les coups, dit Maggie Shannon, un des cadres dirigeants qui y a débuté comme vendeuse dix ans plus tôt. Mais quand tout le monde est propriétaire de la société, la mentalité change: quand vous repérez un problème, vous faites tout votre possible pour le résoudre.»

Or, les petits soldats dans les tranchées sont souvent plus à même de régler un problème que ceux qui occupent les bureaux prestigieux aux murs couverts de diplômes. «L'expert d'un laboratoire des États-Unis n'est pas la personne idéale pour remettre sur pied ma plantation du Costa Rica, affirme Perez. Il peut s'avérer utile, bien sûr, mais celui qui doit prendre la direction des opérations, c'est le planteur lui-même. Ce sont nos mains qui creusent ce sol. C'est entre nos doigts que roulent ces fèves. Nous connaissons cette terre par cœur. Si vous nous donnez le pouvoir de contrôler notre propre destinée, il n'y aura pas de limite aux solutions que nous saurons imaginer.»

Perez a aujourd'hui les moyens et les motivations nécessaires pour réagir instantanément aux évolutions les plus infimes du marché. Récemment, un acheteur japonais en quête de nouveaux arômes lui a suggéré de laver moins énergiquement ses graines pour qu'elles conservent un parfum plus doux. Après un peu de bricolage dans son moulin, Perez a été en mesure de lui en proposer une version légèrement plus suave, qui a séduit les amateurs de café nippons. «Les acheteurs sont toujours à la recherche de nouveautés et nous sommes désormais capables de répondre à leurs demandes. Au lieu de nous contenter d'observer nos prix baisser, quand les goûts évoluent nous pouvons nous adapter pour sortir du lot.»

L'environnement profite également de ce mouvement. Dans les années 1970 et 1980, pour accroître les rendements et sous l'impulsion des spécialistes des pays riches – aiguillonnés notamment par l'argent qu'ils pouvaient leur apporter –, les exploitants costaricains ont abandonné les méthodes agricoles traditionnelles au profit de techniques modernes. Ce changement les a conduits à abattre les arbres pour exposer leurs plantations au soleil et à utiliser fertilisants et pesticides. Aujourd'hui, les exploitants des micromoulins font le chemin inverse pour retransformer leurs terres en petits écosystèmes. Perez a planté des bananes, des érythrines et des avocats qui procurent un peu d'ombre à ses caféiers, tout en offrant un habitat naturel à toutes sortes d'animaux et d'insectes. Au lieu de pulvériser des produits chimiques pour fertiliser ses champs, il épand désormais le compost tiré de la pulpe qui entoure les fèves de café, qu'il enrichit de micro-organismes vivant dans le sol des montagnes environnantes. Dent pour dent, grain pour grain, son micromoulin récupère une partie de l'eau que puisent ses concurrents de plus grande taille. Ainsi, non seulement, il préserve l'environnement, mais il augmente le rendement de ses récoltes.

Le modèle des micromoulins n'est cependant pas sans défaut. Quand les cours du café montent en flèche, il arrive que les planteurs se demandent si les efforts qu'ils doivent fournir pour transformer leurs grains en valent vraiment la peine. Mais s'ils confiaient leurs récoltes au moulin industriel le plus proche, la relation qu'ils ont patiemment tissée avec les torréfacteurs pourrait en pâtir. Autre inconvénient du lien commercial direct entre petits producteurs et artisans torréfacteurs : ces derniers supportent aujourd'hui des risques bien plus importants. Et malgré les beaux discours sur le développement durable, certains sont surtout intéressés par le bon coup qu'ils pourraient faire en dénichant le dernier produit à la mode. Poul Mark commercialise le café issu des micromoulins de Perez et d'autres planteurs costaricains dans les trois boutiques dont il est propriétaire à Edmonton (Alberta), ma ville natale. Il craint que le comportement de certains torréfacteurs – je te prends, je te quitte – ne soit préjudiciable au mouvement des micromoulins : « Il y a encore beaucoup de gens qui ne se soucient que du dernier truc à la mode. Ceux-là débarquent dans les plantations, prennent une jolie photo aux côtés de l'exploitant, la publient sur leur site Internet, vendent le café et puis, l'année d'après, s'en vont voir ailleurs, explique-t-il. Pour que le modèle des micromoulins fonctionne, il faut qu'il procède d'un mariage plutôt que d'une aventure sans lendemain. Il faut prendre le temps de construire des relations stables sur le long terme. De cette manière, il est possible de traverser les bonnes et les mauvaises passes ensemble. C'est une question de confiance. »

La gestion d'un micromoulin comporte aussi des risques pour les producteurs. Le marché de niche du café est en train de grossir et il est probable que ce mouvement se poursuive grâce à l'arrivée de nouveaux consommateurs originaires de nations émergentes comme la Chine qui prennent progressivement goût aux *lattes* et aux *espressos*. Mais quelques nuages se profilent à l'horizon. Le Costa Rica doit faire face à des coûts de revient supérieurs à ceux de certains concurrents comme le Viêt Nam, qui guignent ces marchés spécifiques. Et même à l'intérieur du pays, la compétition s'intensifie, de plus en plus de fermiers cherchant à surfer sur la vague des micromoulins. Mais des récoltants comme Perez se sentent désormais armés pour faire face à ce type de problème : « Nous savons que le café ne va pas pousser tout seul et que toute situation comporte un risque. Au moins, le mouvement des micromoulins nous donne la possibilité de trouver nos propres solutions et de dessiner notre avenir. »

Cet encouragement à prendre à bras-le-corps ses problèmes procède d'une évolution culturelle plus vaste. Partout, la technologie permet de disperser le pouvoir du centre vers la périphérie en facilitant les communications et le partage d'informations. Mieux informés et plus connectés que jamais, des individus lambda réussissent à traiter aujourd'hui des problèmes qui semblaient ingérables dans un passé récent. Voyez comment des citoyens armés de téléphones portables se sont soulevés pour abattre des dictatures lors du printemps arabe.

Redonner le pouvoir

Cette « décentralisation » porte aussi ses fruits dans les entreprises. En incitant ses infirmières à mener des recherches personnelles, le Georgetown University Hospital de Washington a contribué à la qualité des soins dispensés à ses patients. L'un des soignants explique ainsi comment l'ancienne inertie de ses collègues a fait place à un esprit d'initiative conduisant chacun à s'interroger sur la manière dont il peut améliorer la situation. Portant sur 320 PME, une analyse réalisée par l'université de Cornell a montré par ailleurs que les entreprises qui donnaient une véritable autonomie à leurs employés se développaient quatre fois plus vite (et avec un chiffre d'affaires supérieur d'un tiers) que celles qui pratiquaient un contrôle absolu sur leurs effectifs. Le même phénomène se vérifie dans les grands groupes.

En 1981, lorsque Jan Carlzon a pris les commandes de SAS, la compagnie aérienne se trouvait dans une très mauvaise passe. Elle perdait beaucoup d'argent, mais aussi de clients excédés par les retards systématiques. Carlzon a décidé de se concentrer sur le marché de la classe affaires. Après avoir rationalisé les effectifs des cadres dirigeants, il a investi du temps, de l'énergie et 45 millions de dollars dans l'amélioration des moindres détails du service offert aux passagers voyageant pour raisons professionnelles. SAS a ainsi été la première compagnie aérienne du monde à introduire des cabines séparées en business class. Mais l'idée la plus géniale de Carlzon reste d'avoir donné à ses effectifs le pouvoir de résoudre eux-mêmes les problèmes qu'ils rencontraient : « Les problèmes sont résolus dès qu'ils se présentent, a-t-il expliqué à l'époque. Aucun des salariés travaillant sur le terrain n'est tenu d'attendre que son supérieur hiérarchique lui donne le feu vert. » Dans les milieux d'affaires, une telle démarche relève d'une révolution aussi importante que celle des micromoulins. Et ça fonctionne. En un an, SAS est devenue la compagnie aérienne la plus ponctuelle d'Europe et les bénéfices sont au rendez-vous. L'année suivante, elle a remporté le prix de la compagnie de l'année décerné par l'Airline Transport World. Le cas de SAS est aujourd'hui étudié dans les écoles de commerce et son modèle de formation a été repris par d'autres entreprises, comme Japan Airlines, Hewlett-Packard et Marks & Spencer.

La délégation paie également dans les usines. Sur une chaîne de montage classique, chaque intervenant opère dans sa bulle : il maîtrise parfaitement sa propre tâche, sans s'intéresser à ce que font ses collègues à quelques mètres de lui. À son âge d'or, Toyota a pris le contre-pied de ce système et transmis à ses ouvriers suffisamment de compétences, de savoir-faire et de liberté pour qu'ils soient capables de comprendre et d'améliorer les processus de production d'un bout à l'autre de la chaîne – tout comme Perez. Le constructeur automobile a par ailleurs favorisé le travail d'équipe et conféré à tous ses salariés, sans aucune exception, le pouvoir de gérer les problèmes en actionnant le signal *andon*. La croissance de Toyota lui a permis de devenir le leader de la construction automobile – avant que la tendance s'inverse, comme nous l'avons vu plus haut.

Beaucoup de travaux de recherches montrent que, plus nous contrôlons notre environnement, mieux nous travaillons. À l'occasion d'une expérience devenue célèbre, des chercheurs ont demandé à deux groupes de résoudre des énigmes et de relire des textes sur un fond sonore aléatoire et pénible. La première équipe a été placée dans une salle pourvue d'un interrupteur permettant de mettre fin au bruit de fond, la seconde ne disposant pas d'une telle alternative. Comme vous pouvez l'imaginer, les premiers se sont révélés beaucoup plus efficaces que les seconds, avec cinq fois plus de casse-tête résolus que leurs concurrents. Le plus surprenant, c'est que les gagnants n'ont jamais actionné l'interrupteur. Le simple fait de savoir qu'ils en avaient la possibilité – le pouvoir – a suffi pour qu'ils mobilisent leurs aptitudes pour résoudre au mieux les problèmes.

Ce transfert de pouvoir peut aussi permettre de lutter contre la pauvreté. Beaucoup de programmes humanitaires échouent parce qu'ils sont conçus, développés et mis en œuvre par des experts travaillant dans leurs bureaux climatisés à des centaines voire des milliers de kilomètres de là, reléguant ainsi les populations concernées au rang de pions sur un échiquier. Dans les années 1980, quand la sécheresse a ravagé la Corne de l'Afrique en tuant le bétail et en menaçant de causer une famine, une organisation humanitaire norvégienne s'est portée au secours de la population en proposant ce qui semblait être une excellente solution. Les bergers semi-nomades du Turkana, une région isolée au nord-ouest du Kenya, vivaient à proximité d'un lac rempli de poissons. Pourquoi ne pas les aider à transformer ce vivier en source de nourriture et de revenus durable ? Enseignez à un berger kenyan comment pêcher et il pourra se nourrir jusqu'à la fin de ses jours. Les Norvégiens ont donc entrepris d'installer une unité de congélation dernier cri sur les bords du lac Turkana et d'apprendre aux habitants à tirer parti de leurs réserves poissonneuses. Mais l'usine a été un échec et n'a apporté aucune amélioration du niveau de vie des habitants. Si les bons samaritains scandinaves avaient pris le temps d'écouter, ils auraient compris que la culture nomade est incompatible avec la pêche et le travail sédentaire (pour les peuples itinérants de la région du Nil, seul un mauvais berger finit par s'y résoudre en dernier recours). Par ailleurs, le lac était trop éloigné du marché au poisson le plus proche. « Ils ont eu recours à la bonne vieille méthode qui part du haut pour aller vers le bas, se désole Cheanati Wasike, un fonctionnaire des pêcheries du lac Turkana. Ces étrangers ont vu le lac comme une ressource sans jamais consulter les Turkana ni leur demander ce qu'ils pensaient de la pêche. »

De nos jours, les projets humanitaires les plus efficaces associent les populations concernées. Bolsa Familia, au Brésil, en est un bon exemple. Lancé dans les années 1990, quand les gouvernements latino-américains ont commencé à déployer les transferts conditionnels en espèces (TCE), Bolsa Familia aide financièrement des familles pauvres qui doivent, en contrepartie, se plier à certaines obligations. Chaque mois, des foyers défavorisés brésiliens peuvent percevoir 22 réals par enfant, à concurrence de 200 réals. Les parents s'engagent à scolariser leur progéniture et à la soumettre à des visites médicales régulières. Aujourd'hui, Bolsa Familia touche 12 millions de familles, ce qui en fait le plus grand programme TCE jamais mis sur pied. L'initiative est en outre l'une des plus efficaces au niveau mondial, car elle a conduit à une baisse de la pauvreté et de la malnutrition infantile dans les zones rurales, à une réduction des inégalités de revenus et à une augmentation du taux de scolarisation – le tout pour une fraction du budget requis pour une action caritative classique. Tous les grands partis politiques brésiliens se sont prononcés en faveur d'une extension du programme, qui a reçu les félicitations de la Banque mondiale avant d'être copié par plus de vingt pays.

Soutenir et faire confiance

Comment expliquer une telle réussite ? Il suffit de noter que Bolsa Familia combine plusieurs ingrédients de la solution lente. Tout d'abord, elle s'appuie sur une approche globale qui s'attaque simultanément à trois grands piliers de la pauvreté : la faiblesse des revenus, l'absentéisme scolaire et un système de santé inégalitaire. Lorsqu'un enfant commence à manquer l'école ou ne se présente pas à une visite médicale, sa famille reçoit moins d'argent. De plus, Bolsa Familia se soucie autant du court terme que du long terme : elle établit un lien entre aujourd'hui – l'achat de produits de première nécessité – et demain – une bonne santé et une éducation solide. Un autre facteur d'efficacité tient à l'autonomie que donnent ces transferts conditionnels de ressources aux plus défavorisés, en leur laissant la liberté de faire leurs propres choix au lieu de leur ménager simplement un accès à des banques alimentaires ou à des conférences sur l'importance de l'éducation et de la santé. Certains détracteurs redoutaient un gaspillage des subventions, mais ces craintes se sont avérées injustifiées : la plupart des familles les utilisent pour acheter de la nourriture, des vêtements et des fournitures scolaires pour leurs enfants. « En versant de l'argent sous conditions, vous dites aux gens : "Vous avez des droits, mais aussi des devoirs, et nous vous faisons confiance pour les assumer", explique Paulo Moreira, un travailleur social de la région de São Paulo. C'est une évolution énorme dans la dynamique globale de l'aide humanitaire et des prestations sociales. Subitement, les bénéficiaires cessent d'être des acteurs passifs qui attendent que d'autres aient des idées à leur place pour jouer un rôle actif dans les solutions à trouver. »

Certaines organisations sont allées encore plus loin en allouant des fonds sans aucune condition. En 2006, la branche britannique d'Oxfam a versé une allocation unique et forfaitaire à 550 foyers démunis de huit villages d'An Loc, une communauté du centre du Viêt Nam située dans une région productrice de riz. Les sommes étaient importantes puisque, en un seul versement, un villageois empochait l'équivalent de trois fois son revenu annuel. Moyennant la promesse de ne pas dilapider cet argent, les familles étaient libres de l'utiliser à leur guise.

Et cette manne a été dépensée très judicieusement. La plupart des gens l'ont investie dans la qualité de l'eau et l'hygiène de leur maison, ainsi que dans des semences, des engrais et des vaches, pour garantir leur subsistance future. Quatre ans après le versement des premières subventions, le taux d'absentéisme des écoliers avait chuté, le niveau de pauvreté avait baissé de deux tiers et les villageois étaient plus nombreux à participer à des activités communautaires. « Nous avons estimé que ces populations avaient le droit de décider comment dépenser cet argent, explique Steve Price-Thomas, alors un des dirigeants d'Oxfam au Viêt

Nam. Le mieux était de placer cet argent entre leurs mains et de les laisser décider de son emploi.»

La même philosophie sous-tend le mouvement du microcrédit, au sein duquel des banques, des fonds et des courtiers spécialisés prêtent des petites sommes à tous ceux qui sont trop pauvres pour accéder aux organismes de prêt traditionnels. Parmi toutes ces initiatives, Kiva est ma préférée. Son site Internet met en relation des emprunteurs originaires de pays en développement et des prêteurs désireux de les soutenir financièrement par des dotations dont certaines ne dépassent pas 25 dollars. Ceux qui profitent de ces coups de pouce font preuve d'autant d'esprit d'entreprise que Perez. Si vous prêtez 575 dollars à Sixta, elle achètera un réfrigérateur pour y entreposer des boissons et des glaces, qui lui permettront de varier les menus dans l'échoppe qu'elle tient au Nicaragua. Naftary, pour sa part, consacrera la somme à l'acquisition d'une vache pour sa ferme de Muranga, au Kenya. Depuis 2005, plus de 600 000 personnes ont prêté plus de 240 millions de dollars par le biais de Kiva. Le plus impressionnant dans toutes ces histoires, c'est que la communauté des emprunteurs affiche un taux de remboursement que pourraient lui envier les banques de Wall Street: près de 99 % d'entre eux remboursent leur prêt dans sa totalité.

La responsabilisation fonctionne particulièrement bien en cas de conflit. Dans le cadre de la démocratisation de son système scolaire, la Finlande a lancé un programme visant à inciter les enfants à régler eux-mêmes les querelles de cours d'école. Les professeurs continuent de prendre en charge les cas de harcèlement, d'agressions physiques et de vandalisme, mais les élèves sont censés s'occuper de tous les autres cas de dispute. Les établissements doivent prévoir un moment dans la semaine pour que des séances de médiation, appelées Verso, puissent se tenir dans une salle réservée à cet effet. Une audience, qui dure généralement 10 ou 15 minutes, peut être organisée à la demande d'un enfant ou d'un parent d'élève. Chaque séance est supervisée par des médiateurs qui sont à peine plus vieux que les plaignants. Aucun adulte n'y assiste et les intermédiaires ne proposent jamais de solutions. Une fois qu'elles ont pris connaissance des règles du débat, les parties concernées présentent leur version de l'histoire et expliquent comment elles vivent le conflit. Chacune fait une proposition pour résoudre une fois pour toutes le différend. Si elles parviennent à se mettre d'accord, elles mettent par écrit leur solution et s'engagent, en la contresignant, à l'appliquer.

Comme beaucoup d'autres solutions lentes dignes de ce nom, les sessions de Verso demandent du temps pour identifier la racine du problème. Même si les querelles impliquent plusieurs enfants, les audiences ne mettent que deux adversaires en présence, afin que chacun puisse s'exprimer. Les plaignants doivent en outre reconvoquer une audience une ou deux semaines plus tard pour confirmer que le problème est définitivement réglé. Pour les affaires les plus délicates, des séances de suivi sont programmées, parfois sur plusieurs mois. En pratique, certains professeurs perçoivent assez mal ces initiatives visant à laisser les élèves dessiner leurs propres solutions. « Beaucoup sont encore très attachés à l'idée que le pouvoir appartient au professeur et qu'il n'est pas question de le transférer aux élèves, explique Maija Gellin, qui a conçu le programme Verso. Ils se disent : "Je peux régler ce problème plus vite et plus facilement tout seul, pour qu'on puisse reprendre les cours." Mais cette approche hâtive engendre une paix superficielle qui ne traite pas le fond du problème. »

C'est vraiment plus facile sans les adultes

Pour observer comment fonctionne Verso, je décide de rendre visite au collège de Lotilan à Lahti, une petite bourgade située à 100 km au nord-est d'Helsinki. Nous sommes en plein hiver et les adolescents arrivent en cours les joues roses et les cheveux en pétard. Une trentaine de conflits sont gérés chaque année par l'intermédiaire du système Verso. Les séances peuvent avoir lieu tous les jours, à midi, dans une petite salle pourvue d'une longue table, au centre de laquelle a été déployée une écharpe orange et jaune. Les murs sont décorés d'une photo de Charlie Chaplin et d'une reproduction d'un nu de Picasso. Il y a aussi un évier, un micro-ondes et un vase noir garni de fleurs fraîches.

L'audience du jour doit examiner le cas de Mikko et d'Oskar, deux garçons de 12 ans qui ont échangé des coups de poing pendant le cours de gym onze jours plus tôt. Ils sont amis et jouent dans la même équipe de hockey sur glace. Aucun d'entre eux ne se sentant prêt à enterrer la hache de guerre, ils ont fait appel au Verso dès le lendemain de leur altercation.

La capuche de leur *hoody* rabattue sur leur tête, les gamins pénètrent timidement dans la salle. Ils ont l'air un peu tendus. Ni l'un ni l'autre n'a jamais eu affaire au Verso jusqu'à présent. Ritva, le médiateur de 14 ans qui encadre la séance, invite chacun à donner sa version de l'épisode et à expliquer comment il a vécu l'incident. S'agissant de deux adolescents de sexe masculin, ils ont du mal à exprimer leurs émotions, et leurs explications se résument à des haussements d'épaules, à des monosyllabes bougonnes et à de longs silences. À un moment, Mikko rappelle à Oskar qu'il lui a permis de marquer un but lors du match de la veille. Oskar le regarde pour la première fois et sourit. Finalement, ils parviennent à un consensus sur leur bagarre : ils sont tous les deux têtus et dotés d'un fort esprit de compétition. Et ils avaient passé une mauvaise journée. Leur solution est simple : chacun doit présenter ses excuses à l'autre et ils doivent arrêter de se chamailler. Ils quittent la salle ensemble d'un air détendu et le sourire aux lèvres.

Par la suite, j'ai demandé aux intéressés ce qu'ils pensaient de l'initiative Verso. Tous les deux semblaient en être très contents : « Si nous n'avions pas fait appel à Verso, cette histoire nous aurait tourné dans la tête et nous nous serions encore battus, dit Mikko. Le fait d'en parler dans ces conditions aide à dissiper la rancune et à s'entendre de nouveau. »

Oskar semble ravi lui aussi : « C'est vraiment plus facile sans les adultes, parce que ce sont les enfants qui comprennent le mieux les enfants. On parle le même langage et on pense de la même façon, dit-il. C'était chouette de pouvoir trouver en quoi consistait notre problème et d'être capable de le résoudre nous-mêmes. »

La Finlande est aujourd'hui forte de près de 7 000 jeunes formés à la médiation. Chaque année, 20 000 enfants assistent à une audience Verso et 90 % d'entre eux tiennent les promesses qu'ils y ont faites. Tous les ans, de nouvelles écoles adoptent ce système et Gellin a participé à leur développement en Russie et en Italie, entre autres.

D'autres pays ont mis en place des programmes similaires. Dans le cadre de cours hebdomadaires intégrés dans le cursus normal, Peace First a ainsi enseigné à près de 40 000 adolescents de Boston, New York et Los Angeles comment résoudre leurs conflits et traiter les tensions sociales qui minent leurs groupes. Même si les cadres des établissements supervisent le programme et que de jeunes adultes enseignent la matière, les enfants gardent la main, conformément aux principes prônés par Verso. Dans les écoles qui participent à cette démarche, la violence a baissé de 60 % et les cas d'adolescents séparant des belligérants ou aidant leurs camarades ont augmenté de plus de 70 %.

Il semble que d'autres services puissent profiter de la prise en charge des problèmes par les personnes concernées. Traditionnellement, les États pratiquent les actions de soutien comme les grands magasins vendent leurs produits : ils mettent en rayon des gammes de programmes, de mesures et d'avantages sociaux, et si l'un d'entre eux vous va comme un gant, vous repartez avec. Dans le cas contraire, vous errez dans le système durant des années en enchaînant les essayages de propositions mal taillées qui vous serrent aux entournures ou dont les manches s'arrêtent au coude. « Les gens sont conditionnés pour les solutions express. Vous allez voir un expert, il fait une analyse rapide, en déduit une réponse, établit des recommandations, vous fournit un service et la vie est belle, ironise Eddie Bartnik, membre de la commission sur la santé mentale en Australie-Occidentale. Bien entendu, ça ne fonctionne pas comme ça en vrai. Si vous ne donnez pas aux gens les moyens de concevoir eux-mêmes la solution à leurs problèmes, ils peuvent finir avec des tas de services qui ne règlent pas grand-chose et les laissent profondément seuls et déphasés. »

En 1988, alors qu'il dirigeait la commission pour les services aux handicapés, Eddie Bartnik a persuadé son gouvernement de tenter une nouvelle approche auprès de ses citoyens souffrant d'un handicap. Le nouveau système, aujourd'hui connu sous le nom Local Area Coordination (LAC), a balayé l'immobilisme qui avait prévalu jusqu'alors en inversant la problématique – à la manière d'Ideo. Plutôt que de leur faire la liste des services dont ils pouvaient avoir besoin, on a posé aux intéressés la question suivante : « En quoi consiste selon vous une vie agréable ? » Puis l'État a essayé de concrétiser les propositions apportées par les réponses. L'initiative repose sur des coordinateurs locaux qui prennent le temps de rencontrer les personnes concernées quand ces dernières, auparavant, n'étaient qu'un nom inscrit sur un dossier.

À la fois avocats, confidents, conseillers et amis, ces intermédiaires sont les catalyseurs que nous avons évoqués au chapitre 10 et qui jouent un rôle central dans beaucoup de solutions lentes. En l'occurrence, ils aident leurs interlocuteurs à identifier des services adaptés et sur mesure. Ils facilitent leur intégration aux communautés locales en les inscrivant à des activités, des chorales, des associations sportives ou des groupes paroissiaux. De manière plus pragmatique, ils les assistent dans leurs demandes de subventions pour élaborer des solutions appropriées à leurs difficultés. « Pendant des années, des experts leur ont expliqué ce qu'il fallait faire, ce à quoi ils devaient s'attendre, ce dont ils avaient besoin, dit Bartnik. Les coordinateurs locaux renversent cette logique en rencontrant les gens pour écouter ce qu'ils ont à dire, leur poser les bonnes questions, puis leur donner la possibilité d'élaborer eux-mêmes l'aide dont ils ont besoin. »

Peta Barker approuve. Elle gère une petite entreprise de peinture et de décoration avec son mari, dans les faubourgs de Perth. Leur fils de 20 ans, Kirk, est autiste. Quand il a eu 3 ans, ses parents se sont sentis désemparés face à l'attitude des pouvoirs publics : « Nous avons essayé d'obtenir des aides, mais nous avons découvert que, lorsqu'on ne rentrait pas exactement dans les cases, personne ne pouvait rien pour nous et que notre dossier passait, comme un courrier, de docteur en docteur, d'administration en administration, se souvient Peta. C'était très frustrant parce qu'on voulait faire quelque chose, mais on ne savait pas par où commencer. »

Les coordinateurs locaux ont bousculé cette inertie. La famille Barker a disposé enfin d'un allié qui connaissait parfaitement *à la fois* ses interlocuteurs et le système. Leur premier ange gardien a travaillé onze ans à leurs côtés et son successeur est en place depuis cinq ans. « Sally-Anne connaît mon mari, mes enfants, mes chats et mes chiens, dit Peta Barker. Il lui arrive même de passer la tête dans l'arrière-boutique pour me demander comment va la perruche. »

Quand nous nous retrouvons à l'antenne du LAC près de son domicile, cette femme énergique au sourire contagieux me déclare que le nouveau programme a été une bénédiction. Dès leur premier rendez-vous, son coordinateur l'a encouragée à envisager la situation en profondeur et sur le long terme. « Durant toutes ces années, j'avais accumulé dans ma tête toute une liste de choses indispensables pour Kirk, et elle m'a déclaré qu'il fallait y ajouter ce dont ma famille avait besoin, parce que, si je négligeais cet aspect, si je ne m'assurais pas que toute la famille recevrait l'aide et les attentions requises, je ne pourrais pas m'occuper de mon fils. Sa réaction m'a beaucoup surprise, car je n'avais jamais vu les choses sous cet angle, mais elle était plutôt pertinente. » Avec l'appui de ce coordinateur, les Barker ont cherché le meilleur établissement scolaire pour Kirk et demandé des allocations pour financer ses cours de natation et de cricket. Ils ont aussi trouvé l'argent nécessaire à une prise en charge extérieure occasionnelle, lorsque la situation devient trop stressante : « Sans cela, la vie aurait été beaucoup plus difficile et je ne suis pas certaine que notre famille y aurait survécu », me confie Peta.

À ce jour, la famille Barker est convaincue d'avoir organisé son univers au mieux. Kirk est épanoui. Tous les mardis, il assiste à un cours de préparation à la vie quotidienne où il apprend à faire la cuisine. Le jeudi, un aide-soignant lui apprend à faire du vélo sur la voie publique et, deux fois par semaine, il enfourche sa bicyclette pour aller tout seul dans un atelier spécialisé où il accomplit de menus travaux (coller des étiquettes sur des bouteilles d'huile d'olive ou emballer des paires de chaussures pour un revendeur local).

Nombre d'études montrent que cette nouvelle approche mise en œuvre par le LAC réduit drastiquement le coût que supporte l'État pour les personnes handicapées. Pour preuve, les autorités d'autres régions australiennes, mais aussi de Nouvelle-Zélande, d'Écosse et d'Angleterre, ont commencé à instaurer des programmes similaires. Surtout, l'initiative du LAC est immensément appréciée par les personnes qui vivent avec le handicap, personnellement ou à travers un proche, car elles sont impliquées dans les solutions à apporter à leur situation.

Même si nous ne sommes pas dans le cas de la famille Barker, nous pouvons tous profiter d'une telle reprise en main des situations. Vous pouvez ainsi affûter vos aptitudes à la résolution de problèmes en prenant en charge vos conditions de travail, par exemple en gérant mieux votre emploi du temps ou la manière dont vous utilisez les outils technologiques. Si vous êtes à la recherche d'une solution lente, posez-vous systématiquement les questions suivantes : Qui suis-je en train d'aider ? Comment impliquer ces gens dans la définition d'une solution adéquate ? Passez du temps à explorer ce dont ces personnes ont véritablement besoin – ne vous contentez pas de ce qu'ils vous diront, mais découvrez ce qu'ils *ressentent* vraiment.

Tout en ramassant ses affaires pour aller retrouver Kirk, Peta Barker me confie que la raison du succès du LAC ne tient pas uniquement au fait qu'il permet à des familles comme la sienne d'imaginer leurs propres solutions. Si cette initiative obtient d'aussi bons résultats, c'est aussi parce qu'il humanise le système en établissant des liens solides : « Parfois, vous avez seulement besoin d'un allié, quelqu'un que vous pouvez appeler quand la journée est difficile, me dit-elle. Les coordinateurs du LAC cessent toute activité pour vous écouter et vous faire éventuellement une brève suggestion. Alors vous vous sentez mieux et vous êtes prêt à affronter tout ce que la vie vous réserve. Cette part émotionnelle est très importante. »

Chapitre 12

Ressentir :
le thermostat des émotions

Point de passage de l'obscurité à la lumière,
ni de l'inertie au mouvement, sans émotion.
Carl Jung

Marta Gomez erre dans les couloirs de l'hôpital Reina Sofia comme un soldat en état de choc au milieu du champ de bataille. Sa mère, octogénaire, a fait une attaque une semaine auparavant et elle est toujours dans le coma. Les docteurs tentent de la ranimer, mais son sort reste incertain, ce qui plonge Marta Gomez dans l'angoisse. Ses yeux sont injectés de sang, ses mains tremblent et sa voix n'est qu'un murmure. «Je dors mal et j'ai constamment mal à la tête, explique-t-elle. Je suis traversée par tant d'émotions à la fois qu'il est très difficile de savoir que penser, que faire ou que dire.» Mais, même au cœur de cette tempête affective, une chose est claire : quand sa mère mourra, la famille autorisera l'hôpital à utiliser ses organes pour des greffes. L'histoire qui se cache derrière cette décision nous met sur la voie du prochain ingrédient de la solution lente.

Alors que les demandes de greffes ne cessent d'augmenter, les hôpitaux du monde entier sont confrontés à un très sérieux problème : ils n'ont pas assez de donneurs d'organes. Beaucoup de gens refusent de léguer leur corps à la science, souvent pour des motifs religieux ou culturels. D'autres omettent simplement de préciser clairement leur volonté avant de mourir. Mais, souvent, ce sont les familles des défunts qui refusent de signer en bas du formulaire. Dans beaucoup de pays, les listes d'attente deviennent mortellement longues. En Grande-Bretagne, les patients en attente d'un greffon doivent attendre trois ans en moyenne et trois d'entre eux meurent chaque jour. Aux États-Unis, 6 000 personnes décèdent chaque année pour la même raison.

Voilà pourquoi des établissements comme Reina Sofia, à Cordoue, sont aujourd'hui sous le feu des projecteurs. Il semble que les Espagnols aient trouvé la formule magique qui permet de persuader les gens de donner leurs organes après leur mort. En 1989, le taux de don était inférieur à la moyenne internationale. C'est désormais le plus élevé du monde, 85 % des familles ibériques acceptant de sauter le pas. Ce pourcentage est deux fois plus élevé que la moyenne européenne et supérieur de 30 % aux statistiques des États-Unis, nation pourtant pionnière en matière de greffes d'organes.

La révolution du don d'organe

Pour accroître le nombre de dons, l'une des solutions habituelles consiste à instituer un système de consentement présumé, qui implique que toute personne est considérée par défaut comme un donneur si elle n'a pas formulé expressément une volonté contraire. En pratique, les résultats de cette configuration sont mitigés. En Suède, où elle s'applique, les chiffres des dons d'organes sont les plus faibles d'Europe. Les mêmes réticences étaient observables en Espagne jusqu'en 1989. Comment l'expliquer ? Parce que, au moment du décès, la plupart des médecins continuent de solliciter le consentement des familles qui, en règle générale, le refusent, malgré la loi.

L'Espagne a compris que la seule façon de résoudre la pénurie de dons d'organes consistait à réviser son approche. Elle a donc créé, en 1989, l'Organisación Nacional de Transplantes (ONT), dotée du pouvoir et du financement nécessaires pour ajuster chacune des étapes du processus de don, depuis l'identification de donneurs potentiels jusqu'à l'obtention du consentement des familles, en passant par la sélection des bénéficiaires de greffes et la réalisation de celles-ci. L'Espagne est aujourd'hui pionnière en matière de chirurgie expérimentale. En 1997, les équipes de Reina Sofia ont réalisé, pour la première fois en Europe, une triple transplantation sur un même patient. Les chirurgiens espagnols ont par ailleurs été les premiers à greffer une trachée issue des cellules souches du malade. En 2011, une équipe de Barcelone a effectué la première greffe totale de visage, comportant un changement des mâchoires, du palais et des dents, sur un jeune homme victime d'un accident de chasse.

Mais ce qui étonne le plus les observateurs étrangers reste le tour de force accompli par l'Espagne pour inverser l'attitude des familles face au don d'organes. Cette révolution est notamment le fruit d'une campagne énergique de sensibilisation publique visant à associer le don à un acte suprême de générosité, de bonté et de solidarité. C'est à Cordoue que cet effort pour toucher les esprits et les cœurs a été le plus vigoureux. Au début du mois de juin, alors que le reste du pays célèbre la journée du don d'organe, Reina Sofia a inauguré la semaine des donneurs, rythmée par des concerts, des défilés ou des bals et durant laquelle toreros, footballeurs, danseurs de flamenco et rock stars exhortent le public à léguer leurs organes. L'hôpital a par ailleurs publié deux livres sur ce thème grâce à la participation de quelque quarante poètes et organisé une exposition d'œuvres d'artistes connus qui ont, pour l'occasion, exploré la signification d'un tel acte, à la fois pour le donneur et pour le bénéficiaire. Parallèlement, l'équipe professionnelle de foot de Cordoue a adopté l'écharpe rouge, qui est l'emblème de la campagne de don, et les taxis de la ville sont couverts d'autocollants en faveur de la cause. Tous les mardis, des bus remplis d'enfants débarquent à Reina Sofia pour visiter le service de transplantation et écouter des patients et des médecins faire l'apologie du don d'organes.

Vaste complexe de 1 300 lits et de 33 blocs opératoires, Reina Sofia ne manque jamais une occasion de battre le rappel. Des affiches en faveur du don d'organes tapissent ses couloirs et ses salles d'attente. Un mur entier de l'hôpital accueille un montage photo qui retrace l'histoire de la transplantation dans l'établissement, assorti de portraits de chirurgiens heureux et de malades reconnaissants. Un groupe de dauphins en papier mâché rouge a été disposé à proximité de l'entrée. Il s'agit d'une œuvre stupéfiante réalisée par des patients souffrant de troubles psychiatriques pour exprimer ce que leur inspirait le don d'organes. À l'extérieur, seize panneaux jaillissent de terre comme des bannières appelant au combat, pour exposer les images et les histoires de tous ceux qui ont bénéficié d'une greffe. Un imposant monument en hommage aux donneurs a, en outre, été érigé près de l'entrée principale. Il est maintenant recouvert de poèmes et de messages de gratitude : « Merci pour ce miracle », dit tout simplement l'un d'entre eux.

Après bientôt vingt-cinq ans de campagne de sensibilisation et plus de 70 000 greffes d'organes, l'Espagne s'est engagée dans un cercle vertueux : plus il y a de personnes qui connaissent quelqu'un ayant donné ou reçu un organe, plus les gens sont à l'aise avec cette perspective. « Tous les bénéficiaires de greffe en parlent, toutes les familles en parlent et tous leurs voisins en parlent, explique Juan Carlos Robles, le coordinateur en chef de la transplantation au sein de Reina Sofia. Ce sont autant de disciples qui diffusent le message, de sorte que, chaque jour, il y a de plus en plus de gens qui comprennent que ces dons sauvent des vies.» Désormais, le don d'organes fait presque partie de la culture espagnole, au même titre que la *siesta* et la *fiesta*. Le cinéaste Pedro Almodóvar en a fait le sujet de son film *Tout sur ma mère*, tourné dans un service de greffes et qui a remporté un Oscar. Ses compatriotes sont aujourd'hui fiers de leur place de leader mondial du don d'organes. Les *Cordobeses* vous expliquent que leur ville a désormais deux joyaux à sa couronne : la superbe mosquée du XVIIIe siècle de son quartier historique et l'hôpital Reina Sofia.

Le fait que l'Espagne soit par ailleurs dotée d'un système de santé enviable – l'OMS le classe au 7e rang mondial – a sans doute contribué à ce succès. Tous les citoyens du pays ont accès à des soins médicaux gratuits d'excellente qualité. Les hôpitaux possèdent un nombre impressionnant de lits en services de réanimation, et les patients profitent souvent d'une convalescence dans des chambres privatives très bien équipées. De plus, les équipes médicales s'efforcent de maintenir en vie des patients que nombre de leurs confrères étrangers auraient « débranchés », ce qui veut dire que la plupart des décès interviennent quand le malade est relié à un respirateur – le scénario idéal pour récupérer ses organes.

Marta Gomez a elle-même souffert de problèmes de cœur, de vessie et d'estomac qui l'ont conduite à quatre reprises sur les tables d'opération du Reina Sofia. Maintenant, elle constate que les médecins n'épargnent aucun effort pour sauver sa mère : « Cet hôpital est stupéfiant et je sais qu'ils font tout leur possible pour ma mère. Je leur en suis extrêmement reconnaissante. »

Une fois encore, c'est un réseau de coordinateurs très bien formés qui a permis ce miracle. Dans d'autres pays, les personnes chargées de rechercher des donneurs et d'obtenir leur consentement sont souvent très éloignées des soins quotidiens prodigués aux patients. En Espagne, elles sont intégrées aux équipes médicales de tous les grands hôpitaux et la majorité sont également des praticiens de santé qui interviennent chaque jour dans des unités de soins intensifs. Elles travaillent donc au plus près des malades en fin de vie et sont en mesure de donner aux familles des informations précises sur leur état. À tout moment, les quatre coordinateurs des transplantations à Reina Sofia peuvent dresser la liste de tous les donneurs potentiels de l'hôpital, évaluer les progrès de leur traitement et apprécier l'état d'esprit dans lequel se trouvent leurs proches. Alors qu'un médecin classique se concentre sur la manière de sauver son patient, les coordinateurs espagnols parviennent à prendre du recul pour considérer la situation globalement et à long terme : « Nous avons une puce particulière dans notre cerveau, ironise le Dr Robles. Pour un coordinateur, il ne s'agit pas uniquement de sauver le malade. Il faut aussi penser que, s'il meurt, ce patient pourra aider à sauver d'autres vies grâce à son don. »

Délicatesse et empathie

Mais le plus important, c'est que tous les coordinateurs sont rigoureusement formés pour affronter le bouleversement que suscite un deuil. Dès qu'un donneur potentiel est admis à l'hôpital, ils commencent à tisser une relation avec sa famille. Chacun a son style propre, mais tous sont experts dans l'art difficile d'aborder le délicat sujet du don et d'en déterminer le moment opportun, en combinant leur savoir-faire médical à un savoir-être humain. D'ailleurs, depuis qu'ils ont recours à des coordinateurs du même genre, les établissements hospitaliers italiens et portugais ont enregistré une augmentation du nombre des dons d'organes. « Vous pourrez dépenser des millions en campagnes publicitaires pour sensibiliser le public, vous pourrez battre le pavé 24 heures sur 24 pour tenter de convaincre les gens de léguer leurs organes, vous pourrez vous entourer des meilleurs équipements, des plus grands chirurgiens et du système de santé le plus efficace qui soit, si vous ne savez pas comment parler aux familles au moment crucial, tout l'édifice s'écroule, affirme le Dr Robles. L'ensemble du système repose sur cette relation entre le médecin, le patient et sa famille. Si vous comprenez cela, tout le reste suivra. »

Alors, quel est le secret d'un bon coordinateur de transplantation ? Il aborde chaque famille avec humilité et compassion et déploie des trésors de patience. « Ma philosophie en la matière, c'est qu'un coordinateur ne regarde jamais sa montre, confie le Dr Robles. Chaque famille est unique et il faut donc examiner toutes les alternatives, écouter, être attentif aux silences, parce que c'est ainsi que vous apprenez à connaître les gens qui sont en face de vous, que vous les aidez à gérer leurs émotions, afin qu'ils puissent prendre une décision qui leur conviendra. »

Durant ma visite, le Dr Robles accompagne les membres de la famille Gomez dans ce processus. Il s'est entretenu avec eux tous les jours depuis que leur parente est arrivée à Sofia Reina. Les entretiens ont lieu dans une salle aux murs pastel apaisants. Un vase rempli de fleurs a été disposé sur une table, sous des posters et un calendrier concernant le don d'organes. Le coordinateur porte des lunettes et une blouse verte. À 52 ans, avec ses cheveux sombres coupés courts et son regard chaleureux, il affiche la solidité réconfortante de quelqu'un qui a tout vu. Lorsqu'il s'adresse à la famille, il s'exprime d'une voix claire et posée, empreinte d'une douceur désarmante – mi-médecin, mi-psychologue. Le voir en action me rappelle la maladresse avec laquelle les docteurs nous avaient parlé, à ma femme et moi-même, alors que notre bébé se trouvait en soins intensifs il y a de cela des années. « Le Dr Robles est quelqu'un de très très bon, me confie Marta Gomez. L'autre jour, j'étais en larmes et il m'a prise dans ses bras. Vous voyez tout de suite qu'il prend vraiment part à votre peine. »

Quelques jours plus tard, le Dr Robles aborde délicatement la possibilité d'un don d'organes. La famille Gomez n'en avait jamais vraiment discuté avant cet instant. « Nous en avions beaucoup entendu parler à la télévision et à la radio, dit Marta Gomez. Ma mère n'a jamais dit clairement que faire de ses organes à sa mort, mais je me souviens qu'elle se réjouissait de toutes les histoires de gens sauvés par des greffes. »

Mais l'une des sœurs de sa mère est opposée au don d'organes. Après leur avoir exposé la situation, le Dr Robles se retire pour laisser à la famille le temps et l'espace nécessaires à un éventuel consensus. Finalement, la sœur réticente se range aux vues des autres. « Le docteur explique très bien les choses et il écoute les gens. Il vous apaise, dit Marta Gomez. Sans jamais avoir eu l'impression qu'il faisait pression sur nous, nous avons tous fini par avoir envie de dire oui. »

D'autres familles peuvent être plus difficiles à convaincre. Quand l'enfant d'un couple divorcé décède, il arrive fréquemment que les parents ne réussissent à se mettre d'accord qu'après des heures d'échanges, d'écoute et de soutien. Récemment, les proches d'un homme de 67 ans qui venait de mourir à l'hôpital étaient partagés sur la question du legs de ses organes, cinq de ses enfants y étant favorables et cinq autres opposés. Tel un diplomate lors d'un sommet des Nations unies, le Dr Robles a consacré son après-midi à faire des allers et retours entre frères et sœurs pour apaiser leurs craintes, préserver les ego, trouver un compromis, expliquer à chacun comment la disparition de leur père pourrait sauver la vie d'autres gens. En fin de journée, tous ont accepté le don.

Des coordinateurs comme Robles ne cherchent jamais à brusquer ou à leurrer les familles pour leur arracher un consentement malgré elles. Une telle attitude pourrait certes augmenter le nombre des dons à court terme, mais elle finirait par miner le système en provoquant la colère des intéressés. Jusqu'à présent, l'Espagne a réussi à résister à cette tentation. Un sondage réalisé auprès des usagers de Reina Sofia n'a pas identifié une seule famille qui ait par la suite regretté son choix, et personne ne s'est jamais plaint qu'on lui avait forcé la main. « Nous pensons toujours au long terme, notre objectif est de faire en sorte que le don réunisse la famille plutôt que de la diviser, dit-il. Il faut découvrir pourquoi une personne dit non et essayer de la convaincre pour qu'elle soit fière d'avoir finalement répondu oui. Nous cherchons à transformer les larmes de tristesse versées pour le décès d'un être cher en larmes de joie répandues pour toutes les vies que ses organes vont sauver. En définitive, il s'agit de gérer des émotions. »

La manière dont procède le Dr Robles nous permet d'aborder le prochain ingrédient de la solution lente : prendre le temps de comprendre et de canaliser les émotions. Trop souvent, nous réduisons l'art de résoudre un problème à une science basée sur des tableaux, des schémas et des diagrammes. Si vous voulez réussir, affirment les experts, commencez par remiser vos émotions au vestiaire. Concentrez-vous sur les chiffres. Faites preuve de logique. Soyez rationnel. Soyez scientifique.

Les émotions donnent le ton

Il ne sert à rien de s'énerver ni de céder à une panique aveugle, mais cela n'implique pas que nous devons aborder tous les problèmes à la manière de Mr. Spock, le héros de *Star Trek*. Nous sommes traversés d'émotions. Platon enseigne que « le comportement humain découle de trois sources principales : le désir, l'émotion et le savoir ». Même lorsque nous croyons être rationnels et logiques, nous sommes souvent gouvernés par nos passions. Années après années, économistes, sociologues et psychologues ont accumulé une pleine bibliothèque de recherches qui prouvent que l'émotion et les biais qu'elle peut engendrer prennent souvent le pas sur la raison. Vous vous dites peut-être non raciste, mais cela ne vous empêche pas de tenir fermement votre sac à main quand vous apercevez quelqu'un comme Lewis Price avancer de sa démarche chaloupée dans une rue déserte.

Penchons-nous sur une expérience connue sous l'expression «jeu de l'ultimatum» dans laquelle une somme de 10 euros est remise à deux personnes – appelons-les Max et Mary – qui doivent se la partager. Max doit proposer une manière de diviser la somme; Mary est libre d'accepter ou non cette offre unique, mais si elle la refuse, aucun des deux ne recevra le moindre centime. Dans un monde rationnel, Mary accepterait n'importe quelle proposition de Max, sauf s'il envisage de conserver la totalité de la somme. Même si Max entend garder 9,99 euros, Mary y gagnera au moins 1 centime. Or, dans la vraie vie, il arrive que les personnes interrogées repoussent des offres très généreuses, ce qui prive les deux parties de tout gain. Pourquoi? Parce que leurs décisions sont influencées par leurs émotions et, en l'occurrence, par un sentiment d'injustice. Ce sentiment est si puissant qu'il peut amener à sacrifier une bonne affaire pour punir celui qui voudrait nous imposer une solution inégale. Quels que soient leur pays d'origine, les gens ont tendance à rejeter tout partage qui serait moins favorable qu'un rapport 80-20.

Et dans tous les bureaux du monde, ce sont les émotions qui donnent le ton. Nombre d'études montrent que, lorsque nous cessons de nous investir émotionnellement dans notre travail, nous devenons moins créatifs et moins productifs. Quand les salariés sont heureux, ils sont plus innovants. Un employé content de son sort sera plus enclin à laisser mijoter un problème professionnel dans un coin de sa tête, même durant son temps libre, pour se présenter ensuite au bureau avec une solution intelligente développée au cours de la nuit.

Nous avons déjà évoqué beaucoup de solutions lentes dans lesquelles l'émotion joue un rôle non négligeable. Souvenez-vous de la manière dont Enrique Peñalosa valorisait ses troupes. Rappelez-vous les résultats qu'ont obtenus la Norvège et Singapour en traitant leurs détenus avec dignité. Songez à l'importance qu'accordent les élèves de Locke au fait que leurs encadrants les considèrent comme des membres de leur famille: «Tous les jours, l'attitude est positive, s'enthousiasme Price. Même quand vous avez les nerfs, vous passez les portes de l'école et vous vous dites: "Mince, partout, il y a des gens qui m'encouragent, comment se prendre la tête quand ceux qui vous entourent sont si sympas?"»

Quand j'ai interrogé Ricardo Perez sur la place de l'émotion dans la révolution des micromoulins du Costa Rica, il m'a répondu que, pour un entrepreneur, une tape encourageante sur l'épaule pouvait avoir autant d'importance qu'une mise de fonds, une machine neuve ou un business plan. En 2007, il a eu l'occasion de visiter le Stumptown Café, un bistrot à la mode qui torréfie et commercialise du café à Portland, dans l'Oregon. Accoudé au comptoir, à une heure d'affluence, il a été sidéré de voir tous ces branchés américains commander expressément un Helsar de Zarcero : « C'est l'une des plus belles expériences qui me soient jamais arrivées, se souvient-il. Voir notre nom écrit là-haut, sur le tableau, et entendre les gens le citer… J'avais les larmes aux yeux en pensant à tout le travail qu'y avait consacré ma famille, mes parents, mes grands-parents, durant tant d'années, s'émerveille-t-il encore. Pendant des siècles, personne ne nous a jamais dit que notre café était bon. Or, quand vous faites quelque chose et que les années passent sans que jamais personne ne vous fasse le moindre compliment, vous perdez la foi, vous n'avez plus envie de vous améliorer. Voir des étrangers apprécier votre café, entendre des gens vous dire que vous faites du bon boulot, que vous apportez quelque chose au monde, c'est le genre de motivation dont un producteur a besoin pour travailler de mieux en mieux. L'émotion est essentielle aux êtres humains. »

Petites émotions, grands capitaines

Beaucoup de problèmes complexes ne peuvent être résolus qu'en persuadant des gens d'accepter certains sacrifices ou de se comporter comme ils ne l'auraient jamais fait spontanément. En ce domaine, en appeler à la raison ne mène pas loin. Pour susciter un véritable changement au sein d'une salle de classe, d'une entreprise ou d'une communauté, pour emporter l'adhésion à un projet, il faut s'appuyer sur ce que Vincent Van Gogh appelait les « petites émotions qui sont les grands capitaines de nos vies ».

Comment y parvenir ? L'une des méthodes consiste à entraîner les personnes qui vont traiter le problème à s'impliquer émotionnellement. Dans le secteur médical, pour développer l'empathie de leurs employés, les hôpitaux du monde entier les encouragent à suivre des cours de peinture, de musique et de photographie. Tous les cancérologues de Grande-Bretagne ont désormais l'obligation d'assister à une formation de trois jours durant laquelle des spécialistes et des acteurs leur apprennent à parler à des patients atteints d'un cancer. Les facultés de médecine ont élargi leurs programmes pour y intégrer des enseignements en humanités dans l'optique de produire des étudiants qui brillent à la fois lors des examens et dans les situations exigeant une bonne intelligence émotionnelle. Dans le même esprit, la Harvard Medical School a revu ses critères d'admission pour que, dès 2016, tous les candidats « parlent couramment l'anglais et en maîtrisent les subtilités ».

Au chapitre 11, nous avons constaté que le fait d'impliquer chacun dans les solutions à trouver pouvait donner accès à plus de créativité. Cette responsabilisation peut également engendrer une adhésion émotionnelle à la solution proposée car, même si le remède imaginé par les personnes impliquées n'est pas parfait, c'est le *leur*. Soyons honnêtes : nous adorons tous voir nos propres idées prendre forme ou au moins avoir l'impression d'avoir été entendus. C'est la base même de la psychologie. Bruno Frey, qui enseigne l'économie et les sciences comportementales, a confronté les résultats de plusieurs sondages portant sur le bonheur au niveau de démocratie directe à l'œuvre dans les 26 cantons suisses. Cela lui a permis de mettre au jour une corrélation troublante : plus les gens ont d'influence sur le processus démocratique, plus ils sont heureux. Frey a identifié deux raisons : d'abord, la démocratie est le régime politique le plus susceptible de produire de meilleurs gouvernements ; ensuite – et surtout – nous éprouvons plus de bien-être quand nous avons l'impression de pouvoir influer sur le cours de notre vie – ce qui explique pourquoi la perte de liberté imposée par la prison peut être aussi insupportable. Bruno Frey a également découvert que les Suisses pouvaient être heureux même sans aller voter. En d'autres termes, le simple fait que notre voix *puisse* compter suffit à susciter un *sentiment* de contentement à propos du régime politique en place.

D'ailleurs, cela pourrait être le principal apport de l'expérience menée en Islande après la crise. Même si aucune des suggestions formulées dans le cadre des Assemblées nationales ne trouve finalement sa place dans la Constitution ou dans un programme gouvernemental, cet investissement dans le *crowdsourcing* pourrait s'avérer extrêmement profitable. Les électeurs islandais ont l'impression d'avoir été pris en compte, que leurs idées ont de l'importance et que le processus de consultation comporte de réels enjeux pour eux. « Ces dernières années, je voyais la politique comme quelque chose que d'autres m'imposaient, explique Dagur Jónsson, un instituteur de Reykjavik. Aujourd'hui, il me semble que le gouvernement ne doit pas être une machine distincte qui fonctionne indépendamment du peuple. Nous pouvons être le gouvernement. » De telles paroles ne peuvent que réjouir Gudjon Gudjonsson, le moteur principal de ces Assemblées. Il voit dans le recours aux citoyens l'aiguillon idéal pour revigorer le vote dans le monde entier : « Dans ce nouveau modèle de démocratie, vous faites appel à la population pour qu'elle vous guide dans la définition d'une vision et de valeurs clés, explique-t-il. Et la population a le sentiment que le système politique lui appartient aussi.»

Pour emporter l'adhésion à leur programme Verso, ses organisateurs cherchent à obtenir dès le départ l'avis des élèves: «Quand nous arrivons dans une école, nous demandons aux enfants comment devrait fonctionner la médiation, et ce n'est que dans un second temps que nous proposons des idées, que nous mentionnons ce que font les autres établissements et que nous recourons à des simulations, en prenant soin de ne pas précipiter les choses. Nous mettons progressivement les élèves sur la bonne voie, mais ils ont l'impression que les idées viennent d'eux, qu'ils en sont les véritables auteurs, dit Maija Gellin. Si les protagonistes d'un conflit ont la sensation que la solution ne leur a pas été imposée, qu'elle vient d'eux, ils sont plus enclins à la mettre en œuvre.»

Si seulement les rédacteurs du traité de Versailles avaient compris cela en 1919! En tout cas, chez Ideo, les promoteurs de la solution lente n'ignorent manifestement pas cet aspect des choses: «Nous avons commencé à envisager différemment les termes de l'implication des parties prenantes, explique Jane Fulton Suri. Nous ne pouvons pas nous contenter de leur remettre les Tables de la Loi. Pour tirer le meilleur parti des gens qui s'impliquent dans la gestion d'un problème, il vaut mieux que chacun ait l'impression de pouvoir participer.»

Une autre manière d'emporter l'adhésion à une initiative consiste à exploiter le besoin de reconnaissance. L'homme est un animal social. Il n'aime pas l'isolement. Il veut avoir le sentiment de faire partie d'un ensemble plus grand. Il veut savoir que d'autres ont besoin de lui tout en se souciant de lui. Sinon, comment expliquer que le simple fait de placer l'image d'une paire d'yeux à côté d'une corbeille, dans laquelle les clients *peuvent* payer un produit en libre-service, puisse permettre de récolter plus d'argent? Comment justifier ces engouements aussi inattendus que brefs pour les cravates extra-larges, les combinaisons en polyester et les coupes de cheveux impossibles? Pour modifier des comportements bien installés, des institutions comme les Alcooliques anonymes ou Weight Watchers motivent leurs membres au moyen de réunions de groupe. Le mouvement du microcrédit recourt lui aussi à la pression des pairs en scindant les emprunteurs en petites unités, sachant que le défaut de paiement d'un seul membre peut pénaliser tous les autres. Lors d'une guerre, les soldats ne risquent pas leur vie pour promouvoir une politique ni même obéir aux ordres, ils montent au feu parce que c'est ce qu'attendent d'eux leurs compagnons d'armes. Dans son livre *Cohesion: The*

Human Element in Combat, le colonel William Darryl Henderson, qui a enseigné la psychologie militaire à West Point, écrit : « Sur le champ de bataille, la seule force assez puissante pour faire avancer un soldat sous le feu ennemi, c'est sa loyauté à un petit groupe et le fait que ce groupe n'en attend pas moins de lui. »

L'homme est un animal social

Si le besoin d'appartenance peut nous inciter à affronter la mort, il devrait également pouvoir nous aider à éliminer les attitudes et les biais qui font obstacle à tant de solutions lentes. Le psychiatre et neuroscientifique Peter Whybrow, que nous avons évoqué précédemment, en est convaincu : « Nous sommes égocentriques et individualistes, mais nous sommes aussi sociaux. Quand nous parvenons à mobiliser notre besoin de reconnaissance, nous pouvons contrebalancer notre égocentrisme et nous en servir comme d'un levier pour accéder à une réflexion et des solutions à long terme. »

L'une des façons d'obtenir cette acceptation par le groupe consiste à pratiquer l'humilité. Quand les personnes placées au sommet d'une pyramide admettent leurs faiblesses, celles qui forment la base se sentent plus enclines à adopter la solution qui leur est proposée. En reconnaissant l'erreur qu'il a commise lors de son vol au-dessus de la mer du Nord, Dicky Patounas a incité les membres de son escadron à admettre aussi les leurs : « Si leurs supérieurs ne sont pas concernés, cela ne les encourage pas à avouer leurs erreurs car ils ont l'impression que eux seuls encourent une sanction, dit-il. C'est pour cette raison que j'ai montré l'exemple. »

L'humilité implique en général de maintenir les canaux de communication grand ouverts. Les gens détestent être laissés dans le flou, surtout en temps de crise et de changements. Voilà pourquoi les entreprises traversent plus aisément une restructuration quand leurs dirigeants sont transparents vis-à-vis du personnel. En 2001, l'effondrement du secteur des télécommunications a profondément ébranlé Marlow Industries, Inc., un fabricant d'équipements thermoélectriques pour l'industrie *hight-tech* basé à Dallas. Quand les commandes ont chuté dramatiquement, la société a dû réduire la voilure en urgence, en automatisant une partie de ses chaînes d'assemblage, en transférant en Chine les étapes de production les moins délicates, en passant les effectifs de 779 à 222 employés et en contraignant ceux qui restaient à accepter une baisse de salaire. Mais Barry

Nickerson, le président de la société, a réussi à préserver une relative sérénité en communiquant régulièrement avec ses équipes. À l'occasion de réunions mensuelles, il expliquait à l'ensemble du personnel ce qui motivait chaque étape de la restructuration, comment se déroulaient les opérations, ce qui était prévu ensuite et à quel moment les salaires retrouveraient leur niveau initial. Comme les autres partisans de la solution lente déjà évoqués, il a ancré chacune des réformes dans une vision à long terme pour l'entreprise, en promettant de faire de l'usine de Dallas le leader mondial de la fabrication de matériel *high-tech*, la Chine ne conservant que les opérations les moins sophistiquées : « Chaque fois que notre position évoluait, nous organisions une réunion pour expliquer exactement ce que nous faisions, se souvient Nickerson. Nous étions très transparents vis-à-vis des salariés sur notre bilan financier. Nous leur expliquions précisément la situation et où nous en étions. »

Marlow Industries a su traverser la tempête et en sortir plus solide que jamais. Plus de dix ans après ces péripéties, le groupe est devenu l'un des géants de la thermoélectricité. L'usine de Dallas compte aujourd'hui 1 100 employés et Nickerson est toujours aux commandes.

La communication avec ses troupes fait aussi partie du *modus operandi* de Sir Richard Branson. Tout comme Peñalosa, cet infatigable globe-trotter met un point d'honneur à rester disponible pour tous les employés du groupe Virgin : « Une prestation de qualité dépend également d'une communication de qualité, et celle-ci doit partir du sommet, a-t-il récemment écrit. Un peu de courage : divulguez votre adresse mail et votre numéro de téléphone. Vos employés sauront en faire bon usage et ne pas en abuser. Ce faisant, vous leur donnerez un coup de pouce psychologique formidable – ils sauront qu'ils peuvent vous contacter à chaque fois que surgit un problème qui requiert votre attention. »

Il arrive qu'une infime connexion émotionnelle produise des résultats incroyables. Des recherches conduites dans des domaines très différents montrent que les groupes règlent mieux les problèmes quand leurs membres se connaissent par leur prénom. Et les hôpitaux dans lesquels les membres du personnel soignant se présentent avant une intervention chirurgicale constatent que la communication est meilleure pendant l'opération, chacun étant plus enclin à signaler un problème et à suggérer des solutions.

La leçon que nous enseigne chaque solution lente, c'est qu'il faut communiquer dès qu'il y a matière à le faire. Les effectifs de Green Dot l'ont appris à leurs dépens. En tardant à lancer leur offensive de charme, ils ont permis à quelques mauvais génies du quartier d'empoisonner l'atmosphère en incitant ses habitants à s'opposer au projet. « Nous aurions dû faire passer notre message beaucoup plus tôt », regrette Ellen Lin, responsable administrative de Locke.

Tout le monde est capable d'apprendre à jouer avec le thermostat des émotions. Commencez par écouter plus. Lorsque vous discutez d'un problème, faites-vous un principe de ne pas interrompre ceux qui exposent leurs arguments. Ne vous concentrez pas uniquement sur les paroles, mais soyez aussi attentif aux émotions qui les sous-tendent. Montrez-vous aussi transparent et honnête que possible. Prévoyez assez de temps pour pouvoir tisser des liens avec les principaux acteurs de votre solution lente. Veillez à vos relations intimes et frottez-vous à la littérature, à la musique, à la nature, à l'art – à tout ce qui peut vous aider à affiner vos capteurs émotionnels.

Mais n'oubliez pas que la sensibilité n'est pas toujours suffisante. Pour mettre fin à des schémas comportementaux bien installés, il faut souvent secouer les gens. Ses années de consultant pour le secteur privé ont enseigné à Marco Petruzzi que les entreprises en chute libre sont extrêmement difficiles à sauver et que celles qui s'en sortent amorcent généralement leur guérison grâce à un électrochoc bref, mais net : « Sans ce coup de fouet, l'inertie s'installe et le système vous engloutit », dit-il.

Pour ébranler l'immobilisme de Locke, Green Dot s'est assuré que tous les éléments du changement étaient réunis (les uniformes, de nouveaux profs, des pelouses entretenues, des bâtiments fraîchement repeints, des éclairages réparés, une sécurité renforcée) et opérationnels dès le lancement des opérations : « Notre idée était que, quand les gamins reviendraient après les vacances, tout aurait tellement changé qu'ils verraient tout de suite que ce n'était plus le même monde. Et donc qu'ils devraient agir et se comporter autrement, et qu'on leur en demanderait davantage, explique Petruzzi. C'est ce que j'ai essayé d'apporter, en m'appuyant sur ce que j'avais pu voir dans le monde de l'entreprise : introduire dès le début un nouvel environnement. »

Quand il a franchi les portes de l'établissement ce jour-là, Lewis Price se souvient d'avoir eu l'impression que Locke commençait un nouveau chapitre, pour lui-même comme pour Watts : « On s'était dit que le nouveau Locke serait toujours l'exact reflet de notre quartier, un endroit où il fallait surveiller ses arrières, où les gens allaient pour faire des conneries, mais dès le jour de la rentrée, on a compris que ce serait différent, dit-il. On a franchi les grilles et les profs nous ont accueillis aussi chaleureusement que si on faisait partie de leur famille. Le campus était nickel, et tout le monde portait l'uniforme. »

Cette secousse a-t-elle effectivement amené Lewis Price et ses copains à modifier leur état d'esprit ?

« Absolument. On avait le *sentiment* que tout était différent, alors on savait qu'il faudrait qu'on *soit* différent. C'était un peu comme un jeu – ils ont avancé leurs pions, puis c'était à nous de jouer. »

Chapitre 13

Jouer :
un coup à la fois

Il est rare que les gens réussissent,
s'ils ne s'amusent pas à ce qu'ils font.
Dale Carnegie

Quel est le casse-tête le plus difficile auquel notre monde est confronté ? Certains placeront en tête le réchauffement climatique, la pauvreté et le terrorisme. D'autres choisiront peut-être la criminalité, le racisme ou la surconsommation. Reste que, pour beaucoup de foyers, le problème majeur du genre humain, c'est le ménage…

Ce ne sont pas les corvées en elles-mêmes qui posent problème. Manier le chiffon, l'aspirateur ou le lave-linge ne présentent pas de difficultés insurmontables. Pas besoin de suivre des cours du soir avant de se lancer. Le vrai problème consiste à répartir équitablement les tâches. La révolution féministe a déjà connu plusieurs vagues successives, mais les femmes continuent de se charger de la majeure partie des basses besognes de la maison. Une étude réalisée en 2010, en Espagne, a montré que, dans les familles où les deux membres du couple travaillent, plus de la moitié des femmes accomplissent la plupart voire la totalité des corvées domestiques, un tiers des conjoints masculins n'en assumant aucune. En Italie, 70 % des hommes n'ont jamais fait la cuisine et 95 % ne savent pas faire fonctionner une machine à laver[1]. Même dans des régions du globe où le sexisme

1. En France, les femmes consacrent en moyenne 3 h 52 par jour aux tâches domestiques, les hommes 2 h 24. Mais si on regarde en détail, les femmes passent trois fois plus de temps que les hommes à faire le ménage, la cuisine, les courses ou à s'occuper du linge et deux fois plus à s'occuper des enfants. Les hommes semblent préférer les activités de bricolage et de jardinage (chiffres 2010 de l'Observatoire des inégalités).

est moins ancré culturellement, comme la Scandinavie, les mâles participent à moins de la moitié des tâches ménagères.

Cette situation est source de frictions. Des recherches ont démontré que, chez les personnes qui considèrent en faire plus que leur part, l'accomplissement de besognes domestiques engendre une tension artérielle supérieure à une réunion professionnelle. Partout dans le monde, les femmes critiquent cette répartition inégale du travail et les forums de discussion relaient leur colère. Sur un site Internet dédié aux parents, on trouve ce commentaire d'une mère canadienne qui écrit sous le pseudonyme « Esclave domestique » : « Ils ne se tapent AUCUNE corvée et ça me rend dingue ! » Dans ces conditions, est-il si surprenant qu'autant d'études concluent que, plus un homme participe aux corvées domestiques, moins son couple risque une séparation ? La lutte a même fini par gagner des familles qui peuvent s'offrir des employés de maison. Durant la campagne présidentielle des États-Unis en 2008, Michelle Obama a reproché en public à son candidat de mari de laisser traîner ses chaussettes sales…

Ces histoires vous rappellent-elles quelque chose ? À moi, oui. Dans notre famille, c'est ma femme qui se plaint. Pourtant, je participe : il m'arrive de préparer les repas et je fais de gros efforts pour laisser la cuisine impeccable. J'effectue aussi de menues réparations et je lance parfois une machine. Et bien que ces tas d'oreillers me donnent du fil à retordre, je fais souvent le lit. Mais je pourrais en faire plus – en commençant par ramasser mes chaussettes sales. Dans ce domaine, nos enfants ne font pas de zèle non plus. Question ménage, à l'exception de ma femme, tous les membres de la famille obtiennent la mention : « Peut mieux faire. »

Alors, puisque je suis conscient du problème, comment expliquer mon inertie ? L'état dans lequel se trouve mon bureau permet de penser que je n'accorde pas une grande importance au rangement. Ma table de travail est couverte de papiers et de calepins, parsemée de miettes de biscuits et de fruits secs, sans compter la fourchette qui trempe dans les reliefs d'un déjeuner pris sur le pouce. À mes pieds, un tas de chaussures de sport et de tenues diverses attend patiemment son sort.

Je sais que ces manières de vieux célibataire ne sont pas admissibles dans une famille ; pourtant, la moindre corvée domestique me demande des efforts surhumains que j'ai parfois du mal à m'imposer. Si j'aime préparer un repas, une chambre bien rangée me laisse froid et il semble que ce soit aussi le cas de mes enfants. Un jour, ma fille a dit : « Si le ménage est si important, pourquoi personne n'a-t-il encore inventé un moyen pour le rendre plus rigolo ? »

Et si on jouait ?

À vrai dire, c'est fait depuis 2007. Chore Wars[2] est un jeu en ligne qui pourrait bien vous donner envie de vous essayer aux tâches ménagères. Pour jouer, vous devez constituer un groupe virtuel composé de gens qui partagent le même espace que vous dans la vraie vie – une maison, un bureau ou un espace collectif quelconque. Chaque joueur commence par se choisir un avatar, puis tous les participants définissent ensemble une liste de besognes à effectuer, en contrepartie de récompenses allant de pièces d'or virtuelles à des bonus améliorant votre avatar. Il vous est également possible de convertir vos richesses virtuelles en rétributions tangibles : une séance de cinéma pour les enfants ou un massage pour votre conjoint.

Comme tous les jeux de rôles, Chore Wars donne un caractère épique et héroïque à la réalité la plus triviale. Dans cet univers merveilleux, les corvées sont des « aventures » et le simple fait de « descendre les poubelles » vous entraîne dans une mission pour « débarrasser le royaume de déchets toxiques », tandis qu'en passant la serpillière dans l'entrée un jour de pluie, vous accomplissez l'exploit de « repousser l'inondation au-delà des murailles ».

Je sais ce que vous pensez, parce que j'ai eu la même réaction : c'est nase, idiot et puéril. Ce n'est pas en parodiant Donjons et Dragons que les gens en viendront à adorer les tâches ménagères. Mais qu'est-ce que j'en sais ? Il semble bien que ce jeu ait effectivement réussi à précipiter nombre de phobiques du ménage vers un balai ou un aspirateur. Les participants témoignent avoir vu des enfants sauter de leur lit pour ranger leur chambre et étendre le linge, des collègues arriver plus tôt au bureau pour laver les tasses abandonnées dans la cuisine collective et même des étudiants se battre pour obtenir le privilège de nettoyer les toilettes de leur résidence universitaire. Les adeptes de Chore Wars sont les premiers surpris d'avoir été ainsi convertis aux joies de l'époussetage, du récurage et du décrassage : « Je n'avais jamais vu mon fils faire son lit, rapporte une mère de famille du Texas. Et j'ai bien failli m'évanouir quand mon mari a nettoyé la grille du four. »

Passer encore plus de temps derrière un écran d'ordinateur ne me réjouit pas plus que ça, mais le succès de Chore Wars est trop stupéfiant pour être négligé.

---

2. « Chore Wars » peut se traduire par « Guerres des corvées ».

Quand j'en ai parlé pour la première fois à mes enfants, je m'attendais à ce qu'ils m'accusent de chercher à les entourlouper pour qu'ils participent au ménage. Leur réaction m'a désarçonné : avant même que j'aie fini de leur exposer les règles du jeu, ils se sont mis à faire la liste des récompenses envisageables – bonbons, chocolats, friandises. Et au moment où je m'apprêtais à leur déclamer : « J'aime qu'un plan se déroule sans accroc », ils avaient déjà dégainé une feuille pour concevoir leur avatar.

Beaucoup de solutions lentes dépendent de la capacité à inciter les gens à accomplir des tâches qu'ils n'entreprendraient pas naturellement. L'un des moyens d'y arriver consiste à leur confier le soin de résoudre leurs propres problèmes. Songez à la manière dont le système Verso encourage les petits Finlandais à négocier leur propre traité de paix après une altercation dans la cour de l'école. Une autre technique repose sur la gestion des émotions, comme l'illustrent les mesures mises en place en Espagne pour favoriser le don d'organes. Le triomphe de Chore Wars laisse penser que le jeu peut avoir un effet similaire – ce qui nous amène au prochain ingrédient de la solution lente : exploiter le penchant de l'être humain pour les activités ludiques.

L'instinct du jeu est profondément ancré en nous. Bien après qu'ils ont contribué à la construction de notre cerveau d'enfant, nous continuons à adorer les jeux, du Scrabble au Sudoku en passant par les devinettes et les échecs. Il y a soixante-dix ans, le sociologue néerlandais Johan Huizinga avait déjà identifié le jeu comme l'un des besoins élémentaires de l'homme. Dans son livre *Homo ludens*, il déclarait : « L'existence du jeu est indéniable. On peut nier presque toutes les entités abstraites : justice, beauté, vérité, esprit, Dieu. On peut nier le sérieux. Pas le jeu. »

De fait, les jeux sur écran sont en train de révolutionner notre civilisation. De nos jours, l'humanité dans son ensemble consacre 3 milliards d'heures par semaine aux jeux vidéo. Ces produits rapportent plus d'argent que les films et les DVD réunis. Un tel constat peut surprendre quiconque a dépassé l'âge de 40 ans. Les générations les plus anceinnes en sont restées à l'âge de pierre en ce domaine et ont encore à l'esprit les bombardements monotones de Space Invaders ou les échanges soporifiques de Pong. Mais les jeux vidéo ont fait des pas de géant.

Nombre d'entre eux sont fascinants, véritablement exigeants et franchement captivants. Le profil type du joueur est désormais à cent lieues de l'adolescent boutonneux qui détruit une armée de zombies tout seul dans sa chambre.

D'ailleurs, beaucoup de jeux en ligne ont une forte composante sociale. Songez aux Sims et à toutes ces demandes que vous recevez pour aller arroser le jardin de vos amis disciples de Farmville. La moyenne d'âge de la communauté des *gamers* – qui compte 50 % de femmes – est de 30 ans, et plus d'un quart d'entre eux ont dépassé la cinquantaine.

Actionner les bons leviers

Forts de quarante années d'expérience, les concepteurs de jeux vidéo connaissent les leviers psychologiques et neurologiques qu'il faut actionner pour continuer à nous captiver. Dans Chore Wars, les récompenses attribuées pour avoir achevé une « aventure » sont immédiates et vous avez toujours la faculté de contrôler la puissance et l'habileté de votre avatar. Cette perspective d'évolution constante, mesurable et progressive, répond très précisément à ce que notre cerveau désire ardemment.

Pour convaincre les joueurs d'accomplir des tâches qu'ils cherchent normalement à fuir, Chore Wars manie la carotte plutôt que le bâton. Chaque aventure donne lieu à une rétribution spécifique et les participants sont libres de concourir pour celle de leur choix. Cette configuration permet d'éliminer toute notion de contrainte et de transformer des corvées domestiques en une suite d'actes volontaires et de stratégies inventives.

Mais ce jeu est aussi très convivial. Les joueurs sont informés des réactions de leurs concurrents – un pouce levé pour avoir débouché le lavabo, une tape moqueuse pour s'être soustrait à une entreprise plus difficile. L'animal social qui sommeille en nous adore interagir dans un cadre ludique, surtout si cela lui vaut la reconnaissance de ses pairs.

Quand ma femme a appris que je m'étais inscrit à Chore Wars, elle a semblé sceptique : « Je ne vois pas bien l'intérêt de faire du ménage un jeu, m'a-t-elle déclaré. Pourquoi ne pas se contenter d'attribuer des bons points ou des récompenses pour les tâches accomplies ? » C'est notre fille qui lui a aussitôt répondu : « Parce que c'est beaucoup plus drôle si c'est un jeu. »

Ma femme ayant décliné notre invitation, j'entreprends avec les enfants de créer un compte pour la « bande de Bennerley ». Mon avatar est une sorte de paysan barbu habillé en centurion romain, mon fils a choisi un sorcier masqué au regard de braise et ma fille a opté pour une mystérieuse aventurière encapuchonnée de mauve. Nous établissons la liste de nos aventures – mettre la table et la débarrasser, recomposer les paires de chaussettes, faire les lits… Ensuite, nous déterminons les gratifications. Accomplir une aventure rapporte un nombre fixe de points d'expérience, mais aussi un nombre aléatoire de pièces d'or, ainsi que la possibilité de gagner un butin – une cape d'invisibilité, des potions ou une épée.

De ce fait, vous ne pouvez jamais anticiper exactement ce que sera votre rétribution totale – ce qui fait l'effet d'une drogue sur vos neurones. Diverses études prouvent en effet que le cerveau produit de la dopamine, une hormone de bien-être, dès que nous atteignons un objectif, que nous obtenons une récompense ou que nous remportons une victoire. Mais il n'en libère jamais autant que lorsque ces gratifications sont inédites et incertaines, ce qui explique pourquoi les paris peuvent entraîner une telle dépendance. Les enjeux imprévisibles de Chore Wars inondent le cerveau de dopamine, nous condamnant à en redemander.

À peine la partie commencée, l'excitation de la bande de Bennerley est à son comble. Nous nous élançons tous les trois dans la maison en quête d'aventures. J'aperçois mon fils emporter une pleine brassée de vêtements sales vers le panier à linge, tandis que ma fille vient d'ouvrir la poubelle pour y jeter trois bobines en carton de papier toilette. Du jamais vu… Pendant ce temps, je me surprends à ranger les chaussures, les bottes et les patins à roulettes dans la penderie. Une autre première… J'avais craint que l'attrait de la nouveauté ne s'émousse rapidement, mais il semble que je me sois trompé. Cinq jours après le début de nos aventures, je surprends mon fils en train de menacer sa sœur de lui faire son lit le lendemain matin. Après une semaine de jeu, j'entends la porte d'entrée claquer et ma fille débarque dans la cuisine avec la bouteille de lait que le livreur vient de déposer sur le seuil. Elle empoche au passage dix points d'expérience, vingt-quatre pièces d'or et un poignard.

Nous décidons qu'il est temps de transformer notre argent et nos trésors en récompenses tangibles – un morceau de musique sur iTunes, une crème glacée du glacier voisin et un billet pour un match de football. Mais ces gratifications n'expliquent qu'en partie notre envoûtement. Nous nous sommes laissés prendre au jeu lui-même, nous avons succombé à l'excitation et au plaisir de jouer ensemble, au frisson que procure une place de premier ou l'obtention inattendue d'un nouveau butin. Je reçois un texto de mon fils m'annonçant fièrement qu'il vient de me dépasser en rangeant sa chambre. Un peu plus tard, je me connecte subrepticement au site de Chore Wars pour vérifier le classement et préparer mes aventures de la soirée. Je dois bien avouer que je saute de joie en voyant que je viens de gagner pour la première fois un trésor – un compas magique, si vous voulez savoir. Le match connaît un tournant décisif lorsque ma fille me coince dans la cuisine avec une demande absolument incroyable : « S'il te plaît, allez, est-ce qu'on pourrait ranger les chaussettes ensemble ? »

Remettre du plaisir dans les corvées

Chore Wars est seulement la partie immergée de l'iceberg. Dans le monde entier, des écoles découvrent que l'utilisation de jeux vidéo aux fins d'enseignement peut amener les élèves à faire leurs devoirs avec plaisir. Dans notre cas, ma fille allume spontanément l'ordinateur pour se mesurer en arithmétique à des gamins habitant à des milliers de kilomètres de chez nous sur le site de Mathletics. En 2010, quand il est apparu que certains députés britanniques avaient maquillé leurs notes de frais dans des proportions phénoménales, les médias ont dû lever une petite armée d'enquêteurs pour éplucher près d'un demi-million de documents. Pensez-vous que les citoyens outragés se seraient portés volontaires pour une telle corvée si les journalistes s'étaient contentés de leur adresser toutes les pièces dans un PDF géant ? J'en doute. Au lieu de cela, *The Guardian* a transformé la chasse aux fausses factures en un jeu en ligne. Et plus de 30 000 personnes se sont jointes à la quête, sans autre contrepartie que le frisson du jeu.

Qu'est-ce qui peut bien conduire des programmeurs chevronnés à consacrer des centaines d'heures, non facturables, aux concours MATLAB ? Ce n'est certainement pas la perspective de remporter le grand prix – un t-shirt MathWorks. Mais c'est plus sûrement le plaisir du jeu, ainsi que les félicitations de leurs pairs que leur vaut une brillante prestation.

L'intérêt pour ces jeux peut même nous amener à dépasser l'inertie qui nous enferme dans nos mauvaises habitudes. Prenons l'exemple d'un modeste podomètre. Aussi accros que les *gamers* les plus passionnés, ses adeptes comptent obsessionnellement leurs pas, rivalisent entre eux, s'ovationnent mutuellement, échangent des tuyaux au sein de vastes communautés virtuelles. Et l'utilisateur moyen d'un podomètre finit par faire 2 000 pas de plus par jour ! Dans la même veine, en 2011, les résidents d'une rue de Brighton, en Angleterre, se sont mis à noter leur consommation quotidienne d'électricité. Avec l'aide d'un artiste et d'une boîte de craies de couleurs, ils en ont retracé l'historique de manière ludique et originale au milieu de la chaussée. Pour pimenter l'initiative, le tracé comparait l'énergie consommée par les habitants de la rue aux relevés d'autres régions du pays et du monde. La pression était donc à son comble pour que chacun économise plus d'électricité que ses voisins et que tous fassent mieux que leurs concurrents plus lointains. Il a suffi de quelques semaines pour que la consommation électrique de la rue baisse de 15 %.

Même le milieu médical commence à s'adonner aux joies du jeu. Les médecins, les mutuelles et l'industrie pharmaceutique sont aujourd'hui confrontés à un problème désarmant : beaucoup de patients ne suivent pas les prescriptions : une personne sur deux qui consulte ne prend pas ensuite ses médicaments. Aux États-Unis, cette négligence provoque tous les ans 125 000 décès qui pourraient très bien être évités, soit une facture de 100 milliards de dollars.

Les promesses du feedback

Le jeu peut contribuer à changer ces comportements. Beaucoup de gens souffrant de diabète de type 1, en particulier les jeunes, omettent de contrôler régulièrement leur taux de glycémie, qui permet de déterminer la dose d'insuline dont ils ont besoin. Il est vrai qu'il n'est pas enthousiasmant de devoir se piquer le doigt quatre fois par jour. Pour contourner le problème, le Centre for Global eHealth Innovation de Toronto a conçu une application pour smartphones qui donne à la procédure un caractère ludique. Chaque fois qu'un adolescent fait un auto-bilan sanguin, il obtient un message d'encouragement et reçoit des crédits à dépenser dans les boutiques iTunes. Grâce à cela, les personnes concernées ont accru leur vigilance de 50 %.

Pour changer des comportements tenaces, le feedback (ou rétroaction) – l'un des paramètres des jeux sur écran – porte de réelles promesses. Vous avez certainement noté que des panneaux de vitesse bien particuliers ont fleuri depuis quelques années le long des autoroutes. De prime abord, ils paraissent dénués d'intérêt. Un simple coup d'œil à votre compteur vous indique déjà à quelle vitesse vous roulez et ces radars pédagogiques n'ont pas vocation à générer de sanctions : pas de flash ni d'agents dissimulés à proximité, pas de risque d'amende.

Au pire, un message vous suggérera de ralentir. Pourtant, dans le monde entier, ces équipements réussissent à nous faire lever le pied. En moyenne, lorsqu'ils sont « flashés » par ces radars préventifs – c'est-à-dire lorsque la vitesse s'affiche en rouge sur le panneau –, les automobilistes réduisent leur vitesse de 10 % et continuent à rouler plus lentement sur plusieurs kilomètres. L'un de ces gadgets a été installé récemment près de chez moi, à Londres. Il est fixé à un lampadaire qui surplombe une artère rectiligne où il est facile de se laisser aller à un excès de vitesse. Bien avant l'apparition de ce radar, je savais quand je roulais trop vite, mais je redoutais surtout les gendarmes et les radars mobiles. Depuis, dès que le panneau vire au rouge, je ralentis. Et chaque fois que mon « score » se rapproche de la vitesse autorisée, j'ai un frisson de plaisir. Et quand je réussis à atteindre les 70 km/heure requis, le sentiment de plénitude qui m'envahit est presque comparable à celui qui enchaîne des *gamers* à leur siège durant des heures.

Vous risquez d'en déduire que j'aurais besoin de prendre l'air plus souvent. Mais le jeu auquel je joue avec ce radar pédagogique est une réponse naturelle à ce que les psychologues appellent une « boucle de rétroaction ». Depuis que les premiers hommes des cavernes ont commencé à bricoler avec des pierres et des branches, nous n'avons cessé de résoudre nos problèmes par tâtonnements empiriques basés sur la multiplication d'expériences et d'erreurs. À la base de ce processus, il y a une rétroaction, un écho – un *feedback* – rapide, clair et régulier : il est essentiel de savoir où nous en sommes *maintenant* pour pouvoir déterminer comment faire mieux *plus tard*. En d'autres termes, le cerveau humain est conçu pour répondre au défi implicite que représentent ces radars pédagogiques.

Lorsque vous procédez au tri sélectif de vos bouteilles et de vos journaux, ou que vous déposez vos vieux vêtements chez Emmaüs, il n'y a pas de boucle de rétroaction. Personne ne vous précise jamais de combien de points vous avez réussi à réduire votre empreinte carbone. Dans les deux cas, vous n'avez qu'une vague impression d'avoir fait les bons gestes. Comparez ces expériences avec le port d'un podomètre capable de vous indiquer, en temps réel, le nombre de pas que vous faites dans une journée. Faites le même exercice au volant d'une Toyota Prius, dont le tableau de bord affiche votre consommation de carburant aux 100 km, avec une actualisation de l'information toutes les 5 minutes. Si vous levez le pied, le chiffre diminue ; si vous accélérez ou enclenchez l'air conditionné, il augmente. C'est ce type de boucle de rétroaction qui peut métamorphoser une tâche banale en défi et en jeu. À l'instar des accros du podomètre, les propriétaires d'une Prius en viennent à se connecter à Internet pour se vanter de leurs performances routières et échanger des tuyaux sur le moyen de les améliorer. Danny Hernandez, restaurateur à San Francisco, fredonne *We are the Champions* dès que son compteur affiche 4,7 l/100 km : « Ça fait du bien de voir sa note augmenter et c'est plutôt chouette de savoir qu'on y est pour quelque chose, dit-il. En fait, ce truc a fait de moi un vrai *nerd* de la performance sur route. » Accessoirement, ce gadget a également fait de lui un meilleur conducteur en lui permettant de mettre un terme à des années d'excès de vitesse.

Hélas, toutes les rétroactions ne sont pas égales. Trop subtiles, elles passent inaperçues ; trop évidentes, nous les contournons. Le secret réside dans l'équilibre, avec un signal perceptible sans être accablant – comme le radar pédagogique ou le compteur de la Prius. Qu'il s'agisse d'amener les gens à conduire plus prudemment, à prendre leurs médicaments, à consommer moins d'énergie, à arrêter de fumer ou à adopter un régime alimentaire plus sain, les boucles de rétroaction engendrent généralement une amélioration de 10 % du comportement. Rien de révolutionnaire, certes, mais les progrès sont suffisants pour que le procédé trouve sa place dans la boîte à outils des pourvoyeurs de solutions lentes, comme le prouvent plusieurs exemples cités dans ce livre. À cet égard, rappelez-vous les panneaux que peuvent brandir les piétons de Bogota pour signaler aux automobilistes ce qu'ils pensent de leur conduite ou encore la réactivité de la RAF quand elle contacte dans les 24 heures les personnes qui lui ont signalé une erreur pour les tenir informés des développements du dossier.

Jane McGonigal est l'un des plus ardents promoteurs de l'exploitation du jeu. Conceptrice de jeux vidéo, cette trentenaire travaille à San Francisco et son livre *Reality is Broken : Why Games Make Us Better and How They Can Change the World* est un manifeste en faveur des jeux en ligne et une démonstration sur la manière dont ils peuvent contribuer à traiter certains problèmes bien réels. Des organisations aussi sérieuses que la Banque mondiale ou le département de la Défense américain frappent régulièrement à sa porte.

Je la rencontre à Londres. Vêtue d'un jean et d'un t-shirt noir sous un gilet en cachemire, son regard bleu et ses boucles blondes angéliques évoquent une muse préraphaélite de la Silicon Valley. L'énergie qu'elle investit dans sa croisade est contagieuse et les mots sortent de sa bouche aussi vite que les ordres d'achat sur les téléscripteurs de la Bourse. Nous sommes à peine assis qu'elle m'explique déjà combien le jeu peut prédisposer notre esprit à la résolution de problèmes :

«Lorsque nous jouons, nous avons l'impression de donner le meilleur de nous-mêmes. Nous en retirons un sentiment puissant d'intelligence, d'aptitude et de confiance en nous. Nous disposons de tous ces alliés pour nous aider à résoudre nos problèmes, ce qui nous encourage à fixer des objectifs ambitieux et à nous y tenir, à être plus résilient face à l'échec. C'est un type d'énergie très particulier. Ce n'est pas en passant un temps équivalent devant la télévision que les gens auront envie de sauter de leur canapé pour aller sauver la planète. La pratique du jeu sur écran nous place dans un état intellectuel et émotionnel qui nous rend plus susceptibles de réaliser des choses extraordinaires dans le monde réel.»

Les atouts du jeu

McGonigal explique ensuite comment les jeux peuvent constituer un élément essentiel de la solution lente. Non seulement ils peuvent nous inciter à sortir de notre torpeur pour affronter les défis (et les corvées) que nous aurions tendance à contourner, dit-elle, mais ils peuvent aussi libérer en nous l'énergie créative requise pour imaginer les meilleures solutions: «Les jeux ne sont rien d'autre que des exercices de résolution de problèmes, poursuit-elle. Les meilleurs nous apprennent à nous attaquer à un problème avant même d'en connaître tous les paramètres, à explorer un univers en évaluant ses diverses ressources et en interagissant avec ses systèmes dans le seul but de comprendre leur fonctionnement. Ils nous apprennent à accueillir les défis avec curiosité et sérénité. À rester pleinement conscients de l'environnement et du contexte global, à persévérer même quand notre solution initiale ne marche pas, à faire preuve d'optimisme et d'énergie positive.»

Sa vision n'est pas aussi extravagante qu'il y paraît. Le jeu peut être un moyen de se confronter plus profondément avec le monde et avec soi-même. Les artistes ont toujours su qu'un esprit ludique pouvait permettre de débusquer les richesses les mieux cachées. Picasso disait que, pour peindre, il fallait conserver une âme d'enfant. Henri Matisse relevait que l'«esprit d'aventure et l'amour du jeu» étaient la marque des génies. Dans le monde de la science également, les découvertes les plus saisissantes, comme celles qui rapportent un prix Nobel, sont souvent parties d'une incursion ludique aux frontières du possible. Sir Isaac Newton a un jour écrit: «Il me semble que je n'ai été qu'un enfant jouant sur le rivage, tout au plaisir de trouver, de temps à autre, un galet plus lisse ou un coquillage plus beau que les autres, alors que le grand océan de la vérité s'étendait devant moi, encore inexploré.» Sur la question, Albert Einstein s'est montré plus lapidaire: «Pour stimuler la créativité, il faut développer un penchant enfantin pour le jeu.» Quant à Steve Jobs, sa devise était: «Restez affamé. Restez fou.»

Du point de vue neurologique, en tout cas, tout cela a beaucoup de sens. La dopamine libérée au cours d'un jeu nous procure un sentiment de bien-être, mais elle favorise aussi notre concentration et notre apprentissage tout en stimulant des zones du cerveau qui régissent la pensée créative et l'aptitude à la résolution de problèmes. En termes physiologiques, McGonigal a donc parfaitement raison: le jeu nous prédispose à la solution lente.

Certes, tous les jeux ne permettent pas de maximiser les capacités de notre cerveau. Beaucoup n'offrent rien de plus qu'une courte séquence de frissons, où la quête solitaire de points, de récompenses et de records devient une fin en soi. Mais un grand nombre s'apparente à un camp d'entraînement à la solution lente. Loin de se cantonner à de furtives gratifications, les jeux les plus irrésistibles exigent de nous des heures d'efforts et de concentration intenses. Ceux qui s'y adonnent deviennent experts dans l'art de l'expérimentation empirique, enchaînant les tentatives sans jamais se départir d'une grande ouverture d'esprit. Dans 80 % des cas, ils ne parviennent pas à achever leur mission (trouver le butin ou abattre un dragon, par exemple), mais ils tirent les leçons de leurs erreurs et retentent leur chance.

De plus, pour ne pas faire prévaloir la loi du plus fort, un grand nombre de jeux sur écran parmi les plus appréciés préservent l'équilibre entre compétition et collaboration, entre quête solitaire et travail d'équipe. Dès que la dernière version d'un jeu vidéo est commercialisée, ses adeptes envahissent le Web pour comparer leurs points de vue et partager leurs conseils afin que tous en profitent. Si Chore Wars rencontre autant de succès, c'est que les concurrents s'y affrontent dans le cadre d'une mission commune au lieu de se jeter dans une mêlée où prime le chacun pour soi. «La compétition est un aspect très sain du jeu, sauf quand elle devient une lutte à mort, explique McGonigal. C'est la raison pour laquelle je conçois toujours des jeux dans lesquels les joueurs ne bénéficient pas de l'échec d'un concurrent, mais peuvent tirer parti de sa réussite. Je n'ai pas envie que les gens cherchent à se rabaisser mutuellement. Je veux que chacun fasse en sorte que tous progressent.»

Nombreuses sont les solutions lentes que nous avons évoquées dans ces pages font appel à un certain sens du jeu : les artistes lâchés dans les rues de Bogota pour contribuer au changement de mentalité des automobilistes et des piétons ; les Brilliant Failure Awards qui « récompensent » l'échec le plus retentissant dans le secteur humanitaire... Les meilleures solutions imaginées dans le cadre d'Odyssey of the Mind allient généralement une réflexion rigoureuse à une présentation ludique. Comme le formule McGonigal : « Du divertissement au prix Nobel, c'est un continuum. »

C'est en tout cas la façon de voir de beaucoup de *gamers*. En 2003, lorsque l'Organisation de coopération et de développement économiques (OCDE) a évalué, à l'échelle mondiale, l'aptitude des adolescents de 15 ans à résoudre des problèmes excédant les limites de leurs programmes scolaires, la Corée du Sud s'est distinguée. Personne n'a très bien compris pourquoi. Son système éducatif étant essentiellement basé sur des examens, de longues journées de cours et le par cœur, ce pays n'a pas la réputation de promouvoir la créativité. Devrait-on dès lors attribuer ce succès à la passion du pays tout entier pour les jeux vidéo ?

La Corée du Sud est sans aucun doute la nation la plus connectée de la planète, et les jeux sur écran sont devenus le sport national, avec des compétitions retransmises par la télévision lors d'émissions en direct attirant des milliers de spectateurs. Les *gamers* les plus fameux sont connus de tous et vénérés par leurs fans qui n'hésitent pas à dépenser des sommes folles pour les soutenir. Cet engouement ne présente pas que des avantages. Plusieurs Coréens sont décédés de mort subite dans des tournois marathons et le gouvernement a mis en place un réseau de centres pour aider les joueurs les plus accros à surmonter leur « addiction à Internet ». Mais la communauté des passionnés prétend que de longues heures passées dans des donjons virtuels ou des univers parallèles produisent des enfants plus intelligents – en tout cas plus aptes à la résolution de problèmes.

Pour en savoir plus, je me suis rendu à Chuncheon City, ville située à 75 km de Séoul. Le soleil brille de mille feux, mais les salles de jeux vidéo font le plein. Pour atteindre Zone and Zone, il faut emprunter une cage d'escalier miteuse, ornée de posters de jeux devenus légendaires comme Starcraft, Lineage ou World of Warcraft. La salle – une caverne obscure – sent le renfermé, le tabac froid et la sueur. Près de l'entrée, un gros réfrigérateur stocke les produits de première nécessité du célibataire de base : des briques de lait, des canettes de soda, de thé glacé et de jus de fruits. Dans un coin, j'aperçois une bouilloire pour les soupes instantanées et un micro-ondes pour réchauffer les pizzas. Assis en rang d'oignons sur des fauteuils en moleskine, un régiment d'adolescents – principalement des garçons – s'agite devant des écrans. Chaque poste dispose d'un bouton permettant d'appeler la serveuse sans quitter le jeu des yeux.

Zone and Zone est ouvert 24 heures sur 24, 7 jours sur 7, et la plupart de ses clients sont là du matin au soir, se contentant d'une brève sieste entre deux *gaming sessions*. Le record d'assiduité est de deux semaines. « Quand ils repartent, on dirait des zombies », me confie l'une des filles de salle.

On apprend à fonctionner ensemble

Mais quand ils jouent, ces gamins n'ont plus rien de zombies. Ils semblent au contraire déborder d'idées et d'ingéniosité. Je m'installe dans un coin pour en observer trois aux prises avec Mabinogi, un jeu de *fantasy* compliqué dans lequel il faut combattre des monstres et trouver un trésor. Deux d'entre eux ont choisi pour avatar un guerrier samouraï, le troisième ayant préféré une sorcière en minijupe aux cheveux noirs de jais. Alors qu'ils pénètrent dans un donjon virtuel au dessin très soigné, un minotaure surgit de l'ombre pour attaquer. « Unissons-nous pour l'éliminer, on s'occupera des autres ensuite », s'écrie l'un des ados. Ses deux copains se joignent donc à lui jusqu'à ce que la créature ne soit plus qu'un amas de membres sectionnés. C'est alors que des hordes d'ennemis sortis tout droit de l'enfer (dont des ours polaires et des ogres) s'abattent sur eux dans un vacarme assourdissant d'explosions, de hurlements et de chocs métalliques. « Je m'occupe de ces deux-là et après je viens te donner un coup de main », aboie un des garçons. Sans se concerter, les trois joueurs battent en retraite en balançant de petits boulets de canon sur leurs assaillants. Quand l'un des samouraïs se fait coincer par un gigantesque lézard écarlate, il demande à la sorcière si elle a des potions médicinales. Dans un murmure, la réponse fuse : « Oui, mais gardons-les pour un ennemi plus coriace. Tuons plutôt celui-ci tous ensemble. » Puis, usant de sa magie pour secourir son camarade blessé, le môme lui glisse avec un sourire : « T'es vraiment une mauviette, hein ! »

Le trio passe environ 25 heures par semaine chez Zone and Zone pour jouer à Mabinogi. Ils ont atteint le niveau 53 et se sont donné six mois pour tutoyer le niveau 70. C'est leur façon à eux de décompresser et de s'amuser. Tous les trois sont convaincus que les jeux vidéo leur apprennent à mieux résoudre les problèmes qu'ils rencontrent dans le monde réel.

Vêtu de l'uniforme universel du *gamer* – jean, t-shirt et baskets –, Cho Hyun Tae pratique les jeux vidéo au moins 20 heures par semaine depuis qu'il a 12 ans. Aujourd'hui âgé de 19 ans, il est le maître de l'avatar sorcier et me semble le plus réfléchi du trio Mabinogi. « Dès qu'on commence à jouer sur l'ordi, on sent que le cerveau passe en mode résolution de problèmes, me dit-il. On oublie tout le reste et on est totalement concentré. Il faut comprendre comment fonctionne le jeu, comment tout s'articule, comment gérer les conséquences de ses actes, comment intégrer les victoires ponctuelles à une stratégie à plus long terme. On ne voit plus le temps passer et on vit complètement dans l'instant. C'est presque un truc zen. »

Les trois garçons apprécient tout spécialement le travail d'équipe – une des caractéristiques importantes de la solution lente. Tous étudient la conception vidéo dans une université locale et ils ont l'impression que les heures qu'ils consacrent à jouer ensemble les aident à collaborer de manière plus créative sur les projets qu'ils doivent réaliser dans le cadre de leur formation : « Dans ces jeux, on n'est pas vraiment en concurrence. On agit ensemble, comme une équipe, parce que la collaboration est la clé du succès, déclare Cho. Chaque membre du groupe a un rôle, des qualités, des faiblesses, des idées et une expérience qui lui sont propres. En jouant tous les trois, on apprend à fonctionner ensemble et à mieux articuler ces différents talents. »

L'un des samouraïs, Ji Park, intervient : « Avec les jeux vidéo, on apprend aussi à mettre notre ego de côté. Quand tu as des ennuis, tu le dis et tu reconnais tes erreurs. Tu essaies constamment d'apprendre et d'aider tes équipiers à apprendre. Le meilleur *gamer*, c'est celui qui sait rester humble. » Cho acquiesce. Il boit une gorgée de lait avant d'enchaîner : « C'est pour ça qu'il n'est jamais facile ni évident de jouer avec des inconnus. C'est dans ces moments-là que tu réalises que tu connais vraiment bien tes équipiers et que le partage des expériences et la communication instinctive sont les clés de ta réussite. » Une véritable écurie de Formule 1, non ?

La pratique des jeux vidéo peut même contribuer à élucider certaines énigmes scientifiques. Foldit est un jeu en ligne où chacun peut suggérer de nouvelles façons de déterminer la structure réelle, tridimensionnelle, d'une protéine, ce qui constitue la première étape pour créer de nouveaux médicaments. La démarche est comparable aux jeux vidéo classiques, puisqu'elle fait intervenir des images colorées, un fond sonore séduisant, un tableau de classement en constante évolution et un maximum de collaboration. Bien que la plupart des 250 000 participants n'aient aucune expérience dans ce domaine extrêmement complexe, beaucoup se sont découverts, grâce à ce jeu, une passion pour le pliage[3] de protéines, puisqu'ils ont réussi là où les meilleurs algorithmes avaient échoué. Quand les chercheurs les ont mis au défi de résoudre dix de ces casse-tête en concurrence directe avec les logiciels Rosetta les plus performants, les *gamers* ont obtenu cinq victoires et trois matchs nuls, les deux dernières énigmes restant sans solution. Les scientifiques envisagent aujourd'hui de nouvelles manières d'intégrer aux algorithmes Rosetta les techniques de résolution de problèmes employées par les joueurs de Foldit, comme l'assemblage de structures intermédiaires chimiquement instables.

En 2011, les adeptes de *Foldit* ont fait leur première grande découverte en décryptant la structure d'une protéine essentielle à la réplication du virus du sida. Les laboratoires séchaient depuis des années sur cette enzyme de type protéase rétrovirale ; les *gamers* de Foldit en ont trouvé le code en dix semaines. Les chercheurs à l'origine de cette initiative ont salué cette avancée révolutionnaire dans la revue *Nature Structural and Molecular Biology* : « Même si le potentiel du *crowdsourcing* et de la pratique des jeux sur écran a récemment fait beaucoup parler de lui, c'est, à notre connaissance, la première fois que des joueurs en ligne ont résolu un problème scientifique déjà ancien. » Quelques mois plus tard, les petites mains de Foldit ont remporté une nouvelle grande victoire en concevant une protéine inédite, à partir de rien.

Certains parlent aujourd'hui de nouvelle révolution scientifique par les jeux. Sensible à ce mouvement, la revue *Nature* a fait une entorse à son règlement pour inclure des joueurs dans la liste des auteurs ayant participé à la rédaction d'un article sur les avantages que présentait Foldit en matière de résolution de problèmes : « Notre objectif ultime est d'amener des individus lambda à participer au jeu pour présenter leur candidature au prix Nobel de biologie, de chimie ou de médecine, déclare Zoran Popovic, professeur de science informatique et d'ingénierie à l'université de Washington et l'un des principaux chercheurs du projet

3. L'utilisation du terme « pliage » est liée au fait que les protéines sont composées d'acides aminés, reliés entre eux par des liaisons peptidiques, qui peuvent pivoter ou se plier pour donner à la protéine sa forme définitive.

Foldit. Nous espérons faire évoluer la manière dont la science avance et le profil de ceux qui y contribuent. »

Jane McGonigal est d'avis que ce n'est qu'un début. En 2010, en association avec l'Institut de la Banque mondiale (WBI[4]), elle a lancé Evoke, un jeu qui encourage les joueurs à se pencher sur les problèmes sociaux des pays émergents. Durant toute une semaine, leur mission va consister à identifier une source d'énergie renouvelable pour un village. La semaine suivante, il s'agira d'améliorer l'accès d'un individu à la nourriture et à l'eau potable. Bien qu'elle use des mêmes recettes que celles qui scotchent durablement à leur fauteuil les amateurs de Mabinogi – graphisme, missions, récompenses, niveaux, rétroaction –, l'initiative Evoke est conçue pour limiter le temps passé sur un clavier. En moyenne, les concurrents consacrent 5 à 6 heures sur le terrain pour 1 heure passée devant l'ordinateur. « Nous essayons d'attirer des personnes ordinaires qui ont le sentiment de ne jouer aucun rôle dans les défis majeurs qui existent à l'échelle de la planète. C'est un moyen de leur faire comprendre qu'ils peuvent, à leur niveau, contribuer à améliorer le monde », explique McGonigal.

Mais Evoke, comme la Royal Navy au XVIIIe siècle, s'appuie sur la recherche de nouvelles pépites pour découvrir le futur John Harrisons des questions humanitaires. Les meilleurs joueurs se voient ainsi récompensés par un chèque et ils peuvent se former auprès de grands noms de l'innovation sociale. « Nous voulons identifier les gens les plus doués, les plus brillants et les plus motivés, et investir dans leur potentiel et leur optimisme, parce que certains d'entre eux pourraient bien être, un jour, lauréats du prix Nobel », annonce McGonigal.

Même si très peu d'entre nous concevront un jour leur jeu en ligne, nous pouvons tous exploiter notre penchant instinctif pour le jeu. Côté vie privée, dégagez du temps pour des activités ludiques. Prenez des cours d'improvisation ou organisez régulièrement des soirées dédiées au jeu avec vos parents et amis. Et, la prochaine fois qu'un enfant vous demande de jouer un rôle dans l'aventure qu'il vient d'inventer, mettez-vous à quatre pattes et laissez libre cours à votre imagination. Si vous n'avez pas la possibilité d'embaucher quelqu'un comme Jane McGonigal pour traiter vos problèmes par le jeu, songez à d'autres manières

4. Pour World Bank Institute.

d'aborder votre solution lente d'une manière ludique – humour, divertissement, compétition, rétroaction.

Les jeux sur écran ont encore un long chemin à parcourir avant de devenir de véritables outils pour traiter certains problèmes dans le monde réel. Mais leurs concepteurs ne cessent d'accroître leurs connaissances sur ce qui fonctionne ou non. Qu'il s'agisse des dessins, des histoires, de l'expérience utilisateur, des palettes de couleurs et de la gestion de communauté, chaque nouveau jeu est une amélioration du précédent. « Nous en sommes encore au Moyen Âge en ce qui concerne les possibilités des jeux, mais nous ne cessons de progresser, affirme McGonigal. C'est une évolution constante. »

Chapitre 14

Évoluer :
sommes-nous déjà arrivés ?

Je n'ai encore jamais vu de problème, même très compliqué, qui ne devienne encore plus complexe lorsqu'on l'examine correctement.

Poul Anderson

La première fois que Marco Segovia a aperçu la bestiole, c'était dans la pièce à vivre. Elle a surgi de sous le canapé, tracé un petit arc de cercle sur le sol en terre battue, puis filé dans sa cachette. On aurait dit un cafard avec des rayures jaunes.

Segovia est fermier à San Felipe de Aconcagua, une région nichée au pied des Andes chiliennes. Un paysage de western italien : aride, rocheux, ponctué de cactus et d'arbustes. Dans le ciel d'un bleu Technicolor, des condors planent paresseusement. Segovia élève des poulets et des chèvres. Il vit avec sa femme et ses deux enfants dans une cabane au toit de tôle. Les insectes pullulent, mais celui qu'il a aperçu agit sur lui comme une alarme : « J'ai tout de suite su qu'il avait un problème », dit-il.

La petite bête qu'il a vue ce jour-là était une vinchuca, qui véhicule le parasite le plus dévastateur d'Amérique du Sud : le *Trypanosoma cruzi.* Ce dernier a été découvert en 1909 par Chagas, un médecin brésilien qui a donné son nom à la maladie qu'il transmet. On ne sait d'où il vient. Il serait d'abord apparu en Bolivie, avant de se répandre dans tout le continent par le biais des Incas et des colons européens. D'autres pensent qu'il a toujours existé en Amérique latine. Ce qui est clair, en revanche, c'est que la *vinchuca* est meurtrière. Elle trottine sur la peau de sa proie endormie, la pique, puis lui suce suffisamment de sang pour doubler ou tripler de volume. Ce festin de vampire lui demande une vingtaine de minutes, ne cause aucune douleur et réveille rarement la victime. L'insecte est parfois appelé la « petite bête qui embrasse », mais son baiser peut être mortel.

Quand elle se nourrit, la vinchuca expulse des déjections pouvant contenir le *Trypanosoma cruzi*, qui se fraie un chemin à l'intérieur des tissus et des organes de l'homme. Un dixième des personnes infectées développent la forme la plus grave de la maladie de Chagas. Outre une légère ulcération autour de la piqûre, les premiers symptômes sont de la fièvre, des vomissements et des convulsions, des difficultés à respirer et une contraction des muscles de la nuque. Dans un second temps, la mort peut survenir par arrêt du fonctionnement des organes. Mais cette infection suit parfois un *modus operandi* encore plus sinistre : dans de nombreux cas, les victimes gonflent imperceptiblement, puis semblent retrouver une santé suffisante pour mener une vie normale… avant de mourir, des années plus tard, par défaillance des fonctions vitales. Avant que je parte en Amérique du Sud, dans les années 1990, mon médecin m'a fait toutes les vaccinations d'usage et il m'a donné un conseil : ne jamais s'endormir sur le sol d'une maison en terre, car c'est le terrain de chasse de prédilection de la vinchuca. Charles Darwin aurait contracté la maladie de Chagas au cours d'un voyage d'étude en Amérique du Sud au début du XIXe siècle. Toute sa vie, il a souffert d'une foule de maux, entre autres des spasmes musculaires, des vomissements, de l'eczéma, des acouphènes et des coliques. Il a fini par mourir d'une crise cardiaque. En 1835, dans son Journal, il a mentionné un incident qui lui est arrivé en Argentine, sur le versant andin opposé à celui où vit Segovia : « Cette nuit, j'ai subi l'attaque du *benchuca* [*sic*], la légendaire bête noire des Pampas. Il est spécialement répugnant de sentir des insectes mous, dépourvus d'ailes, d'environ un *inch*, ramper sur votre corps. Avant de piquer, ils sont relativement fins, mais après ils deviennent tout ronds et gorgés de sang. »

Heureusement, Segovia savait comment repousser cette attaque. Il a tué la vinchuca, l'a placée dans une petite boîte et envoyée pour analyse à Santiago, la capitale. La bestiole ne transportait pas le parasite de Chagas, mais les autorités sanitaires locales ont missionné une équipe pour fumiger leur maison à trois reprises. « Nous n'avons pas revu d'autres vinchucas depuis, se réjouit Segovia avec un large sourire. C'est un grand soulagement de savoir que nous pouvons désormais dormir sur nos deux oreilles. »

La lutte contre les maladies infectieuses est l'un des défis les plus complexes et les plus pressants que doit résoudre l'humanité. Chaque année, la malaria, la tuberculose, la dysenterie, le sida et d'autres fléaux similaires tuent 11 millions de personnes et ruinent la santé de millions d'autres. Au vu de tels chiffres, la tentation est grande de s'en remettre à une solution de court terme, un médicament miracle qui éradiquerait l'épidémie en un éclair. Mais si les expériences qui nous ont fait voyager jusqu'à présent nous ont appris quelque chose, c'est qu'il faut énormément de temps, de patience et d'efforts pour résoudre les problèmes les plus difficiles.

Un beau travail d'équipe

Le Chili a été plus efficace que la plupart des autres pays dans son combat contre la maladie de Chagas. Au début des années 1990, on trouvait des vinchucas dans près de 18 % des foyers chiliens, ce chiffre atteignant 40 % dans les zones les plus touchées. Aujourd'hui, la moyenne est tombée à 0,1 %, le dernier cas avéré remontant à 1999.

Le Chili a réussi ce tour de force en déployant de nombreux ingrédients de la solution lente. L'approche globale qu'il a su adopter lui a permis d'enraciner sa lutte contre le parasite dans un effort plus vaste visant à améliorer le niveau de vie de ses citoyens. La *vinchuca* se complaît dans les recoins sombres des zones rurales défavorisées. La construction de maisons plus saines, dotées de l'électricité, a fait fuir la redoutable bestiole. Aujourd'hui, la plupart des maisons en pisé, dont les murs fissurés regorgeaient de *vinchucas*, hébergent désormais le bétail.

Tous les habitants du Chili attribuent cette victoire à un ingénieur charismatique qui, durant vingt-deux ans, a joué un rôle de catalyseur dans la bataille contre la maladie de Chagas. Mais la réussite est aussi le fruit d'un beau travail d'équipe. En 1991, le pays s'est associé au Brésil, à l'Argentine, à la Bolivie, au Paraguay, au Pérou et à l'Uruguay pour débarrasser le sud du continent de ce fléau. Ces sept États ont uni leurs efforts pour fumiger des millions de foyers et faire obstacle à l'épidémie. Ils ont créé des commissions d'experts qui ont accumulé des sommes de connaissances, développé une solide culture de partage d'informations et d'autoévaluation et manifesté un admirable esprit de corps. Ces *vinchuqueros*, comme on les a baptisés, en savent autant sur leur ennemi que Peter Hodgman sur la Formule 1.

Loin de se limiter au vivier médical, le Chili a également fait appel à la population. Dans les régions les plus reculées, la police des frontières et les compagnies minières ont relayé le message sur les dangers de la vinchuca et ont capturé des insectes pour les soumettre à des analyses. Le pays a par ailleurs beaucoup investi pour vendre sa solution lente à ses concitoyens. Dans les zones infestées, l'État a missionné des médecins pour intervenir sur les télévisions et les radios locales ou distribuer t-shirts, porte-clés ou brochures à l'occasion de manifestations publiques. Des campagnes de sensibilisation ont été organisées dans les écoles afin de lever une armée de jeunes chasseurs de *vinchucas*.

Dans le domaine de la minutie et de la rigueur, le Chili pourrait donner quelques leçons aux adolescents du collège Burton. Tous les dons de sang collectés dans le pays font l'objet d'un dépistage systématique pour détecter d'éventuelles traces de la maladie de Chagas, et les nouveau-nés sont systématiquement testés dans les régions les plus sensibles. L'État chilien pratique ici la tolérance zéro. Tout signalement d'un insecte suspect déclenche aussitôt un branle-bas de combat. Une équipe intervient aussitôt et à plusieurs reprises pour traiter la maison et revient trois ans plus tard pour une nouvelle vaporisation. Eduardo Astudillo, qui participe à ces actions à San Felipe de Anacongua depuis bientôt vingt ans, en voit quotidiennement les bénéfices : « Avant, on se rendait chez les gens pour des inspections de routine et, en grattant les murs, on découvrait des colonies de *vinchucas*, dit-il. Maintenant, on n'en trouve plus jamais. En revanche, les habitants nous appellent dès qu'ils ont cru apercevoir un insecte. Aujourd'hui, la menace est vraiment minime. »

Fort de ces bonnes nouvelles, en débarquant au Chili je m'attends à un discours triomphaliste de la part du ministre de la Santé. Sa réaction est beaucoup plus sobre : si les progrès réalisés lui inspirent de la fierté, il reste prudent, car la guerre n'est pas encore gagnée et ne le sera peut-être jamais.

Il n'existe à ce jour aucun vaccin contre la maladie de Chagas et les traitements restent coûteux, peu fiables et s'accompagnent d'effets secondaires pénibles. Près de 14 Latino-Américains meurent de cette maladie chaque année, et la vinchuca s'est avérée plus difficile à vaincre que prévu. L'intensification de sa traque au Brésil et en Bolivie l'a conduite à se retrancher dans les villas aisées des faubourgs de Cancún, au Mexique. De plus, le tourisme et les mouvements migratoires ont favorisé l'expansion de la maladie de Chagas, de sorte que 10 millions de personnes pourraient bien en être porteuses dans le monde, sachant que 10 000 d'entre elles en meurent chaque année.

Au Chili, la campagne de lutte contre le Chagas s'est essoufflée. Ces derniers temps, les enfants des zones infestées sont plus enclins à chasser des amis sur

Facebook que des insectes dans les recoins de leurs maisons. Les hommes politiques préfèrent stigmatiser l'obésité, qui fait plus d'audience et génèrent plus de subventions. Vingt ans après le début de l'initiative lancée dans le sud du continent, la majorité des habitants de Santiago sont vaguement au courant que le parasite reste une menace dans les régions reculées du pays.

Par conséquent, les attentes diminuent. Le rêve d'une éradication définitive de la vinchuca et de la maladie qu'elle véhicule a été remisé. Même la disparition totale de cet insecte commence à paraître un peu trop ambitieuse. Les dirigeants chiliens préfèrent évoquer un modeste « contrôle » de l'infection en tenant la vinchuca aussi éloignée que possible des humains.

Ce glissement n'est pas surprenant. La seule maladie qu'ait jamais terrassée l'humanité est la variole, qui n'existe plus que dans des tubes à essai, secrètement gardés en Russie et aux États-Unis. Il est possible que la dracunculose – ou maladie du vers de Guinée – et la polio subissent un jour le même sort, mais les campagnes de lutte consacrées à quatre autres maladies infectieuses – la fièvre jaune, la malaria, l'ankylostomiase et le pian – ont toutes échoué.

Accepter de ne pas gagner

Le Dr Loreto Caldera, qui supervise le combat contre la maladie de Chagas à San Felipe, n'est pas surpris par la résistance de la vinchuca : « Les insectes sont très résistants et il est impossible de les éliminer dans la nature, dit-elle. Nous avons compris que nous ne pourrons jamais résoudre le problème de la vinchuca par son éradication. Il nous faut donc découvrir comment vivre avec ce fléau, comment cohabiter avec ces insectes et adopter des comportements qui limitent leur présence dans nos foyers. »

Sa réaction met en lumière une vérité déplaisante sur la recherche de solutions lentes : quels que soient les moyens mis en œuvre en termes de planification, de réflexion, de collaboration, d'appel aux masses et d'expérimentation, quels que soient les efforts déployés pour responsabiliser et motiver les gens, nonobstant l'humilité avec laquelle vous tirez parti de vos erreurs, la minutie de vos actions et le plaisir que vous en retirez, certains problèmes ne trouvent jamais de solutions.

Du moins pas complètement. Ils demandent parfois des sacrifices que nous ne voulons pas envisager ou dont nous sommes incapables.

D'après le Dr John Gottman, chercheur de renom sur la mécanique des relations, 69 % des conflits de couple ont trait à ces « perpétuels problèmes » qui sont sans remède. Vous voyez sans doute de quoi je veux parler : il a du mal à exprimer ses émotions, elle peine à maîtriser les siennes, ils ne voient pas les questions financières du même œil… Pour bâtir un couple qui dure, Gottman préconise d'apprendre à faire avec ces différences insolubles. De la même manière, le Chili espère trouver un moyen pour cohabiter sans dommage avec la vinchuca.

Beaucoup de problèmes auxquels nous sommes confrontés sont peut-être tout simplement trop difficiles à résoudre. Pourrons-nous jamais vaincre la pauvreté ? Sans compter que la solution d'un problème dépend aussi du point de vue de l'observateur. Sommes-nous capables de nous mettre d'accord sur ce que signifie la fin de la misère ? Ou sur ce que recouvre la « solution » au réchauffement climatique ? Carl Jung affirmait : « Les problèmes vitaux les plus graves et les plus importants sont tous, au fond, insolubles. Ils ne peuvent jamais être résolus, mais seulement dépassés. »

Cela ne signifie pas que nous sommes condamnés à échouer. C'est une question de bon sens. Résoudre définitivement des problèmes complexes en satisfaisant tout le monde est une tâche herculéenne, pour ne pas dire une quête insensée. De telles cibles sont généralement confuses, mouvantes et mal circonscrites. Il est impossible d'en contrôler tous les paramètres ni d'en prédire toutes les répercussions. Le simple fait d'examiner la question et d'y appliquer une solution peut modifier ses caractéristiques et générer des conséquences imprévues. Quand la municipalité de Bogota a interdit à certains automobilistes de circuler aux heures de pointe, les rues sont devenues plus tranquilles, plus propres et moins encombrées. Mais la difficulté s'est déplacée : les accros du volant ont contourné l'interdiction en achetant un deuxième voire un troisième véhicule, et les embouteillages ont perduré. Ces facteurs d'incertitude minent également le domaine de la science, qui s'appuie pourtant sur des données objectives et des vérités empiriques. Nous sommes encore très loin de comprendre – sans même parler de résoudre – toutes les énigmes scientifiques, et il arrive que nos convictions les plus enracinées vacillent. Pendant près d'un siècle à compter de la formulation, par Einstein, de sa théorie de la relativité, la physique s'est bâtie sur le principe que rien ne pouvait se mouvoir plus vite que la lumière. Puis le neutrino est apparu…

Cela ne signifie pas que nous devrons cesser tout effort. Au contraire, les progrès réalisés par le Chili dans son combat contre la propagation de la maladie de Chagas sont là pour nous rappeler qu'une solution partielle est souvent préférable à une absence de solution. De plus, contrairement aux défis imposés par Odyssey of the Mind, la réflexion appliquée à la plupart des grandes problématiques n'est contrainte par aucun délai strict et peut suivre son bonhomme de chemin jusqu'à ce que la solution apparaisse. À l'instar de la science, la plupart des solutions lentes évoquées dans ces pages sont des travaux en cours, sujets à de perpétuels ajustements, améliorations ou réinventions. Voilà pourquoi Norsafe a constitué une équipe spécialement chargée de superviser sa transformation : « Le monde est en constante évolution et notre solution doit donc s'adapter à chaque instant pour rester dans la course », remarque son actuel propriétaire, Geir Skaala. Un même état d'esprit anime la *high school* de Locke, à Los Angeles. Quand il est devenu évident que certains élèves passaient au travers des mailles du filet, Green Dot a créé l'Advanced Path Academy, une structure dédiée aux élèves en difficulté. Et quand l'académie échoue, les élèves les moins motivés sont gérés séparément : « Nous mettons un point d'honneur à être au courant des difficultés. Par conséquent, quand quelque chose ne va pas, nous revoyons aussitôt notre copie pour amorcer des changements, explique Marco Petruzzi. Nous ne cessons pas d'adapter notre modèle. »

En constante évolution

Pour perdurer sur le long terme, même les solutions qui ont fait leurs preuves doivent s'adapter. Prenez l'exemple des dons d'organes en Espagne. Il y a vingt ans, 80 % des donneurs étaient des victimes d'accidents de la route qui n'avaient pas dépassé la trentaine. Aujourd'hui, grâce aux progrès de la sécurité routière, 80 % des donneurs ont plus de 40 ans et beaucoup ont déjà été hospitalisés pour raisons de santé. Les organes sont donc moins fiables et plus délicats à récupérer qu'avant. Dans le même temps, sous l'effet de la crise, le chômage des jeunes a explosé, générant un fort mécontentement à l'encontre du gouvernement. « De plus en plus souvent, nous entendons les proches de donneurs potentiels nous dire : "Ne me demandez rien, il n'est pas question de vous faire don des organes de ma mère, de mon père, de ma sœur", regrette le Dr Robles. Les difficultés économiques ont engendré une baisse de la solidarité et une réaction de colère contre le système.» Pour ne pas se laisser dépasser par ces mutations, les autorités sanitaires ont multiplié les efforts pour que les hôpitaux partagent leurs expériences sur la meilleure manière d'obtenir des dons d'organes et de négocier les réticences des familles. Un guide officiel des «bonnes pratiques» est en préparation. Les institutions officielles ont aussi intensifié les campagnes de sensibilisation à destination des jeunes. «Quel que soit votre taux de réussite, aucune solution n'est jamais ni parfaite ni aboutie, confie le Dr Robles. Il faut continuer à chercher des moyens de l'améliorer et de l'adapter.»

Vous ne serez donc pas étonnés que le dernier ingrédient de la solution lente soit l'évolution. C'est d'ailleurs le *modus operandi* de dame Nature, le meilleur apporteur de solutions qui ait jamais existé. Lorsqu'on la laisse faire, toute mutation affectant une espèce a juste le temps de faire ses preuves. Celles qui échouent sont aussitôt écartées, tandis que celles qui développent une solution astucieuse à long terme sont rapidement intégrées à l'espèce tout entière. Ensuite, c'est tout l'écosystème qui s'ajuste pour absorber le choc produit par ce changement, sachant que le processus d'adaptation et de fignolage ne s'arrête jamais.

La quasi-totalité des produits dont nous usons au quotidien sont eux aussi en constante évolution. Je vous renvoie à cet égard aux versions successives du MacBook, de la Xbox ou de systèmes d'exploitation comme Linux ou Apple OS, en passant par Microsoft Windows. La même observation est valable pour le contenu de Wikipedia, constamment examiné et retravaillé par une armée de bénévoles. La science progresse aussi sur le même modèle, enchaînant découvertes, expériences et reformulations incessantes. Chaque expérimentation apporte un nouveau grain à moudre et permet d'en éliminer l'ivraie. Il y a plus de 5 000 ans, les Égyptiens et les Babyloniens ont inventé la brosse à dents en mastiquant des branches pour en rendre l'extrémité fibreuse. Au XVIe siècle, les Chinois ont amélioré le concept en fixant des soies de porc au bout de tiges de bambou ou d'os d'animaux. Les poils en nylon des brosses à dents en plastique qui ont inondé le marché à partir des années 1930 ont ouvert la voie à d'infinies cogitations pour nettoyer les cavités les plus secrètes de notre dentition. L'année dernière, j'ai adopté la brosse électrique qui sera sans doute prochainement supplantée par une nouvelle invention qu'un laboratoire est déjà en train de mettre au point quelque part dans le vaste monde.

La pierre angulaire de l'évolution est la démarche empirique, basée sur l'expérience et l'erreur. Nous la pratiquons naturellement. Rappelez-vous comment vous avez appris à faire vos lacets. Les conseils de vos parents n'ont été que le point de départ. Vous avez vraiment appris en reproduisant le geste encore et encore, en nouant et dénouant la boucle, jusqu'à ce que vos efforts soient couronnés de succès. Dans la vraie vie, la pratique prime sur la théorie. Comment apprend-on à jouer aux jeux vidéo ? Certainement pas en en lisant le mode d'emploi ni en étudiant à l'avance les stratégies à mettre en œuvre. Nous nous lançons tête baissée dans la partie, en expérimentant les alternatives, en éprouvant nos choix, en tirant les leçons de nos erreurs, en devinant les règles et en inventant des solutions à la volée.

Certes, personne n'aime à envisager que les chirurgiens, les pilotes de chasse ou d'avions de ligne expérimentent sur le tas. Mais le chemin vers l'expertise est pavé de tentatives et d'erreurs. On apprend des erreurs que l'on fait en se formant et c'est le meilleur moyen de ne pas recommencer les mêmes bêtises.

Les entreprises les plus performantes suivent couramment cette démarche empirique. Qu'il s'agisse d'informatique, de pharmacologie ou de services financiers, le mantra des meilleurs apporteurs de solutions reste : « Échouer dès que possible et pas longtemps. » Les acteurs du capital-risque n'ignorent pas que nombre des sociétés dans lesquelles ils investissent vont se casser la figure. Quand elle développe un nouveau gadget, Apple réalise plusieurs prototypes pour les mettre en concurrence et sélectionner le plus adapté. Celui qui survit à ce marathon trouvera le chemin de votre iPhone ou de votre iPad.

D'autres pratiquent leurs expériences sur les usagers. Les gouvernements, les organismes humanitaires et les hôpitaux testent tous leurs programmes avec des projets pilotes à petite échelle. Chaque année, Capital One, une société de services financiers de premier plan, teste au hasard des milliers d'idées concernant des sujets aussi divers que le marketing, la conception de produit, le recouvrement ou les politiques de ventes croisées. La plupart des expériences n'aboutissent pas, mais sont riches d'enseignements. Qu'elle doive restructurer un établissement de soin ou élaborer une stratégie commerciale, Ideo considère que l'expérimentation est toujours le premier pas vers la meilleure solution : « Nous ne restons pas longtemps dans l'abstraction, très vite nous mettons en commun nos idées pour susciter des réactions et apprendre, dit Jane Fulton Suri. Nous savons que nous devrons faire de nombreux essais et que nous nous tromperons forcément, mais le recours à la concrétisation et la démarche empirique, dès le début du processus, structure notre réflexion et notre approche du problème.» L'un des cinq principes directeurs d'OpenIdeo est: «Toujours en mode bêta.»

Ces exemples nous apprennent que toute analyse de problèmes complexes connaît nécessairement des phases de tâtonnement – que faisons-nous? pourquoi le faisons-nous? que ferons-nous ensuite? Le poète John Keats a dit qu'un homme était sur la voie de la réussite quand il était «capable d'affronter les incertitudes, les mystères et les doutes, en oubliant l'exaspérante quête de la vérité et de la raison». Son observation vaut pour toutes les disciplines. Les scientifiques n'admettent que les vérités objectives et rationnelles, pourtant ils traversent eux aussi des moments de flottement dans leur quête de clarification empirique. À cet égard, nous pouvons nous en remettre à Einstein: «La plus belle chose que nous puissions éprouver, c'est le côté mystérieux de la vie. C'est le sentiment profond qui se trouve au berceau de l'art et de la science véritable. Celui qui est étranger à cette émotion, qui ne possède pas le don d'émerveillement ni de ravissement, autant vaudrait qu'il fût mort: ses yeux sont fermés.»

Voilà pourquoi les apporteurs de solutions les plus innovants accueillent avec délectation ces instants où le chemin qui se profile est embrumé et confus. Au commencement de tout projet, chez Ideo, tous les membres de l'équipe proposent des idées, chacune d'entre elles, aussi farfelue soit-elle, donnant lieu à un croquis ou à une note qui trouve sa place sur le mur de la salle dédiée à leurs réflexions. «Au début, les avis sont toujours très différents, car nous en sommes au stade des suggestions. Chaque idée est notée, mais aucune n'est immédiatement jugée ni identifiée comme LA solution, explique Jane Fulton Suri. Il y a donc énormément d'incertitudes, de "ça pourrait être ceci" ou "ça pourrait être cela".» Parallèlement, Ideo a recours à des mises en scène pour explorer et évaluer ces idées: «Les gens aiment les histoires à plusieurs niveaux. Cela permet d'atténuer la tension qui se crée entre la recherche d'ordre, de méthode, et la nécessité de préserver de la souplesse.»

Créer et s'émerveiller

Au Laboratoire, un des aspects du travail consiste à prendre le temps de s'émerveiller et de se laisser étourdir: «Parfois, vous êtes surpris de ce qui vous passe par la tête quand vous vous abandonnez à l'incertitude et que vous laissez votre esprit flâner, note François Azambourg, le designer responsable du projet WikiCells. Vous découvrez qu'une solution marche, contrairement à toute attente. Ou vous tombez sur une solution à laquelle vous n'aviez jamais songé.»

En d'autres termes, il arrive que le résultat ait moins d'importance que le processus pour y parvenir et que le cheminement soit plus riche que la destination. Tout cela peut sembler un peu extravagant, mais David Edwards ne l'envisage pas autrement: «Les créateurs adorent que tout soit insaisissable, que chaque idée ait sa légitimité propre et qu'il existe un espace pour le rêve, dit-il. Au Laboratoire, quand nous nous penchons sur un problème, nous n'en connaissons pas l'issue et nous savons encore moins comment l'atteindre. Nous le découvrons en chemin. Le jour où notre méthodologie aura été décryptée et clarifiée, nous perdrons notre raison d'être et cesserons d'exister, car il n'existe ni recette miracle ni formule magique. Le mystère est essentiel.»

Même les entreprises les plus obsédées par les chiffres l'ont compris. Google a ainsi, par le passé, encouragé ses ingénieurs à consacrer un cinquième de leur temps de travail à des projets personnels: pas d'objectifs, pas de délais, pas de sanctions en cas d'échec. Ces heures – baptisées les 20 % – devaient être exclusivement consacrées à creuser des intuitions, prendre des risques, faire des erreurs et en tirer les leçons, souvent sans vraiment savoir où cela menait. Le but de cette initiative était de donner de l'autonomie aux employés pour libérer leur énergie créatrice. Bien qu'aucun projet n'ait abouti, beaucoup de produits Google, comme notamment Gmail et Google News, ont vu le jour à l'époque des 20 %.

Mais malgré toutes ces belles paroles, ni le lâcher-prise, ni le laisser-faire, ni la primauté du cheminement ne s'imposent très naturellement dans notre civilisation, avide d'objectifs, d'échéances et de résultats. Nous aimons pouvoir tout répertorier avant de nous lancer et réduisons volontiers les choses à un diagramme ou à un transparent PowerPoint. Nous voulons des chiffres. Même Google s'est vu accusé de rogner sur la liberté qu'était censée favoriser sa règle des 20 %. Pourtant, ces données mathématiques nous racontent rarement toute l'histoire et sont elles aussi sujettes à interprétation. Est-il possible de réduire l'apprentissage d'un enfant à un résultat d'examen ? Ou la santé économique d'un pays au classement attribué par une agence de notation ? Le nombre 42 est-il vraiment la réponse aux interrogations sur le sens de la vie et de l'univers[1] ? Bien sûr que non. Le plus sophistiqué des algorithmes ne pourra jamais résumer les dimensions subjectives et émotionnelles de la résolution de problèmes. Même une fois le problème résolu, nous continuons à débattre des causes de cette heureuse issue. Prenons l'exemple de la chute de la criminalité à New York depuis quelques décennies. Malgré des années d'analyse des données, les spécialistes n'ont pas réussi se mettre d'accord sur une explication possible. Est-ce la conséquence du changement des méthodes de la police ? Le phénomène serait-il attribuable à la tolérance zéro ? à la multiplication des peines de prison ? à une pacification des relations interraciales ? à l'augmentation globale du niveau de vie ? à une mise en pratique efficace de la théorie de la vitre brisée ? à la diminution des naissances non désirées depuis la légalisation de l'avortement en 1973 ? Doit-on cette amélioration à la combinaison de tous ces paramètres ? Y en aurait-il d'autres que nous n'aurions pas encore identifiés ? Nous ne le saurons jamais avec certitude. Dans un monde complexe, la seule chose qui soit certaine, c'est que rien n'est sûr…

Le pouvoir des petits pas

C'est la raison pour laquelle les meilleurs apporteurs de solutions ne misent généralement pas tout sur un seul succès. Pour les théoriciens de la complexité qui travaillent au Santa Fe Institute, au Nouveau-Mexique, la bonne manière d'aborder un scénario difficile, doté de paramètres et d'hypothèses en constante évolution, consiste à associer une kyrielle de petits pas à un pas de géant occasionnel. En d'autres termes, trouver la solution d'un problème implique en général d'œuvrer patiemment à une série de victoires modestes dans un voyage au long cours. Comme le disait Henry T. Ford : « Il n'y a pas de gros problèmes ; il n'y a qu'une foule de petits problèmes. »

Après avoir étudié, durant des années, ce qui justifiait que certaines entreprises aient subitement accédé à un succès durable, Jim Collins a abouti à la même

1. Le nombre 42 est la réponse donnée par le super-ordinateur Deep Thought à « la Grande Question sur la vie, l'univers et le reste », dans le livre de Douglas Adam, *H2G2, le guide du voyageur galactique*.

conclusion : « Quelle que soit l'importance du résultat, les transformations positives n'ont jamais pris forme en un jour. Elles ne procèdent pas d'un mot d'ordre, d'un grand programme, d'une innovation fracassante, d'un coup de chance ou d'un instant de grâce. Elles relèvent plutôt d'un effort opiniâtre pour mouvoir une roue immense tour après tour, jusqu'à ce que la poussée permette le décollage. »

Cette forme de progression pas à pas est sans aucun doute l'objectif que vise Locke. Dans l'une des salles qui leur sont réservées, les professeurs inscrivent idées et propositions sur de grands tableaux noirs. Sur l'un d'entre eux, on peut lire : « Ne vous focalisez pas sur la grande amélioration à bref délai. » Ou : « Quel genre de petites mesures pourrais-je appliquer pour favoriser la motivation ? »

Voilà de sages conseils pour chacun d'entre nous… Au moment d'aborder un problème complexe, mieux vaut faire preuve de souplesse. Testez, dès le départ, un grand nombre d'hypothèses que vous affinerez, recyclerez et réinventerez à chaque étape. Prenez beaucoup de notes, mais ne les classez pas trop strictement – des idées qui semblent n'avoir aucun lien entre elles pourraient bien engendrer des avancées géniales une fois associées au hasard par le désordre d'un bureau. Plutôt que de promettre la lune, expliquez clairement que votre solution lente n'aboutira peut-être jamais. Par-dessus tout, résistez à la tentation de crier victoire et de passer à l'échelle supérieure sous la pression.

L'impatience qui caractérise notre époque pousse tout le monde – États, entreprises et institutions – à chercher la solution miracle qui pourra être reproduite et appliquées sur-le-champ. Or, un remède qui fonctionne parfaitement dans un contexte donné peut s'avérer inopérant dans un autre ou nécessiter des adaptations préalables. Avec ses larges artères et une longue tradition de déplacements urbains en bus, Bogota était l'endroit idéal pour implanter un système comme le TransMilenio. Ce n'est pas le cas de métropoles européennes plus anciennes qui ne disposent pas d'un espace suffisant pour aménager des couloirs de bus. De même, aux États-Unis, les zones d'habitation sont trop dispersées pour que des bus express soient une solution intéressante. Los Angeles a certes mis en place un réseau comparable au TransMilenio, mais celui-ci n'intervient qu'en complément de ses tramways traditionnels et n'a pas nécessité la construction des stations qui caractérisent, notamment, l'initiative colombienne.

Voilà pourquoi Marco Petruzzi se refuse, malgré les pressions, à propager dans tous les États-Unis la révolution qui a tant réussi à Locke. Avant de passer à l'échelle nationale, il veut valider une ou deux autres réformes. Le responsable du programme Knowledge is Power (« Savoir, c'est pouvoir ») a, pour sa part, passé six ans à le peaufiner dans des établissements scolaires sous contrat de New York et de Houston (avant de le reproduire dans d'autres établissements). Aujourd'hui, le groupe gère une centaine d'écoles dans tous les États-Unis et n'en finit pas de revoir sa copie.

« Ce n'est pas par manque d'audace. Je suis extrêmement favorable à cette expansion, car je crois que nous pouvons reproduire ce que nous faisons à Locke à l'échelle du pays, dit Petruzzi. Mais il serait stupide de vouloir aller trop vite. Nous passerons à l'échelon supérieur quand ce sera vraiment le bon moment et que nous serons prêts. »

En clair : ne jamais précipiter une solution lente.

Conclusion

Une solution lente
pour demain

Ce n'est pas que je sois si intelligent,
c'est juste que je me penche plus longtemps sur les problèmes.

Albert Einstein

En 1941, le Japon a été confronté à un sérieux problème. Pour poursuivre sa conquête de l'Asie orientale, il fallait qu'il prenne le contrôle des réserves de pétrole et de caoutchouc situées en Malaisie – qui appartenait à la Couronne britannique – et en Indonésie – alors sous domination néerlandaise. Mais les Japonais craignaient que l'invasion de ces pays n'incite Washington à entrer en guerre. Ils ont donc imaginé une attaque surprise sur Pearl Harbor, qui détruirait la flotte américaine et effraierait suffisamment les dirigeants américains pour qu'ils se détournent du conflit. Ils étaient tellement sûrs d'anéantir toute velléité belliqueuse des États-Unis en une seule attaque qu'ils n'ont même pas pris la peine de bombarder les dépôts de carburant, les ateliers de réparations navales et d'autres infrastructures portuaires pouvant servir aux Américains s'ils décidaient d'entrer en guerre.

Si le raid de Pearl Harbor reste dans toutes les mémoires, ce n'est pas uniquement parce qu'il s'agit d'une agression contre une nation qui n'était pas en guerre. C'est aussi parce qu'il a lamentablement échoué. Au lieu de battre en retraite, les États-Unis ont déclaré la guerre au Japon dès le lendemain, et Pearl Harbor est devenu le levier de la propagande américaine. Par la suite, les infrastructures militaires que les Japonais n'avaient pas détruites ont joué un rôle crucial dans la défaite nippone. Comme le relèvera, trop tard, un amiral japonais : « À Pearl Harbor, nous avons remporté une grande victoire tactique et, ce faisant, nous avons perdu la guerre. »

Succomber à la tentation de la solution rapide peut donc coûter très cher. Et le problème n'est pas nouveau. Une chose a changé, toutefois, depuis l'erreur historique du commandement japonais. Aujourd'hui, la tendance en faveur des solutions rapides s'est généralisée et il devient de plus en plus difficile de résister aux pressions en ce sens. Quel que soit le problème, nous entendons le terrasser immédiatement. Mais les maigres victoires engrangées ne nous empêchent pas de perdre la guerre. Voyez les dégâts causés par les remèdes de fortune appliqués aux entreprises, aux écoles ou aux couples fragilisés, sans même parler de politique, de diplomatie ou de santé. Plus généralement, considérez l'état de la planète.

La lenteur a de l'avenir

Ce n'est pourtant pas une fatalité. Même à l'époque du « toujours plus vite », la solution rapide n'est jamais un impératif. Nous pouvons tous faire le choix de traiter les problèmes en profondeur.

J'ai même une excellente nouvelle : la manière dont le monde évolue présage de beaux jours pour la solution lente. Nous sommes aujourd'hui plus instruits qu'avant. La technologie nous fournit de formidables outils pour résoudre les problèmes. La mondialisation a réduit les distances et ainsi facilité le partage d'idées et le travail collaboratif. Même nos loisirs semblent aller dans le bon sens, puisque les heures que nous passions devant la télévision ont été converties en blogs, jeux sur écran ou investigations sur Internet qui font travailler nos neurones bien plus que ne le fera jamais la énième rediffusion d'un épisode de *Friends*. L'état d'urgence dans lequel se trouve l'humanité favorise en outre la concentration. Il est même possible que la crise économique de 2008 tourne à notre avantage : désormais privés des budgets nécessaires pour élaborer un remède miracle de plus, nous devons nous montrer plus exigeants et plus créatifs. Comme l'a formulé Ernest Rutherford, le père de la physique nucléaire, dans les années 1920 marquées par l'austérité : « Nous n'avons plus d'argent, nous allons donc devoir réfléchir. »

Nous avons même amorcé la réécriture du livre de chevet du parfait capitaliste. La Grande-Bretagne et les États-Unis ont ainsi amendé leur législation pour encourager la création d'entreprises dont les ambitions sociales priment sur les objectifs financiers, et plusieurs pays d'Europe envisagent de suivre le mouvement.

Parallèlement, des expériences coopératives introduisent quelques germes de solutions lentes au cœur du capitalisme, en mettant l'accent sur la collaboration et en plaçant le bien-être durable de leurs membres, les avantages pour la communauté et la protection de l'environnement avant la poursuite de profits immédiats. De tels groupements, qui fédèrent aujourd'hui près d'un milliard de membres, gèrent la moitié des énergies renouvelables en Allemagne et sont à la base de mouvements qui défendent l'énergie solaire ou d'autres initiatives écologiques dans certaines régions des États-Unis.

Il est même question d'élever un monument à une réflexion moins ancrée sur le court terme. À l'ouest du Texas, quelques activistes sont en effet en train de construire une immense horloge faite pour durer 10 000 ans et dont le carillon produira une mélodie singulière. Le projet bénéficie d'un soutien de poids, puisque Jeff Bezos, le fondateur d'Amazon, a décidé d'y contribuer financièrement afin d'offrir aux générations futures « une icône de la réflexion à long terme ».

De telles initiatives s'inscrivent le *slow movement*, un élan en faveur d'un ralentissement généralisé qui prend de plus en plus d'ampleur à mesure qu'enfle la grogne contre l'apologie systématique de la vitesse. Pour vous y associer, nul besoin de laisser tomber votre boulot, de jeter votre iPhone ni de vous retirer à la campagne. Vivre lentement ne signifie pas vivre comme un escargot. Cela consiste à prendre le temps *qu'il faut*, c'est-à-dire à ralentir ou à accélérer en fonction de ce qui produit les meilleurs résultats. Beaucoup de microtendances se sont déjà épanouies sous cette bannière : slow food, slow cities, slow work, slow sex, slow technology, slow education, slow parenting, slow design, slow travel, slow fashion, slow science, slow art.

En bref, même si vous avez l'impression que tout va de plus en plus vite, nous avons, à l'aube du XXIe siècle, l'opportunité inespérée d'introduire la solution lente au cœur de notre civilisation… à condition de juguler notre dépendance aux solutions immédiates. La tâche promet d'être difficile si l'on en juge par le monde dans lequel nous vivons, mais il existe des vaccins contre le virus de la précipitation. Commençons par réformer notre système éducatif afin que nos enfants apprennent très tôt comment aborder tout problème avec patience et minutie. Puis expulsons nos institutions de leurs zones de confort en encourageant leurs effectifs à s'emparer de nouveaux défis.

Vous vous souvenez de ces biais qui nous poussent à favoriser les solutions de court terme ? Nous ne parviendrons sans doute jamais à les déraciner complètement, mais nous saurons peut-être limiter leurs effets pernicieux en gardant à l'esprit les défauts du cerveau humain. Daniel Kahneman est ainsi convaincu qu'en intégrant à notre vocabulaire courant des termes tels que « biais de *statu quo* » ou « effet *Einstellung* », il nous sera plus facile de les empêcher de nuire. À cet égard, plusieurs études montrent que le simple fait de mettre en lumière l'existence de préjugés raciaux peut amener certains médecins à réduire leurs comportements discriminants à l'encontre de leurs patients de couleur. Prévenir, c'est parfois guérir. Et un homme averti en vaut deux.

Pour résoudre les situations complexes, il existe des techniques, accessibles à tous, qui permettent de court-circuiter le réflexe qui nous oriente vers les solutions express. Imitez Toyota en vous demandant sans cesse : « Pourquoi, pourquoi et encore pourquoi ? », jusqu'à ce que l'origine du problème soit identifiée. Cultivez ce que T. S. Eliot appelait la « sagesse de l'humilité » en vous imposant d'examiner des points de vue contraires aux vôtres. Et pour que cette expérience reste quotidienne, programmez une minute « clintonienne » dès que vous abordez un nouveau sujet en vous répétant : « Je me suis trompé » et « Je ne savais pas que ». Établissez la liste des échecs auxquels vous ont conduit vos remèdes de fortune et récitez-la dès que l'envie vous prend de recourir une fois de plus à l'un d'eux. Dégagez du temps pour vous adonner à la réflexion lente.

Appuyez-vous sur les personnages et les anecdotes cités dans ce livre comme autant de références, d'exemples et de mises en garde. Rappelez-vous comment Dicky Patounas est parvenu à améliorer la sécurité en vol sur le Typhoon en confessant publiquement son erreur ; comment Geir Berthelsen a sauvé Norsafe en prenant le temps d'analyser et de comprendre les origines des dysfonctionnements de l'entreprise ; comment Green Dot a redressé la situation dans la *high school* de Locke en traitant les innombrables difficultés de façon globale ; comment la Norvège est parvenue à faire chuter le taux de récidive en misant sur la réhabilitation à long terme de ses détenus ; comment le groupe Van Halen usait des M&Ms pour favoriser la concentration et la rigueur des équipes techniques ; comment, avec le Laboratoire, David Edwards a façonné une équipe multidisciplinaire capable d'inventer de nouveaux aliments ; comment l'Islande s'est appuyée sur le *crowdsourcing* pour revitaliser sa démocratie ; comment Enrique Peñalosa a métamorphosé Bogota ; comment Ricardo Perez est devenu le Bocuse du café en se réappropriant son métier ; comment le Dr Juan Carlos Robles utilise son cœur et sa tête pour convaincre les familles espagnoles de consentir à un don d'organes ;

comment le Chili a jugulé la maladie de Chagas en adaptant son combat à des circonstances changeantes ; comment les aventures de Chore Wars et les défis de Foldit ou de concepteurs de jeux sur écran comme Jane McGonigal exploitent à bon escient nos penchants pour le jeu afin de résoudre certains problèmes.

Souvenez-vous de tous ceux qui affirment que la solution lente est un investissement rentable – jugez-en par votre expérience. Consentez cet effort aujourd'hui pour réaliser demain des économies substantielles de temps et d'argent. Le budget que doit désormais consacrer Green Dot à la gestion de Locke est inférieur à ce qu'il était avant la réforme de l'établissement. Et c'est grâce à une implication professionnelle sans faille que les ingénieurs des écuries de Formule 1 sont capables de résoudre des problèmes en un temps record. Songez qu'il n'a fallu que six semaines à la communauté de mathématiciens impliqués dans le Polymath Project pour élaborer une nouvelle démonstration du théorème de Hales-Jewett.

Reste que la meilleure manière de dépasser notre addiction aux solutions hâtives consiste à opérer un changement radical, de nature sismique. Quel intérêt y a-t-il à mieux résoudre les problèmes si notre vie se résume à une succession de courses folles vers la ligne d'arrivée ? Pour maîtriser la solution lente, il nous faut adopter un rythme plus raisonnable. Donner à chaque instant le temps et l'attention qu'il mérite. Cessons de nous appesantir sur les tracas mineurs qui prennent tant de place quand la vie va trop vite (Où ai-je mis mes clés ? Quand finira cet embouteillage ? Pourquoi cet ascenseur est-il si long ?). Concentrons-nous plutôt sur les grandes questions : Quel est mon objectif ? Quel monde aimerais-je laisser derrière moi ? Comment changer de cap pour y parvenir ? Si la Terre doit effectivement accueillir 8, 9 voire 10 milliards d'êtres humains, il va falloir bouleverser nos façons de vivre, de travailler, de voyager, de consommer – et de penser. Ce tour de force sera la plus grande solution lente de tous les temps.

Le bon dosage des ingrédients

L'heure de la confession a sonné... Lorsque je me suis lancé dans cette aventure, une partie de moi-même espérait qu'en plaçant sous le microscope une kyrielle de solutions intelligentes, il en ressortirait un passe-partout capable de déverrouiller tous les problèmes. Suivez la recette, faites ceci, faites cela, ou encore cela, et la solution lente est à vous... Mon plan n'a pas fonctionné pour une raison évidente : l'esprit de la solution lente ne s'accommode pas d'une formule universelle, réduite à une succession d'étapes clairement définies. Si les pages qui précèdent nous ont appris quelque chose, c'est bien que la résolution de problèmes complexes procède d'un processus désordonné. Si vous vous surprenez à cocher des cases d'un geste automatique, c'est que la solution de facilité n'est plus très loin. Comme le résume Jane Fulton Suri, d'Ideo : « Ce n'est pas en se contentant de suivre pas à pas une *check-list* que l'on parvient à une solution. »

Ne vous méprenez pas : il n'est jamais inutile d'avoir une petite recette – du moment que vous en usez à bon escient. C'est comme pour faire du pain. Le respect à la lettre et au gramme près de la recette n'a jamais garanti de faire la meilleure miche. La farine, l'eau, la levure, le sel, le sucre, le four et les conditions atmosphériques ne sont jamais les mêmes, et les boulangers les plus avertis savent qu'ils doivent s'adapter en fonction de l'aspect de la pâte. Cela vaut pour relever des défis aussi complexes que la pauvreté dans le monde, la mésentente dans un couple ou le processus de paix au Moyen-Orient. Le secret réside dans le bon mélange des ingrédients de la solution lente.

Récapitulons-les. Face à un problème difficile, prenez le temps de reconnaître vos erreurs ; de déterminer ce qui ne va vraiment pas ; d'analyser la situation en détail, d'envisager les choses à long terme et de relier entre eux les points pour élaborer des solutions globales ; de chercher des idées autour de vous et de travailler avec d'autres, en partageant avec eux les félicitations ; de vous bâtir une expertise tout en restant circonspect vis-à-vis des spécialistes ; de savoir réfléchir tout seul et à plusieurs ; de convoquer vos émotions ; de recruter un catalyseur ; de consulter voire d'enrôler les personnes directement concernées ; de transformer votre quête de solution en jeu ; de vous faire plaisir en suivant vos intuitions, en vous adaptant, en adoptant une démarche empirique basée sur l'enchaînement des expériences et des erreurs, et d'accueillir l'incertitude avec joie.

Quand la situation exige une solution rapide, faites votre possible pour en trouver une, mais n'en restez jamais là. Revenez-y, dès que vous le pourrez, afin d'en tirer un remède durable. Et, quelles que soient les contraintes de temps, méfiez-vous toujours des solutions trop belles pour être vraies. À cet égard, la mise en garde de H. L. Mencken est tout à fait juste : « Il y a toujours une solution simple à chaque problème humain – une solution nette, plausible et fausse. »

Avec l'expérience, il devient plus facile de dénicher la solution lente. Ce que vous aurez appris en cherchant à résoudre un problème pourra souvent s'appliquer à d'autres situations similaires. Les années qu'il a passées à étudier le renouveau urbain et à façonner la métamorphose de Bogota ont fait d'Enrique Peñalosa le médecin sans frontières des métropoles en déroute : « Je suis devenu une sorte de docteur capable de déterminer le mal dont souffre son patient en se contentant d'observer son teint, dit-il. Quand je traverse une ville en voiture, je peux dire ce qui ne va pas et ce qu'il faudrait faire pour que ça fonctionne juste en regardant par la vitre. »

En matière de solution lente, le savoir-faire est transposable d'un domaine à un autre. Après avoir utilisé *Foldit* pour transformer en experts des béotiens de la manipulation de protéines, Zoran Popovic crée aujourd'hui des jeux capables de reproduire le même tour de magie dans d'autres arènes que les laboratoires : « Pour nous, le plus excitant, c'est de pouvoir appliquer le même processus de développement du savoir à la société tout entière, se réjouit-il. Nous travaillons actuellement à des jeux visant à former des experts pour résoudre les grands problèmes d'éducation, de santé, et même de réchauffement climatique et de politique. »

Par ailleurs, le choix de la solution lente dans votre cadre professionnel aura une influence sur la façon dont vous résolvez vos problèmes personnels. Are Hoeidal se décrit lui-même comme un « penseur lent » lorsqu'il n'est pas dans la prison de Halden : « Dans ma vie privée, je me fixe des objectifs à long terme et j'œuvre patiemment à leur réalisation. Un pas à la fois – c'est ainsi que je fonctionne. » L'un des dirigeants de Norsafe confie pratiquer chez elle la pause réflexion prônée par Geir Berthelsen. Récemment, à l'occasion d'une dispute entre sa fille et son ami, tout le monde s'est réuni autour de la table de la cuisine pour mettre le problème à plat : « Comme toutes les familles, nous avions besoin d'en passer par un conflit, mais nous avions également besoin d'actionner le signal *andon* et de prendre le temps de comprendre la raison de tous ces cris avant de travailler à une solution. » C'est exactement ce qu'ils ont fait et l'harmonie a été restaurée. « C'était plutôt chouette de constater qu'en matière de solution lente il y a des liens entre la sphère privée et la vie professionnelle. »

Dans le même esprit, le fait d'avoir supervisé la création du site admittingfailure.com a donné à Ashley Good le courage de prendre plus de risques dans ses choix personnels. Depuis, elle s'est initiée à l'escalade, au triathlon et à la peinture. Elle est aussi devenue un peu plus humble : « Le vrai changement est plus subtil et s'opère, par nature, au quotidien. Curieusement, il m'est aujourd'hui beaucoup plus facile d'admettre mes erreurs et mes faiblesses, et d'assumer mes responsabilités, même si cette honnêteté présente un risque. Je me surprends désormais à accepter les limites de mes connaissances et de mes hypothèses, ce qui me permet d'affronter la possibilité de me tromper dans les avis que je formule.»

À chacun sa manière de s'éveiller à la solution lente. Peut-être commencerez-vous par appliquer les techniques exposées dans ce livre pour tenter de résoudre un problème de bureau ou de voisinage. Peut-être poserez-vous un regard nouveau sur les énergies renouvelables ou la misère urbaine en comptant sur vos élus pour faire de même. Dans un premier temps, vous choisirez peut-être de limiter la solution lente à des problèmes qui vous touchent de près, comme votre santé ou votre couple. À mon avis, dès que vous aurez pris le temps de résoudre correctement un problème sur un sujet particulier, le même état d'esprit teintera toutes vos actions.

N'abandonnez pas trop tôt

Et moi, me direz-vous? Après des années d'essais désordonnés, j'ai fini par m'en remettre à la solution lente pour vaincre mon mal de dos. Il a fallu que je commence par admettre qu'il n'allait pas disparaître en un clin d'œil grâce à un remède-miracle. J'ai blêmi en faisant la somme de temps et d'argent que j'avais gaspillée vainement pendant toutes ces années, mais ce calcul déplaisant m'a permis de passer à autre chose. À partir du moment où j'ai fait ce *mea culpa*, j'ai été en mesure de réfléchir en profondeur au traitement qui me conviendrait le mieux, en lisant notamment des articles scientifiques sur le sujet (et pas uniquement leur titre), et en passant en revue les opinions des spécialistes et des patients souffrant du même mal que moi. Fort de ces lectures, j'en ai conclu que des cours de yoga réguliers constituaient ma meilleure alternative. Je m'y étais déjà essayé par le passé, mais le fait de souscrire un abonnement sur plusieurs semaines m'a aidé à respecter mon engagement. Désormais, tous les matins, que j'aie ou non envie de saluer le soleil, je me botte les fesses pour y aller. Et quand je suis en voyage, je m'arrange pour suivre des cours à la carte.

Choisissant une approche globale, j'ai laissé les bienfaits du yoga se répandre dans les différents aspects de ma vie. Je fais désormais des étirements de hatha yoga avant et après mes séances de sport, et je surveille la position de mon dos tout au long de la journée, en y ajoutant quelques asanas dès que je ressens des tensions ou des blocages musculaires – et même parfois spontanément. Je n'en suis pas à réaliser la posture du chien dans le métro, mais cette discipline m'a permis d'être plus attentif à la manière dont je me tiens, dont je m'assois et dont je marche.

Alors, est-ce que ça fonctionne ? Comme toute solution lente, c'est un travail au long cours. Et j'ai aussi connu quelques mésaventures en chemin. Au bout de trois mois, après un étirement un peu trop énergique, j'ai traîné la patte toute une semaine. Les mauvaises habitudes ont la vie dure…

Mais j'ai déjà constaté de réels progrès. Récemment, quand mon professeur de yoga m'a demandé de reproduire le fameux étirement, je me suis concentré et j'ai pris tout mon temps. Mon dos n'a jamais été en meilleur état. Je suis plus souple et je peux rester assis beaucoup plus longtemps. Cela fait bientôt un an que je n'ai plus ressenti de douleurs dans les jambes. Certes, tout n'est pas encore parfait et ne le sera peut-être jamais. Comme le Chili avec la maladie de Chagas, je vais peut-être devoir moi aussi négocier un *modus vivendi* avec mes lombaires. Mais, à ce jour, le pronostic semble bon : pour la première fois depuis la fin de l'adolescence, j'ai l'impression d'être sur la voie de la guérison.

Même le très exigeant Dr Woo paraît fier de moi. Lorsque je suis retourné prendre rendez-vous à son cabinet pour un massage shiatsu, il attendait le prochain patient dans le hall d'accueil : « Mais où donc étiez-vous passé ? m'a-t-il demandé. Cela fait une éternité que je ne vous ai pas vu. »

Je lui ai raconté mes aventures de yoga et décrit le bien-être que j'en ressentais. Il a lentement hoché la tête en souriant : « Le yoga est excellent pour le corps. Je vois que vos mouvements sont plus fluides. »

Sa remarque suscite un silence gêné. En ne donnant pas une véritable chance à l'acupuncture, j'ai un peu l'impression d'avoir trahi le Dr Woo. Sentant mon malaise, il me tend une perche : « Pas de problème. Je suis très heureux que votre dos aille mieux, me dit-il en posant une main chaleureuse sur mon épaule. Mais faites-moi une promesse : cette fois, n'abandonnez pas trop tôt. »

Sa réprimande implicite ne me dérange plus – ce qui en dit long. S'agissant de mon mal de dos, les errements qui m'ont précipité vers des solutions de facilité ne sont plus que de lointains souvenirs. Après des années d'échecs, je dispose désormais d'un plan pour une guérison durable et je compte bien m'y tenir. Je ne suis plus un patient impatient et je peux regarder le Dr Woo dans les yeux : « Soyez sans crainte, j'ai compris la leçon. Vous aviez raison : il y a des choses qu'on ne peut pas réparer à la hâte. »

Cette fois, j'en suis vraiment convaincu.

Notes

Introduction

Régime et reprise de poids : Traci Mann, Janet A. Tomiyama *et al.*, « Medicare's Search for Effective Obesity Treatments: Diets Are Not the Answer », *American Psychologist*, vol. 62, n° 3, avril 2007, p. 220-223.

Le gras revient après une liposuccion : Teri L. Hernandez, John M. Kittelson *et al.*, « Fat Redistribution Following Suction Lipectomy: Defense of Body Fat and Patterns of Restoration », *Obesity*, vol. 19, 2011, p. 1 388-1 395.

Les Américains et les médicaments sans ordonnance : rapport du National Survey on Drug Use and Health, Office of Applied Studies, 2010.

Plus d'un million d'Américains hospitalisé chaque année : rapport du National Institute on Drug Abuse (NIDA), 2009.

Salaire des professeurs et performances des élèves à New York : *A Big Apple for Educators*, 2011, rapport de la Rand Corporation.

Les conséquences négatives d'une réduction d'effectifs : Franco Gandolfi, « Unravelling Downsizing – What Do We Know about the Phenomenon? », *Review of International Comparative Management*, vol. 10, n° 3, juillet 2009.

La politique des chaises musicales dans le football : compilation réalisée en 2012 par Sue Bridgewater, Warwick Business Schoo, pour la League Managers Association.

Un problème de la Nasa réglé en moins de 40 heures : Apollo Lunar Service Journal, www.hq.nasa.gov/alsj/a13/a13.summary.html.

La Nasa consacre des milliers d'heures pour trouver la cause d'un incident : *Apollo 13 Mission Review, Hearing Before the Committee on Aeronautical and Space Sciences*, Sénat des États-Unis, 91e Congrès, 2e session, 30 juin 1970.

Chapitre 1

L'illusion du bol de salade : Alexander Chernev, « The Dieter's Paradox », *Journal of Consumer Psychology*, vol. 21, n° 2, 2011, p. 178-183.

Face à l'annonce d'une mort prochaine : Paul Rousseau, « Death Denial », *Journal of Clinical Oncology*, vol. 21, n° 9S, 1er mai 2003, p. 52-53.

Thabo Mbeki et le VIH : Pride Chigwedere, George R. Seag, Sofia Gruskin, Tun-Hou Lee et M. Essex, « Estimating the Lost Benefits of Antiretroviral Drug Use in South Africa », *Journal of Acquired Immune Deficiency Syndromes*, vol. 49, n° 4, décembre 2008, p. 410-415.

Réduction de la durée des mandats de P.-D.G. : rapport annuel de Booz and Company's, été 2011.

On consacre de plus en plus de temps à gérer notre messagerie : Adrian Ott, « How Social Media Has Changed the Workplace », *Fast Company*, 11 novembre 2010.

L'opinion publique aime les décisions rapides : interview de Daniel Kahneman, BBC, « The Forum », 20 novembre 2011.

Les adolescents et les réseaux sociaux : étude réalisée par Axa en 2011.

Chapitre 2

Les sept erreurs classiques de l'accident d'avion : « A Review of Flightcrew-Involved Major Accidents of US Air Carriers, 1978 Through 1990 », publié en 1994 par l'US National Transportation Safety Board.

Comportement des banques avec les sociétés en difficulté : « Proactive Response – How Mature Financial Services Firms Deal With Troubled Projects », rapport établi par l'Economist Intelligence Unit, 2011.

Dissimuler les mauvaises nouvelles pour ne pas contrecarrer son évolution professionnelle : James Surowiecki, *The Wisdom of Crowds*, New York, Anchor, 2004, p. 205.

Quatre produits sur cinq disparaissent l'année de leur lancement : *ibid.*, p. 218.

La campagne de Domino Pizza : www.pizzaturnaround.com.

Les excuses de FedEx : http://blog.fedex.designcdt.com/absolutely-positively-unacceptable

Les excuses calment le jeu : M.C. Whited, A.L. Wheat *et al.*, « The Influence of Forgiveness and Apology on Cardiovascular Reactivity and Recovery in Response to Mental Stress », *Journal of Behavioral Medicine*, vol. 33, n° 4, août 2010, p. 293-304.

Excuses et procès pour erreur médicale : Virgil Van Dusen et Alan Spies, « Professional Apology: Dilemma or Opportunity? », *American Journal of Pharmaceutical Education*, vol. 67, n° 4, art. 114, 2003.

L'expérience du tee-shirt à l'effigie de Barry Manilow : Thomas et Gilovich Victoria Medvec Husted, « The Spotlight Effect in Social Judgment: An Egocentric Bias in Estimates of the Salience of One's Own Actions and Appearance », *Journal of Personality and Social Psychology*, vol. 78, n° 2, 2000, p. 211-222.

Chapitre 3

Les médecins interrompent leurs patients au bout de 23 secondes : John M. Travaline, Robert Ruchinskas et Gilbert E. D'Alonzo Jr, « Patient-Physician Communication: Why and How », *Journal of the American Osteopathic Association*, vol. 105, n° 1, 1er janvier 2005.

Une réduction des taux d'accidents à Londres : « Councils Urged to Cut Street Clutter », étude réalisée par le département britannique des Transports, 26 août 2010.

Le calme et la sérénité favorisent une pensée plus riche : Guy Claxton et Hare Brain, *Tortoise Mind: Why Intelligence Increases When You Think Less*, Londres, Fourth Estate, 1997, p. 76-77.

Les officiers de police qui patrouillent seuls sont plus prudents : Scott H. Decker et Allen E. Wagner, « The Impact of Patrol Staffing on Police-Citizen Injuries and Dispositions », *Journal of Criminal Justice*, vol. 10, n° 5, 1982, p. 375–82. Voir aussi Carlene Wilson, « Research on One- and Two-Person Patrols: Distinguishing Fact from Fiction », *Australian National Police Research Unit Report*, n° 94, juillet 1990.

Une petite pause nous rend plus éthiques : Brian Gunia, L. Wang *et al.*, « Contemplation and Conversation: Subtle Influences on Moral Decision Making », *Academy of Management Journal*, vol. 55, n° 1, 2012, p. 13-33.

Chapitre 4

La moitié des délinquants aux États-Unis viennnent de 10 % des *hight schools*: «Turning Around the Dropout Factories: Increasing the High School Graduation Rate», rapport du département américain pour l'Éducation, 2012.

Pour chaque dollar investi dans une nouvelle technologie: sur la base du travail d'Erik Brynjolfsson, expert de la Sloan School of Management, Massachusetts Institute of Technology (MIT).

Chapitre 5

Sur le taux de récidive en Norvège: William Lee Adams, « Sentenced to Serving the Good Life in Norway », *Time*, 12 juillet 2010; Bouke Wartna et Laura Nijssen, « National Reconviction Rates: Making International Comparisons », *Criminology in Europe*, vol. 5, n° 3, décembre 2006, p. 14.

Les prisonniers qui entretiennent de solides liens avec leurs proches ont moins de risque de récidiver: M. Berg and B.M. Huebner, « Reentry and the Ties that Bind: An Examination of Social Ties, Employment, and Recidivism », *Justice Quarterly*, vol. 28, n° 2, 2010.

Lien entre interventionnisme de l'État et niveau des taux de récidive: David Downes et Kirsten Hansen, «Welfare and Punishment: The Relationship Between Welfare Spending and Imprisonment », rapport réalisé pour la Crime and Society Foundation, King's College London, novembre 2006.

Une croissance moins forte à long terme pour les sociétés communiquant tous les trimestres sur leurs résultats: Daniel Pink, *The Surprising Truth about What Motivates Us*, Londres, Canongate, 2010, p. 57.

Les réparations fantaisistes des mécaniciens de Sears: Marianne M. Jennings, *Business Ethics. Case Studies and Selected Readings*, South-Western College, 2009, p. 505.

L'argent aime la cocaïne: Hans Breiter, Itzhak Aharon *et al.*, « Functional Imaging of Neural Responses to Expectancy and Experience of Monetary Gains and Losses », *Neuron*, vol. 30, mai 2001, p. 619-639.

Les incitations financières à court terme nuisent aux performances à long terme : Bernd Irlenbusch, communication à la London School of Economics, Department of Management, juin 2009.

Les artistes sont moins créatifs quand ils sont rémunérés à la commission : *The Surprising Truth about What Motivates Us*, Londres, Canongate, 2010, p. 45.

Chapitre 6

Les 482 pianos de Steinway : site officiel de Steinway & Sons, www.steinway.com/about/history

Flaubert et *Madame Bovary* : Brigid Grauman, « Madame Bovary Goes Interactive », *Prospect*, 4 mai 2009.

Les exigences de Steve Jobs à l'hôpital : Malcolm Gladwell, « The Tweaker – The Real Genius of Steve Jobs », *New Yorker*, 14 novembre 2011.

L'éclairage est un poste très lourd pour les populations les plus pauvres : Robert Bacon *et al.*, « Expenditure of Low-Income Households on Energy », *Extractive Industries for Development*, série 16, Banque mondiale, 16 juin 2010.

Les musiciennes jouent mieux derrière des paravents : Claudia Goldin et Cecilia Rouse, « Orchestrating Impartiality: The Impact of "Blind" Auditions on Female Musicians », *American Economic Review*, vol. 90, n° 4, septembre 2000, p. 715-741.

La théorie de la vitre brisée et les effets des graffitis : Kees Keizer, Siegwart Lindenberg et Linda Steg, « The Spreading of Disorder », *Science*, 12, vol. 322, n° 5 908, décembre 2008, p. 1 681-1 685.

John Wooden et ses chaussettes de basket : Atul Gawande, « Top Athletes and Singers Have Coaches. Should You? », *New Yorker*, 3 octobre 2011.

Van Halen et les M&Ms : Jacob Ganz, « The Truth about Van Halen and Those Brown M&Ms », *The Record*, février 2012.

Paré pour le décollage : entretien avec J. Terrance Davis, directeur du service de chirurgie du Nationwide Children's Hospital.

Chapitre 7

Sur les experts en œuvres d'art : Malcolm Gladwell, *Blink: The Power of Thinking without Thinking*, Londres, Allen Lane, 2006, p. 4-8.

Le psychologue qui repère les couples voués au divorce : *ibid.*, p. 18-23.

Durée d'un « balayage superficiel » : Frank Partnoy, *Wait: The Useful Art of Procrastination*, Londres, Profile, 2012, p. 88-89.

Les traders de Wall Street sont doués pour les jeux de guerre : Malcolm Gladwell, *op. cit.*, p. 108.

Trois quarts des accidents d'avions surviennent lors du premier vol d'ensemble des pilotes : source US National Transportation Safety Board.

Les champions d'échecs choisissent très rapidement les bonnes options : Gary Klein, *Sources of Power: How People Make Decisions*, Cambridge, Massachusetts, MIT Press, 1999, p. 163.

Les pompiers expérimentés prennent 80 % de leurs décisions en moins de 1 minute : *ibid.*, p. 4.

Les rapports d'autopsie concluent à l'erreur de diagnostic dans 40 % des cas : Jessica Leavitt et Fred Leavitt, *Improving Medical Outcomes: The Psychology of Doctor-Patient Visits*, New York, Rowman & Littlefield, 2011, p. 103.

Des ordinateurs plus forts que 284 experts : Philip Tetlock, *Expert Political Judgement: How Good Is It? How Can We Know?*, New Jersey, Princeton University Press, 2005.

Des examinateurs plus indulgents les jour de pluie : Donald A. Redelmeier et Simon D. Baxter, « Rainy Weather and Medical School Admission Interviews », *Canadian Medical Association Journal*, vol. 181, n° 12, 8 décembre 2009.

Des juges plus prompts à accorder une liberté conditionnelle après un repas : Leva, Danziger et Avnaim-Pesso, « Extraneous Factors in Judicial Decisions », *Proceedings of the National Academy of Sciences*, vol. 108, n° 17, 2011, p. 6 889-6 892.

Au cours des identifications, les témoins se trompent moins souvent quand ils doivent décider vite : « Unusual Suspects – How to Make Witnesses More Reliable », *Economist*, 3 mars 2012.

Un cœur qui bat trop vite engendre de mauvaises décisions : Malcolm Gladwell, *op. cit.*, p. 225.

Chapitre 8

Les prix Nobel de science ont presque tous une activité artistique : Michele et Robert Root-Bernstein, « A Missing Piece in the Economic Stimulus: Hobbling Arts Hobbles Innovation », *Psychology Today*, 11 février 2009.

Lien entre capacité à innover et réseaux sociaux : Matt Ridley, « From Phoenecia to Hayek to the "Cloud" », *Wall Street Journal*, 24 septembre 2011.

Nous sommes plus créatifs quand il s'agit de traiter les problèmes des autres : Evan Polman et Kyle J. Emich, « Decisions for Others Are More Creative than Decisions for the Self », *Personality and Social Psychology Bulletin*, vol. 37, n° 4, février 2011, p. 492–501.

Les rédacteurs du Talmud se méfiaient des jugements unanimes : Ivan L. Tillem, *The Jewish Directory and Almanac*, vol. 1, New York, Pacific Press, 1984, p. 221.

La compétition en interne tend à étouffer la créativité : Bill Breen, « The 6 Myths of Creativity », *Fast Company*, 19 décembre 2007.

Livre blanc 2011 du MIT : Phillip A. Sharp, Charles L. Cooney *et al.*, « The Third Revolution: The Convergence of the Life Sciences, Physical Sciences, and Engineering », Washington.

Le travail en équipe a envahi la science : Stefan Wuchty, Benjamin F. Jones et Brian Uzzi, « The Increasing Dominance of Teams in Production of Knowledge », *Sciencexpress*, 12 avril 2007.

Sur le lien entre qualité de recherche et relations humaines : Lee Kyungjoon, Isaac S. Kohane *et al.*, « Does Collocation Inform the Impact of Collaboration? », *Public Library of Science ONE*, vol. 5, n° 12, 2010.

Isaac Kohane : cité par Jonah Lehrer dans « Groupthink: The Brainstorming Myth », *New Yorker*, 30 janvier 2012.

Chapitre 9

Le mot allemand de l'année : http://www.gfds.de/aktionen/wort-des-jahres

Estimer le poids d'un bœuf : James Surowiecki, *The Wisdom of Crowds*, New York, Random, 2005, p. xii-xiii.

Localiser un bateau naufragé : *ibid.*, p. xx-xxi.

Classer les cratères de Mars : *ibid.*, p. 276.

Sur le théorème de la diversité : entretien avec Scott Page.

Sur l'invention de John Harrison : Dava Sobel, *Longitude: The True Story of a Lone Genius Who Solved the Greatest Scientific Problem of His Time*, Londres, Fourth Estate, 1998.

Un garçon de 15 ans découvre comment détecter le cancer du pancréas : Jake Andraka, lauréat de l'Intel International Science and Engineering Fair 2012 (Intel ISEF), programme de la Society for Science and the Public.

Les *idea jams* d'IBM : https://www.collaborationjam.com

Netflix offre une récompense de 1 million de dollars : « Innovation Prizes – And the Winner Is », *Economist*, 5 août 2010.

Fiat construit la première automobile issue du *crowdsourcind* : « The Case for Letting Customers Design Your Products », *Inc. Magazine*, 20 septembre 2011.

Un prototype d'engin militaire réalisé grâce au *crowdsourcing* : entretien avec Ariel Ferreira de Local Motors.

Steve Jobs et les groupes témoins : interview donnée à *Business Week*, 25 mai 1998.

Des consultants comparent 600 programmeurs issus de 92 entreprises : d'après l'étude « Coding War Games » de Tom DeMarco et Timothy Lister.

Les bureaux en *open space* nous rendent anxieux, hostiles, etc.: Susan Cain, « The Rise of the New Groupthink », *New York Times*, 13 janvier 2012.

Chapitre 10

Émissions de CO² et trafic routier: *Environmental Outlook to 2030 Summary*, OCDE, 2008.

L'usage du vélo de plus en plus répandu: d'après une étude du Danish Architecture Centre's Sustainable Cities.

Baisses des décès liés à des accidents de la route: Jon Cohen, « Calming Traffic on Bogotá's Killing Streets », *Science*, vol. 319, n° 8, février 2008, p. 742-743.

Qualité de l'air près des couloirs de bus à Bogota: Alasdair Cain, Georges Darido *et al.*, « Applicability of Bogotá's TransMilenio BRT System to the United States », *Federal Transit Administration*, mai 2006, p. 24-25.

Les leaders commencent à prendre de mauvaises décisions quand ils n'écoutent plus leur entourage: Kelly E. See, Elizabeth Wolfe Morrison, Naomi B. Rothman et Jack B. Soll, « The Detrimental Effects of Power on Confidence, Advice Taking, and Accuracy », *Organizational Behavior and Human Decision Processes*, vol. 116, n° 2, novembre 2011.

Daniel Goleman et l'intelligence émotionnelle: « What Makes a Leader? », *Harvard Business Review*, janvier 2004.

Google et les meilleurs managers: Adam Bryant, « Google's Quest to Build a Better Boss », *New York Times*, 12 mars 2011.

L'aventure polaire d'Ernest Shackleton: Alfred Lansing, *Endurance: Shackleton's Incredible Voyage to the Antarctic*, Londres, Phoenix, 2000.

Chapitre 11

Starbuck accuse les spéculateurs: Debarati Roy, « Coffee Speculation Infl ates Price, Hurts Demand, Starbucks Says », *Bloomberg*, 18 mars 2011.

Le rôle des magistrats locaux selon l'assemblée athénienne dans la Grèce antique : James Surowiecki, *op. cit.*, p. 71.

Le principe de subsidiarité selon l'Église catholique: Don Fier, « The Principle of Subsidiarity and the "Welfare State" », http://www.catholicculture.org

Les entreprises dont le capital est détenu par les salariés résistent mieux et sont plus rentables : « Model Growth: Do Employee-Owned Businesses Deliver Sustainable Performance? », rapport de la Cass Business School, John Lewis Group, 2010.

Les gens sont plus efficaces quand ils se sentent investis dans leur entreprise : James Surowiecki, *op. cit.*, p. 210.

Sur les travaux de recherches des infirmières du Georgetown University Hospital : V. Dion Haynes, « What Nurses Want », *Washington Post*, 13 septembre 2008.

Responsabilisation du personnel chez SAS : Jan Carlzon, *Moments of Truth, New Strategies for Today's Customer – Driven Economy*, New York, Harper & Row, 1989.

Les employés de Toyota connaissaient tous les stades de la production : James P. Womack, Daniel T. Jones et Daniel Roos, *The Machine That Changed the World: The Story of Lean Production*, New York, HarperCollins, 1991.

Une expérience pour couper le bruit de fond dans un contexte de travail : James Surowiecki, *op. cit.*, p. 212.

Échec d'un projet d'usine de produits surgelés au bord du lac Turkana : « Kenya's Turkana learns from Failed Fish Project », Reuters, avril 2006.

Bolsa Familia : rapport complet de la Banque mondiale à lire sur http://web.worldbank.org/wbsite/external/news/0,,contentmdk:21447054~pagepk:64257043~piPK:437376~theSitePK:4607,00.html

Des aides sans condition à An Loc : Rowena Humphreys, « Periodical Review of the Cash Transfers for Development Project », Oxfam Great Britain in Viêt Nam, décembre 2008.

Chapitre 12

Productivité et investissement émotionnel : James K. Harter et Frank L. Schmidt, « Causal Impact of Employee Work Perceptions on the Bottom Line of Organizations », *Perspectives on Psychological Science*, vol. 5, n° 4, juillet 2010, p. 378-389.

L'image d'une paire d'yeux encourage un comportement honnête : Melissa Bateson, Daniel Nettle et Gilbert Roberts, « Cues of Being Watched Enhance Cooperation in a Real-World Setting », *Biology Letters*, vol. 2, 2006, p. 412-414.

Sur la loyauté au groupe : William Darryl Henderson, *Cohesion: The Human Element in Combat*, Washington, DC, National Defense University Press, 1985, p. 22-23.

Sir Richard Branson et la communication avec les équipes en place : cité dans *Entrepreneur*, 20 avril 2011.

Les groupes surmontent mieux les difficultés quand leurs membres s'appellent par leurs prénoms : Atul Gawande, *The Checklist Manifesto: How to Get Things Right*, Londres, Profile, 2010, p. 108.

Des équipes heureuses sont plus créatives : Bill Breen, « The 6 Myths of Creativity », *Fast Company*, 19 décembre 2007.

Chapitre 13

La répartition des tâches dans les couples espagnols : Salomí Goñi-Legaz, Andrea Ollo-López et Alberto Bayo-Moriones, « The Division of Household Labour in Spanish Dual Earner Couples: Testing Three Theories », *Sex Roles*, vol. 63, n°s 7-8, 2010, p. 515-529.

Pression artérielle et tâches domestiques : Rebecca C. Thurston, Andrew Sherwood *et al.*, « Household Responsibilities, Income, and Ambulatory Blood Pressure Among Working Men and Women », *Psychosomatic Medicine*, vol. 73, n° 2, février-mars 2011, p. 200-205.

Un risque de divorce moindre dans les couples où l'homme participe aux tâches domestiques : Wendy Sigle-Rushton, « Men's Unpaid Work and Divorce: Reassessing Specialization and Trade in British Families », *Feminist Economics*, vol. 16, n° 2, 2010, p. 1-26.

Un total planétaire de 3 milliards d'heures hebdomadaires devant les jeux vidéo : Jane McGonigal, *Reality Is Broken: Why Games Make Us Better and How They Can Transform the World,* New York, Penguin, 2011, p. 6.

Âge et sexe des *gamers* : d'après l'Entertainment Software Association en 2012.

Le jeu du *Guardian* autour des fausses notes de frais : http://mps-expenses.guardian.co.uk

Les utilisateurs de podomètres marchent davantage : Dena M. Bravata, Crystal Smith-Spangler *et al.*, « Using Pedometers to Increase Physical Activity and Improve Health – A Systematic Review », *Journal of the American Medical Association*, vol. 298, n° 19, 2007.

Une rue de Brighton réduit sa consommation d'électricité : http://www.change-project.info/projects.html

Un patient sur deux ne respecte pas les ordonnances médicales : « Adherence to Long-Term Therapies », rapport 2003 de la Banque mondiale ; Lars Osterberg et Terrence Blaschke, « Drug Therapy: Adherence to Medication », *New England Journal of Medicine*, vol. 353, n° 5, 2005, p. 488.

Les boucles de rétroaction engendrent une amélioration du comportement : Thomas Goetz, « Harnessing the Power of Feedback Loops », *Wired*, 19 juin 2011.

Les *gamers* échouent dans 80 % des cas mais tirent profit de leurs erreurs : Jane McGonigal, *op. cit.*, p. 63.

Chapitre 13

Des vinchucas dans 18 % des foyers chiliens au début des années 1990 : toutes les données citées ici sur la maladie de Chogas proviennent des travaux d'Alonso Parra Garcés, responsable des virus au ministère de la Santé chilien.

10 millions de personnes pourraient être porteuses de la maladie de Chagas dans le monde : d'après Pedro Albajar Viñas, expert de la maladie de Chagas auprès de l'Organisation mondiale de la santé.

Les problèmes récurrents dans les couples : John Gottman, *The Seven Principles for Making Marriage Work*, Londres, Orion, 2007.

Les tests de Capital One : Charles Fishman, « This Is a Marketing Revolution », *Fast Company*, 30 avril 1999.

Google et son programme des 20 % : David Goldman, « Ex-Google Employee says Google+ Has Ruined the Company », *CNNMoney Tech*, 14 mars 2012.

Petits pas et pas de géant : Tim Harford, « Positive Black Swans », *Slate*, 17 mai 2011.

Conclusion

Les expériences coopératives fédèrent 1 milliard de participants : rapport de Gary Gardner pour le Worldwatch Institute.

Une horloge conçue pour durer 10 000 ans : http://longnow.org/clock

Le *slow movement* prend de l'ampleur : voir Carl Honoré, *In Praise of Slow*, Londres, Orion, 2004 (*L'Éloge de la lenteur*, Marabout, 2005). Vous pouvez aussi consulter les sites www. carlhonore.com et www.slowplanet.com

Les préjugés raciaux chez les médecins : Frank Partnoy, *Wait: The Useful Art of Procastination*, Londres, Profile, 2012, p. 99-100.

Bibliographie

Pour rédiger cet ouvrage, j'ai lu beaucoup de livres, blogs, articles et publications scientifiques. En voici une sélection.

BUTLER-BOWDON, Tom, *Never Too Late To Be Great: The Power of Thinking Long*, Londres, Virgin Books, 2012.

CAIN, Susan, *Quiet: The Power of Introverts in a World That Can't Stop Talking*, Londres, Viking, 2012.

CHANG, Richard Y. et KELLY, Keith, *Step-By-Step Problem Solving: A Practical Guide to Ensure Problems Get (And Stay) Solved*, Irvine, Richard Chang Associates, 1993.

COLLINS, Jim, *Good to Great: Why Some Companies Make the Leap … and Others Don't*, Londres, Random House, 2001.

COLLINS, Jim, *Good to Great and the Social Sectors*, Londres, Random House, 2006.

EDWARDS, David, *Artscience: Creativity in the Post-Google Generation*, Cambridge (Massachusets), Harvard University Press, 2008.

EDWARDS, David, *The Lab: Creativity and Culture*, Cambridge (Massachusets), Harvard University Press, 2010.

FRAENKEL, Peter, *Sync Your Relationship: Save Your Marriage*, New York, Palgrave MacMillan, 2011.

GAWANDE, Atu, *The Checklist Manifesto: How to Get Things Right*, Londres, Profile, 2010.

GLADWELL, Malcolm, *Blink: The Power of Thinking without Thinking*, Londres, Allen Lane, 2006.

GLADWELL, Malcolm, *Outliers: The Story of Success*, Londres, Allen Lane, 2008.

HEATH, Chip et Dan, *Made to Stick: Why Some Ideas Survive and Others Die*, New York, Random House, 2007.

HEWITT, Ben, *The Town That Food Saved: How One Community Found Vitality in Local Food*, New York, Rodale, 2009.

HOWE, Jeff, *Crowdsourcing: How the Power of the Crowd Is Driving the Future of Business*, Londres, Random House, 2008.

JOHNSON, Steven, *Where Good Ideas Come From: The Natural History of Innovation*, Londres, Allen Lane, 2010.

JONES, Morgan D., *The Thinker's Toolkit: 14 Powerful Techniques for Problem Solving*, New York, Three Rivers Press, 1995.

KAY, John, *Obliquity: Why Our Goals Are Best Achieved Indirectly*, Londres, Profile, 2010.

KAY, John, *The Hare and The Tortoise: An Informal Guide to Business Strategy*, Londres, Erasmus, 2010.

KLEIN, Gary, *Sources of Power: How People Make Decisions*, Cambridge (Massachusets), MIT Press, 1999.

MCGONIGAL, Jane, *Reality Is Broken: Why Games Make Us Better and How They Can Transform the World*, New York, Penguin, 2011.

MICKLUS, Dr Sam, *The Spirit of Creativity*, Sewell, Creative Competitions, 2006.

NEUSTADT, Richard E. et MAY, Ernest R., *Thinking in Time: The Uses of History for Decision Makers*, New York, Free Press, 1986.

PARTNOY, Frank, *Wait: The Useful Art of Procrastination*, Londres, Profile, 2012.

PINK, Daniel, *Drive: The Surprising Truth about What Motivates Us*, Londres, Canongate, 2010.

RIDLEY, Matt, *The Rational Optimist*, Londres, Fourth Estate, 2010.

ROAM, Dan, *The Back of the Napkin: Solving Problems and Selling Ideas with Pictures*, Londres, Marshall Cavendish, 2009.

ROBERTSON, Ian S., *Problem Solving*, Hove, Psychology Press, 2001.

ROSENBERG, Tina, *Join the Club: How Peer Pressure Can Transform the World*, New York, W.W. Norton & Company, 2011.

SCHULZ, Kathryn, *Being Wrong: Adventures in the Margin of Error*, Londres, Portobello, 2010.

SHIRKY, Clay, *Here Comes Everybody: How Change Happens When People Come Together*, Londres, Allen Lane, 2008.

SILARD, Anthony, *The Connection: Link Your Deepest Passion, Purpose and Actions to Make a Difference in the World*, New York, Atria Books/Beyond Words, 2012.

STEEL, Piers, *The Procrastination Equation: How to Stop Putting Things Off and Start Getting Things Done*, Harlow, Pearson Education, 2011.

SUROWIECKI, James, *The Wisdom of Crowds*, New York, Anchor, 2004.

THALER, Richard H. et SUNSTEIN, Carl R., *Nudge: Improving Decisions about Health, Wealth and Happiness*, Londres, Penguin, 2008.

WATANABE, Ken, *Problem Solving 101: A Simple Book for Smart People*, New York, Penguin, 2009.

WHYBROW, Peter, *American Mania: When More Is Not Enough*, Londres, W.W. Norton & Company, 2005.

Remerciements

La rédaction de ce livre n'a pas été facile et je dois son achèvement au soutien d'un grand nombre de personnes.

Comme d'habitude, mon agent, Patrick Walsh, m'a donné du courage grâce à ce mélange de charme, de sagesse et de sens pratique qui le caractérise. J'ai aussi eu la chance de profiter d'une merveilleuse équipe d'éditeurs dont la patience, l'imagination et la rigueur ont été une véritable bénédiction: Jamie Joseph et Iain MacGregor chez HarperCollins UK, Gideon Weil chez HarperOne San Francisco et Craig Pyette chez Random House Canada. J'adresse également un immense merci à mes relecteurs, Steve Dobell et Diana Stirpe, qui m'ont aidé à peaufiner mon texte.

Je suis évidemment très reconnaissant à mes premiers lecteurs, Annette Kramer, Peter Spencer, Jane McGonigal, Anthony Silard, Geir Berthelsen et Benjamin Myers, dont les précieux conseils ont contribué à la mise en forme de cet ouvrage, et je remercie tout particulièrement mon vieil ami Thomas Bergbush pour avoir passé au peigne fin le manuscrit. Il a le don de me rendre dingue, tout en m'obligeant à affiner ma réflexion.

J'ai eu la chance de réussir à persuader Cordelia Newlin de Rojas d'accepter la place du passager – la place du mort ! – dans le voyage que j'engageais. Elle a d'incroyables qualités de chercheuse: intelligente, réfléchie, méticuleuse, tenace, perspicace, attentive, créative et pleine d'humour. C'est en outre une lectrice à la fois vigilante et généreuse. Quand nous n'en pouvions plus de discuter de la solution lente, nous parlions cuisine. Ce livre n'aurait pas été le même sans sa participation.

Bien sûr, ce livre n'aurait pu voir le jour sans les nombreuses personnes qui ont accepté de s'entretenir avec moi dans le cadre de mes recherches autour du monde. J'adresse à chacun d'entre eux mes remerciements les plus chaleureux pour avoir pris le temps de partager avec moi leurs histoires et leurs connaissances – et pour avoir enduré mes incessantes questions complémentaires et autres vérifications. Même ceux dont les noms ne figurent pas dans ce livre ont ajouté des pièces essentielles à ce puzzle. Je suis aussi très reconnaissant aux nombreuses personnes qui m'ont aidé à organiser mes entretiens et mes voyages au long cours, avec une gratitude spéciale pour Douglas Weston, Henry Mann, Maria Teresa Latorre, Alonso Parra et Park Yong-Chui.

Je souhaite aussi remercier mes parents pour leur concours à la réalisation de ce livre. Ma mère est un puits de science en syntaxe et en grammaire, et j'entends sa voix à chaque fois que je pose les doigts sur mon clavier. Comme toujours, mes plus profonds mercis vont à Miranda France, *la fille qui m'accompagne*[1]…

1. En français dans le texte.

Table des matières

Du même auteur

Éloge de la lenteur, Marabout, 2005.
Laissez les enfants tranquilles, Marabout, 2012.

Achevé d'imprimer en juillet 2013
sur les presses de Rodesa, Espagne
pour le compte des éditions Marabout,
43 quai de Grenelle, 75015 Paris.
Dépôt légal : août 2013.

41.3363.3/01

ISBN : 978.2.2501.08879.4